D0330588

Pauline 6/99
Margot

Melody

La famille Logan

*

VIRGINIA. C. ANDREWS TM

Melody

La famille Logan

*

FRANCE LOISIRS
123, boulevard de Grenelle, Paris

Titre original : *Melody*

Traduit de l'américain par Françoise Jamoul

Une édition du Club France Loisirs, Paris,
réalisée avec l'autorisation des Éditions J'ai Lu.

ISBN 2-7441-2395-1

PROLOGUE

JE crois bien que dès que j'ai eu l'âge de comprendre que mon père et ma mère se disputaient pour de vrai, je me suis sentie de trop. Parce que si j'arrivais au beau milieu d'une de leurs querelles, ils se taisaient immédiatement. J'avais l'impression de vivre dans une maison dont les murs étaient tissés de secrets.

J'imaginais qu'un jour, je pourrais tirer sur un fil, et l'écheveau de tous ces secrets se déviderait. Alors la maison s'écroulerait.

C'était juste une idée de petite fille.

Mais finalement, c'est exactement ce qui s'est produit.

Un jour...

1

L'amour-piège

QUAND j'étais petite, je croyais qu'on pouvait obtenir tout ce qu'on veut si on le désire assez fort, assez longtemps et si l'on est assez sage. Et maintenant que j'ai quinze ans, même si je ne crois plus depuis longtemps à la petite souris, au père Noël ni au lièvre de Pâques, je n'ai jamais complètement cessé de croire qu'il y avait quelque chose de magique dans le monde. Que des anges, quelque part, veillaient sur nous, tenant compte de nos souhaits et de nos rêves. Et que parfois, quand le moment était venu et si nous l'avions mérité, ils exauçaient l'un de nos vœux.

C'est papa qui m'a appris cela. Quand j'étais encore assez menue pour me percher sans peine sur son bras robuste et me laisser promener comme une petite princesse, il me disait de fermer les yeux, de bien serrer les paupières et de penser à un souhait. D'y penser très, très fort, jusqu'à ce que je voie mon ange s'approcher de moi en battant des ailes.

Il disait que chacun de nous a son ange, qui lui est assigné à la naissance, et que les anges font tout ce qu'ils peuvent pour que les humains apprennent à croire. Il disait que lorsqu'on est encore tout petit, il est plus facile de croire en toutes sortes de choses que les adultes baptisent imagination. Et que c'est pourquoi, quelquefois, les anges apparaissent aux petits enfants. Je pense que certains d'entre nous s'attachent plus longtemps, plus fortement que d'autres au merveilleux. Certains d'entre nous ne désavouent jamais leurs rêves, même en vieillissant. Nous faisons vraiment un vœu en brisant un os de poulet, en soufflant nos bougies d'anniversaire ou en voyant une étoile filante ; et nous espérons, nous attendons même avec confiance qu'il se réalise.

J'ai fait tant de souhaits en grandissant que mon ange devait être surmené, j'en étais sûre. C'était plus fort que moi. Je souhaitais toujours que mon papa ne soit pas obligé de descendre au fond de la mine, loin du soleil, dans ces galeries humides et sombres pleines de poussière de charbon. Mais il devait y aller quand même, le pauvre papa.

Du plus loin que je me souvienne, j'ai souhaité vivre dans une vraie maison, et pas dans une caravane, même si la nôtre était voisine de celle de Papa George et Mama Arlène, que j'aimais tous deux tendrement. Et quand je faisais un vœu pour avoir une maison, j'y ajoutais toujours un petit supplément pour demander qu'ils en aient une à côté de la nôtre. Nous aurions chacun une vraie cour derrière, avec une pelouse, un érable et des chênes. Papa George m'apprendrait le violon. Quand il pleuvrait à verse, je n'aurais pas l'impression de vivre dans un tambour métallique. Et quand il y aurait du vent, je n'aurais pas peur que mon lit bascule sens dessus dessous pendant mon sommeil.

Ma liste de vœux s'allongeait sans cesse, aucune feuille de papier n'aurait été assez longue pour l'écrire.

Je souhaitais très fort que maman ne soit pas toujours aussi malheureuse. Elle se plaignait d'avoir à travailler au salon de coiffure « Chez Francine », de laver et permanenter les cheveux des autres femmes, bien que tout le monde reconnût ses talents de coiffeuse. Elle adorait entendre les riches clientes bavarder, parler de leurs voyages et de leurs achats. Mais elle était un peu comme une fillette émerveillée, le nez collé à une vitrine remplie de choses qu'elle ne pourrait jamais s'offrir.

Même quand elle était triste, maman était belle. Et l'une des choses que je souhaitais le plus souvent était d'être aussi jolie qu'elle quand je serais grande. Toute petite, j'aimais la regarder se maquiller ou se brosser les cheveux, assise à sa coiffeuse. Dans ces moments-là, elle me tenait de longs discours sur l'importance des soins de beauté, déclarant que c'était un crime pour une jolie femme de se négliger. Elle disait que lorsqu'on a la chance d'être belle, on se doit de se montrer toujours à son avantage.

Et elle ramenait souvent à la maison des échantillons de shampooings et de baumes capillaires, aussi bien pour moi que pour elle. Elle rapportait aussi des huiles parfumées pour le bain, et pouvait rester plus d'une heure à se prélasser dans notre petite baignoire sabot. Je lui lavais le dos, ou, quand je fus assez grande, je lui polissais les ongles des pieds, pendant qu'elle vernissait ceux de ses mains. Quelquefois, elle me polissait les ongles, à moi aussi, et me faisait une mise en plis.

Les gens disaient que nous n'avions pas l'air d'être mère et fille, mais qu'on nous prenait pour deux sœurs. J'avais ses traits délicats et son petit nez, mais pas ses cheveux châtains. Les miens étaient plus clairs, presque paille. Une fois, je lui demandai de les teindre de la même couleur que les siens, mais elle refusa. Ce blond était très joli, affirma-t-elle. Mais j'étais loin de me sentir aussi sûre de ma beauté qu'elle l'était de la sienne, quoiqu'en dise papa. Il répétait toujours que s'il était si pressé de rentrer chez lui, le soir, c'était pour retrouver les deux jolies femmes qui l'attendaient.

Papa mesurait un mètre quatre-vingt-dix et ses quatre-vingt-cinq kilos n'étaient que du muscle, dû à des années de travail à la mine. Il lui arrivait, après une longue journée, de rentrer à pas lents et tout courbatu, mais il ne se plaignait jamais. Dès qu'il posait les yeux sur moi, ses traits s'illuminaient. Peu importait sa fatigue, je pouvais toujours me jeter dans ses bras pour qu'il me soulève en l'air, comme si je ne pesais rien.

Quand j'étais petite, j'attendais avec impatience de le voir s'avancer, le pas pesant, sur le bitume crevassé du chemin qui menait de la mine au parking de Mineral Âcres, le lotissement de l'exploitation. Et soudain il apparaissait en haut de la colline, longue silhouette couronnée d'une flammèche de cheveux clairs, et s'approchait à grandes enjambées. Son visage et ses mains étaient noirs de poussière, on aurait dit un soldat revenant de guerre. Bien serré sous son bras, il portait le petit panier qui avait contenu son repas. C'était lui qui préparait ses sandwichs, le matin, parce que maman dormait encore quand il partait au travail.

Parfois, le soir en rentrant, papa levait la tête bien avant d'arriver au portail du lotissement et me voyait lui faire signe. Notre caravane était placée près de l'entrée, et notre petite cour de devant faisait face à la route de Sewell. Quand il m'apercevait, papa hâtait le pas et agitait son casque de mineur comme un étendard. Jusqu'à mes douze ans, environ, j'ai dû l'attendre à côté de la caravane de Papa George et Mama Arlène, parce que maman non plus n'était pas encore rentrée. Il n'était pas rare qu'elle aille quelque part et ne soit pas revenue pour le dîner. En général, elle allait chez Frankie, un snack-bar, avec ses collègues de travail et des amis, et ils écoutaient le juke-box. Mais papa était très bon cuisinier et j'appris à cuisiner, moi aussi, pour pouvoir le décharger de la plus grande partie de la besogne. Nous mangions en tête à tête plus souvent qu'à notre tour, tous les deux. Il ne se plaignait jamais de l'absence de maman, mais cela m'arrivait. Et c'était lui qui me demandait de me montrer compréhensive.

— Nous nous sommes mariés trop jeunes, Melody, me disait-il en guise d'explication.

— Mais n'étiez-vous pas follement amoureux, papa ?

J'avais lu « Roméo et Juliette », et je savais que quand on est amoureux fous, l'âge ne compte pas. J'affirmais à ma meilleure amie, Alice Morgan, que je ne me marierais jamais, à moins d'être amoureuse à en perdre le souffle et la raison. Elle trouvait que j'exagérais beaucoup, et pensait que je tomberais sans doute amoureuse plusieurs fois avant de me marier.

La voix de papa devenait toute songeuse pour me répondre.

— Nous l'étions, mais nous n'avons pas voulu écouter les conseils de nos aînés. Nous nous sommes sauvés pour nous marier en cachette, sans réfléchir aux conséquences. Nous étions bien trop enthousiastes pour nous inquiéter de l'avenir. Cela n'a pas été trop dur, pour moi, j'ai toujours été assez raisonnable. Mais ta mère n'a pas tardé à se rendre compte qu'elle avait manqué beaucoup de choses. Au salon de coiffure, elle entend toutes ces femmes riches parler de leurs voyages, de leurs maisons, et elle se sent frustrée. Nous devons lui laisser une certaine liberté, si nous ne voulons pas qu'elle se sente piégée par notre amour.

— Mais comment l'amour peut-il être un piège, papa ? m'étonnais-je.

Il avait alors ce grand sourire, doux et tendre, qui donnait à ses yeux verts un air si lointain. Quand il souriait ainsi, son regard dérivait loin de moi, comme si des images de son mystérieux passé surgissaient devant lui.

— Eh bien... quand on aime quelqu'un comme nous aimons ta maman, tous les deux, on voudrait qu'il soit toujours près de nous. C'est comme garder un très bel oiseau en cage. On a peur de lui rendre sa liberté, tout en sachant qu'il chanterait bien mieux s'il était libre.

J'insistais encore.

— Pourquoi ne nous aime-t-elle pas autant, elle aussi ?

— Elle le fait... à sa façon, souriait papa. Ta mère est la plus jolie femme de toute la région, et quelquefois, elle a l'impression de gâcher sa beauté. Ce n'est pas facile à supporter, Melody. Les gens n'arrêtent pas de lui répéter qu'elle devrait être modèle ou actrice, tourner pour le cinéma ou la télévision. Elle se dit que le temps passe et que bientôt il sera trop tard. Qu'elle ne pourra plus être rien d'autre que ma femme, et ta mère.

— Je ne veux pas qu'elle soit quelque chose d'autre, papa.

— Je sais. Elle nous suffit, nous l'aimons comme elle est. Mais elle n'a jamais su tenir en place, c'est une impulsive et une grande rêveuse. Et quand on aime quelqu'un, la dernière chose qu'on souhaite lui faire c'est de briser ses rêves.

« Bien sûr, reprenait papa sans cesser de sourire, j'ai toutes les raisons de croire que ce sera toi, la célébrité de la famille. Papa George a fait de toi une merveilleuse violoniste, tu chantes très bien, et tu deviens une femme ravissante. Un de ces jours, un découvreur de talents va te mettre la main dessus, tu vas voir.

— Voyons, papa ! Aucun chasseur de talents ne vient dans les mines dénicher une future vedette.

— Alors tu feras tes études supérieures à New York, ou en Californie, prophétisa-t-il. C'est mon rêve, à moi. Ne va pas me le gâcher, Melody !

Je riais, mais je n'osais pas faire ce genre de rêve pour moi, j'avais bien trop peur. Peur de me sentir frustrée, piégée moi aussi, comme maman avait l'impression de l'être.

Papa ne se sentait pas piégé du tout, lui, je me demandais bien pourquoi. Même quand tout allait mal, il prenait les choses avec le sourire et tenait bon. Jamais il ne se joignait aux autres mineurs quand ils allaient noyer leurs chagrins dans les bars. Il partait pour la mine et en revenait seul, car tous ses camarades habitaient dans des masures de la ville.

Nous vivions à Sewell, un village bâti par la compagnie minière au creux d'une petite vallée. Sa rue principale possédait une église, un bureau de poste, une demi-douzaine de boutiques, deux restaurants, une morgue et un cinéma-théâtre, ouvert seulement pendant le week-end. Les cabanes de mineurs étaient toutes de la même couleur brunâtre, simples baraquements de planches coiffés d'un toit en carton goudronné. Mais là, au moins, il y avait des enfants de mon âge. Dans l'enceinte réservée aux caravanes, à Mineral Âcres, il n'y en avait pas. J'aurais tellement voulu avoir un frère ou une sœur, pour me tenir compagnie ! Un jour, je confiai ce désir à maman. Elle fit la grimace et me dit en soupirant qu'à ma naissance, elle était encore presque une enfant elle-même.

— À peine dix-neuf ans, et ce n'est pas chose facile de mettre des enfants au monde ! On souffre dans son corps, et on n'arrête pas de se faire du souci. Pour leur santé, pour les nourrir, les habiller correctement, sans parler de leur éducation ! Je me suis retrouvée maman beaucoup trop vite. J'aurais dû attendre.

— Mais alors, je ne serais jamais née ? me lamentai-je.

— Bien sûr que si, mais tu serais née à un meilleur moment. Quand les choses auraient été plus faciles pour nous. Nous traversions un changement d'existence très difficile, à cette époque-là.

Quelquefois, j'avais l'impression que maman me reprochait d'être venue au monde. On aurait dit que, pour elle, c'était comme si les bébés flottaient simplement quelque part, en attendant d'être conçus ; et qu'un beau jour ils s'impatientaient et encourageaient leurs parents à les fabriquer. C'était ce que j'avais fait.

Je savais qu'avant ma naissance nous étions venus de Provincetown au Cap Cod, à Sewell dans le comté de Monongalia, en Virginie-Occidentale, et qu'alors nous n'étions pas très argentés. Maman m'avait raconté leur arrivée à Sewell. Malgré leur pauvreté, elle avait refusé de vivre dans une maison de mineurs et ils avaient loué une caravane à Mineral Âcres, bien que le lotissement fût surtout habité par des personnes à la retraite comme Papa George.

Papa George et Mama Arlène n'étaient pas mes véritables grands-parents, mais ils m'en tenaient lieu et je les considérais comme tels. Mama Arlène s'était souvent occupée de moi quand j'étais petite. Papa George, ancien mineur mis à la retraite pour invalidité, souffrait de ce qu'on appelait le mal noir, une affection des poumons due à la poussière de charbon ; et aussi, prétendait papa, au fait que Papa George n'ait jamais voulu renoncer au tabac. Sa maladie le faisait paraître beaucoup plus vieux que ses soixante-deux ans. Il avait les épaules voûtées, un visage las profondément creusé de rides, et il était si maigre que Mama Arlène disait toujours qu'elle aurait pu le renverser d'une pichenette. N'empêche que nous passions de merveilleux moments, tous les deux, quand il me faisait travailler mon violon.

Il se chamaillait toujours avec Mama Arlène, mais je savais par leurs amis et voisins que ce n'était pas sérieux. Leurs disputes n'étaient jamais bien méchantes et finissaient toujours dans un éclat de rire.

Papa adorait bavarder avec Papa George. Pendant le week-end. On les voyait souvent se balancer dans leurs rocking-chairs, sur la terrasse en ciment. À l'abri sous l'auvent de tôle, ils discutaient politique et s'entretenaient de la mine. Papa George vivait à Sewell à l'époque mouvementée où s'étaient créés les syndicats de mineurs, et il avait des tas d'histoires à raconter là-dessus ; des histoires qui, selon Mama Arlène, n'étaient pas pour mes jeunes oreilles.

— Et pourquoi pas ? protestait son époux. Faudra bien qu'elle sache la vérité sur cet endroit et les gens qui le dirigent.

— Elle apprendra bien assez tôt les horreurs de ce monde, George O'Neil, inutile de lui faire prendre de l'avance. Ferme ton caquet !

Il obéissait, grommelant entre ses dents jusqu'à ce qu'elle le foudroie d'un seul regard de ses yeux bleus, lui faisant ravaler ses dernières paroles de colère.

Mais papa était bien d'accord avec Papa George : on exploitait les mineurs. Ce n'était pas une vie.

Je n'ai jamais compris comment papa, élevé au Cap Cod dans une famille de pêcheurs, avait échoué dans un endroit où il était privé toute la journée de soleil et de ciel. Je savais que la mer lui manquait, mais nous n'étions jamais retournés au Cap et n'avions aucune relation avec sa famille. J'ignorais même le nombre de mes cousins, comment ils s'appelaient, et je n'avais jamais rencontré mes grands-parents. Tout ce que j'avais vu d'eux c'était une photographie en noir et blanc, toute pâlie, montrant la mère de papa debout derrière son mari assis dans un fauteuil. Tous deux semblaient très mécontents d'être photographiés. Le père de papa portait la barbe et devait être aussi grand que lui. Sa mère paraissait menue, mais je lui trouvais un regard dur et froid.

La famille de Provincetown était un sujet que papa n'abordait jamais. Il changeait toujours de conversation.

— Nous avons eu quelques petits différends, mieux vaut rester chacun chez soi, arguait-il. C'est plus simple.

Je ne voyais pas pourquoi, mais maman non plus ne semblait pas tenir à en parler. Il suffisait de mentionner les parents de papa pour qu'elle se mette à pleurer. Elle se plaignait à moi de ce qu'ils l'aient toujours méprisée, parce qu'elle était orpheline. Elle avait été adoptée par des gens trop âgés pour élever un enfant, me confiait-elle. Ils avaient plus de soixante ans quand elle était adolescente, et ils étaient très sévères. Elle disait qu'elle avait hâte de les quitter.

J'aurais voulu en savoir plus sur elle, et aussi sur la famille de papa, mais j'avais peur de provoquer une dispute entre eux. Je cessai donc très vite de poser des questions, mais cela ne fit pas pour autant cesser leurs querelles. Un soir, juste après m'être mise au lit, je les entendis élever la voix en discutant. Ils étaient dans leur chambre, eux aussi. La caravane avait une petite cuisine à droite de l'entrée principale, un coin repas et un salon. Un couloir étroit menait à la salle de bains. Ma chambre était la première sur la droite, et celle des parents se trouvait au bout de la caravane.

— Ne me dis pas que c'est de l'imagination, menaçait papa d'une voix furieuse. Les gens qui lancent ce genre d'allusions ne sont pas des menteurs, Hellie.

Je m'assis dans mon lit et tendis l'oreille. Il n'était pas difficile d'entendre une conversation normale, à travers ces cloisons en papier de soie, mais ils criaient si fort que j'aurais aussi bien pu être dans la même pièce qu'eux.

— Ce ne sont pas des menteurs, riposta maman, ce sont des mouches du coche ! Ils n'ont rien d'autre à faire pour tuer le temps qu'à inventer des histoires sur les autres.

— Si tu ne leur en fournissais pas l'occasion...

— Que voudrais-tu que je fasse, Chester ? Cet homme est le barman de chez Frankie. Il parle à tout le monde, pas seulement à moi !

Je savais qu'ils se disputaient au sujet d'Archie Marlin. Je ne l'avais jamais dit à papa, mais deux ou trois fois — à ma connaissance — Archie avait raccompagné maman chez nous en voiture. Archie avait des cheveux roux carotte coupés ras, un teint plâtreux, des taches de son sur le front et le menton. Tout le monde disait qu'il paraissait beaucoup plus jeune que son âge, bien que personne ne connût son âge exact. On ne savait pas grand-chose de lui, en fait. Il ne répondait jamais nettement aux questions qui le concernaient. Il haussait les épaules, ou lançait une plaisanterie stupide. Le bruit courait qu'il avait grandi dans le Michigan ou l'Ohio, et qu'il avait fait six mois de prison pour chèques falsifiés. Je n'ai jamais compris ce que maman lui trouvait. Elle disait qu'il connaissait toutes sortes de bonnes histoires et qu'il avait été dans des tas d'endroits intéressants. Las Vegas, par exemple. Elle le répéta encore à papa au cours de cette dispute dans la chambre, ce soir-là.

— Il a vu du pays, lui, au moins. Je peux apprendre des tas de choses avec lui.

— Boniments ! contra papa. Il n'est allé nulle part.

— Comment saurais-tu que ce sont des boniments, Chester ? C'est toi qui n'es jamais allé nulle part, à part le Cap et ce trou perdu de Sewell. Et tu m'y as amenée !

— Tu y es venue toute seule, Hellie, répliqua papa.

Et subitement, elle cessa de lui chercher querelle et fondit en larmes. Quelques instants plus tard il la consolait tout bas, si bas qu'il ne me fut pas possible d'entendre ce qu'il disait, puis ils se turent.

J'étais loin d'avoir tout compris. Comment maman était-elle venue toute seule ? Et pourquoi être venue dans un endroit qui ne lui plaisait pas ?

Je restai tout éveillée, à réfléchir. Il s'établissait souvent de profonds silences entre papa et maman, comme des gouffres qu'ils auraient eu peur de combler. Puis la dispute s'apaisait, comme celle-ci, et c'était comme si rien n'était arrivé, rien n'avait été dit. Comme s'ils renouvelaient sans cesse la trêve, sachant tous deux que sans cela quelque chose de terrible pourrait arriver, quelque chose de terrible pourrait être dit.

Rien n'était plus mystérieux à mes yeux que l'amour entre un homme et une femme. En classe, j'avais eu quelques passades pour des garçons, et pour le moment je recherchais surtout la compagnie de Bobby Lockwood. Comme ma meilleure amie, Alice, était la fille la plus brillante du lycée, je pensais qu'elle en saurait beaucoup sur l'amour, même si elle n'avait jamais eu de petit ami. Elle était très gentille mais pas très recherchée, ce qui s'expliquait. Elle pesait au moins douze kilos de trop, sa mère l'obligeait à garder ses nattes et elle n'avait droit à aucun maquillage, pas même un peu de rouge à lèvres. Je n'avais jamais vu personne lire autant qu'elle. Persuadée qu'elle avait dû, au cours de ses lectures, glaner quelques informations sur l'amour, je l'interrogeai donc à ce sujet.

Le mercredi après-midi, elle venait à la caravane après la classe, pour préparer avec moi le contrôle de géométrie hebdomadaire.

C'était plus à mon avantage qu'au sien, car elle avait fini par adopter envers moi le rôle de tuteur. Ce jour-là, elle réfléchit longuement à ma question, puis émit l'avis que c'était quelque chose de scientifique.

— C'est le seul moyen d'expliquer le phénomène, déclara-t-elle de son petit ton pédant habituel.

— Tu ne penses pas que ce serait plutôt magique ?

— Je ne crois pas à la magie.

La réponse était sèche, mais pas très convaincante. Alice mentait mal. J'étais sa seule véritable amie, ce qui était dû en partie à son honnêteté. Elle exprimait trop brutalement son opinion sur les autres filles du lycée. J'insistai.

— Alors comment se fait-il qu'un homme ne s'intéresse qu'à une seule femme, celle-là et pas une autre, et qu'une femme se conduise de la même façon avec un homme ? Quelque chose a dû se passer entre eux, tu ne crois pas ?

Alice roula des yeux comme si elle lisait un texte imprimé en l'air et mâchouilla sa lèvre inférieure. Elle avait l'habitude, en plus du reste, de mordre l'intérieur de sa joue gauche quand elle réfléchissait. « Voilà encore Alice qui se mange elle-même », ricanaient les autres filles, en classe.

Elle marqua une longue pause avant d'annoncer :

— Bon, nous savons que nous sommes tous faits de protoplasme.

— Beurk.

— Et que des échanges chimiques ont lieu entre les cellules, poursuivit-elle en hochant la tête.

— Arrête !

— Donc, il peut se produire une réaction chimique entre le protoplasme de certains hommes et celui de certaines femmes. Une sorte de magnétisme. Des atomes positifs et négatifs qui réagissent entre eux, tout simplement, mais les gens semblent y voir quelque chose de plus.

— Il y a quelque chose de plus, insistai-je. Forcément ! Ce n'est pas l'avis de tes parents ?

Alice haussa les épaules.

— Mes parents n'oublient jamais de se souhaiter leurs anniversaires, pontifia-t-elle, comme si l'amour et le mariage se résumaient à cela.

Le père d'Alice était dentiste à Sewell, et sa femme lui servait de secrétaire, de sorte qu'ils passaient beaucoup de temps ensemble. Mais quand j'allais au cabinet dentaire pour un contrôle, je pouvais voir qu'elle appelait son mari « Docteur Morgan », comme une employée s'adressant à son patron.

Alice avait deux frères, tous deux plus âgés qu'elle. Neal était déjà à l'université, et Tommy, actuellement en terminale, était certain de finir major de sa promotion.

— Tes parents ne se disputent jamais ? questionnai-je. Ils n'ont jamais de querelles sérieuses ?

En fait, je me demandais si cela n'arrivait qu'aux miens, ou si c'était pareil pour tout le monde.

— Pas vraiment sérieuses, et jamais devant quelqu'un, m'apprit Alice. En général, c'est à propos de politique.

De politique, vraiment ? Je n'imaginais pas maman se préoccupant de sujets pareils. Elle s'en allait toujours quand Papa George et papa se lançaient dans ce genre de discussions.

— Quand je serai mariée, j'espère que je ne me disputerai jamais avec mon mari, déclarai-je.

— Ce n'est pas réaliste. Les gens qui vivent ensemble doivent connaître certains conflits. C'est naturel. Ensuite, ils se réconcilient et tout va mieux après. Une fois, pour une histoire de politique, mes parents sont restés une semaine sans se parler.

— Une semaine ! (Je restai toute songeuse. Papa et maman se raccommodaient beaucoup plus vite que ça.) Ils ne se sont pas embrassés pour se dire bonsoir ?

— Je n'en sais rien. Je ne crois pas qu'ils aient cette habitude.

— Ils ne s'embrassent pas le soir avant de dormir ?

Une fois de plus, Alice haussa les épaules.

— Peut-être bien que si. Ils ont dû le faire et avoir des rapports sexuels, puisque nous sommes trois enfants, commenta-t-elle d'un ton pratique.

— Alors c'est qu'ils s'aiment, non ?

Les yeux bruns d'Alice exprimèrent un certain scepticisme.

— Pourquoi ?

— Parce qu'on ne peut pas avoir des rapports physiques sans être amoureux, voilà pourquoi.

— Le sexe n'a rien à voir avec l'amour en soi, dit Alice de son petit ton doctoral. La reproduction est un phénomène naturel, pour lequel tous les êtres vivants sont programmés.

— Beurk.

— Arrête de dire « Beurk » à chaque fois que je parle, tu me rappelles Thelma Cross. Tiens, j'y pense... (Alice eut un sourire entendu.) Pose-lui donc tes questions sur le sexe.

— Pourquoi ?

— L'autre jour, aux lavabos, j'ai surpris sa conversation avec Paula Temple. Elles parlaient de Tommy Getz et... tu sais bien... Non, se reprit Alice en rougissant, je ne peux pas répéter ce qu'elle disait.

Je me calai sur mon coussin et restai un instant rêveuse.

— Parfois, je me demande si nous ne sommes pas les deux seules filles de la classe qui soient encore vierges, tiens !

— Et alors ? Je n'en ai pas honte, si c'est le cas.

— Moi non plus, je suis seulement... curieuse.

— N'oublie pas le dicton, me mit en garde Alice. C'est la curiosité qui a tué le chat ! Jusqu'où es-tu allée avec Bobby Lockwood ?

Le regard de mon amie était devenu brusquement si insistant que je dus détourner les yeux.

— Pas très loin.

— Souviens-toi de Beverly Marks, Melody.

Beverly Marks était cette élève de première, la honte du lycée, qui était tombée enceinte et qui avait dû quitter la ville. Jusqu'ici, personne ne savait où elle était allée.

— Ne t'en fais pas pour moi, dis-je avec assurance. Je n'aurai jamais de rapports sexuels sans être amoureuse.

Alice ne parut pas convaincue. Elle commençait à m'ennuyer sérieusement, parfois. Il m'arrivait de me demander pourquoi je restais son amie.

— Bon, reprenons, dit-elle en ouvrant le cahier de textes. Le contrôle de demain devrait surtout porter sur...

Un bruit soudain, à l'extérieur, nous fit lever la tête en même temps. Des portières claquaient, des gens criaient. Je courus à la fenêtre de ma chambre.

La voiture de Loïs Norton, la patronne du salon de coiffure, était garée près de l'entrée du parc et Loïs elle-même aidait maman à descendre. Maman était en larmes. Deux autres de ses collègues sortirent à leur tour et, la soutenant chacune par un bras, l'accompagnèrent jusqu'à la caravane. Une seconde voiture arrivait derrière celle de Loïs et j'en vis descendre deux autres employées du salon.

Subitement, maman poussa un cri déchirant qui me perça le cœur et me figea sur place. Alarmés, Papa George et Mama surgirent de leur caravane et une femme vint leur parler. Je reconnus Martha Supple. Ensuite, je vis Papa George et Mama s'effondrer dans les bras l'un de l'autre et Mama Arlène plaquer la main sur sa bouche. Puis elle s'élança vers maman, déjà presque en haut des marches de notre caravane. Je pleurais, moi aussi, et je crois que c'était surtout de terreur. Je réussis pourtant à m'avancer jusqu'à la porte principale, et j'y arrivai juste au moment où elle s'ouvrait.

En me voyant, maman inspira une grande gorgée d'air.

— Oh, Melody ! gémit-elle.

Sur quoi, j'éclatai en sanglots.

— Maman ! Qu'est-il arrivé ?

— Il y a eu un terrible accident, ma chérie. Papa et deux autres mineurs sont... sont morts.

Maman libéra un long soupir tremblé, chancela et serait tombée si Mama Arlène ne l'avait pas soutenue. Mais son regard s'assombrit, comme noyé de désespoir, et son visage perdit d'un coup tout son éclat.

Je secouai la tête. Non, cela ne pouvait pas être vrai. Pourtant maman était bien là, s'accrochant à Mama Arlène et à ses amies, avec cet air tragique si terrible à voir.

— Non-on-on ! hurlai-je en plaquant les mains sur mes oreilles.

Et, bousculant les quelques personnes présentes, je dévalai les marches et me précipitai droit devant moi, sans savoir où j'allais ni me soucier d'être sortie sans manteau par cette soirée de février. Et pourtant, Dieu sait qu'il faisait froid, cette année-là !

Alice ne me rejoignit, haletante, que sur la rive de la Monongalia. Elle me trouva debout au bord de l'eau, étreignant mes épaules et fixant à travers mes larmes les noyers et les chênes de la berge opposée. Intrigué par le bruit de mes sanglots, sans doute, un daim à queue blanche se montra et m'observa un instant d'un œil curieux.

J'eus beau secouer la tête, encore et encore jusqu'à me dévisser le cou, il ne servait à rien de nier la réalité, je le savais. Le monde n'était plus le même. Et je pleurai tant que j'en eus mal dans la poitrine. Alice voulut me prendre dans ses bras pour me réconforter, mais je me dégageai.

— Ils mentent ! hurlai-je d'une voix hystérique. Ils mentent tous ! Dis-moi qu'ils mentent, Alice.

Elle agita tristement la tête.

— Il paraît qu'il y a eu un effondrement, et quand l'équipe de secours a rejoint ton père et les deux autres...

— Papa ! me désolai-je. Mon pauvre papa.

Alice mordit sa lèvre inférieure et attendit que mes sanglots s'apaisent pour demander :

— Tu n'as pas froid ?

— Qu'est-ce que ça peut bien faire ? la rabrouai-je. Plus rien n'a d'importance, maintenant.

Elle avait les yeux rouges, moins de froid que d'avoir pleuré, elle aussi.

— Rentrons, finis-je par dire, la voix lugubre.

Nous nous en retournâmes côte à côte, en silence, et je ne sais pas où je trouvai la force de refaire tout le chemin jusqu'à chez nous mais j'y arrivai. Les femmes qui avaient raccompagné maman étaient parties, et Alice entra avec moi. Maman était allongée sur le canapé, un linge humide sur le front, Mama Arlène à son chevet. Je m'agenouillai près d'elle et posai la tête sur sa poitrine.

Quand je la relevai, quelques minutes plus tard, maman s'était endormie. Mais j'eus le sentiment que, tout au fond d'elle-même, dans le silence de son cœur, elle continuait de pleurer et de crier son chagrin.

— Je vais te faire du thé, annonça tranquillement Mama Arlène. Tu as le nez tout rouge.

Je ne répondis pas. Je restai assise sur le plancher, sans lâcher la main de maman. Alice était toujours là.

— Je ferais mieux de rentrer chez moi et de prévenir mes parents, déclara-t-elle.

J'ai dû acquiescer d'un signe, je n'en suis même pas sûre. Tout me semblait si loin... Alice rassembla ses livres, prit le chemin de la porte et s'arrêta un instant sur le seuil.

— Je reviendrai plus tard, d'accord ?

Quand elle fut partie, je baissai la tête et pleurai tout bas, jusqu'à ce que Mama Arlène s'approche et me touche doucement le bras.

— Viens t'asseoir près de moi, petite. Laissons dormir ta mère.

Je me levai, la rejoignis à table et elle remplit deux tasses de thé bien chaud.

— Tiens, bois ça.

Je soufflai sur le liquide fumant et bus une gorgée.

— Quand Papa George travaillait à la mine, je tremblais toujours que ce genre de choses arrive, soupira-t-elle. Il y avait sans arrêt des accidents, d'une espèce ou d'une autre. Il faudrait laisser ce charbon tranquille et trouver une autre source d'énergie, acheva-t-elle amèrement.

— Ça ne peut pas être vrai, n'est-ce pas, Mama Arlène ? Pas mon papa ? C'est une erreur, il va revenir à la maison.

Je lui adressai un sourire implorant.

— Il va rentrer bientôt, tu vas voir. Il va apparaître au bout du chemin en balançant son panier.

— Ma petite fille...

— Non, Mama Arlène, tu ne comprends pas. Mon papa a un ange qui veille sur lui. L'ange ne permettrait jamais qu'une chose pareille arrive. Dis-leur de creuser encore, ils retrouveront papa.

— Ils l'ont déjà trouvé, lui et ces deux pauvres garçons. Melody... (Mama tendit le bras et posa la main sur la mienne.) Il va falloir être forte pour deux, petiote. Ta maman est assez fragile, et les jours qui viennent vont être durs à passer. Toute la ville est en deuil.

Je regardai maman dormir, les lèvres entrouvertes. Elle est si jolie, pensai-je, même maintenant. Trop jolie pour être veuve.

Je bus encore un peu de thé, me levai pour aller mettre mon manteau et sortis sur le pas de la porte pour surveiller la route. Puis je fermai les yeux et souhaitai, de toutes mes forces, que rien de tout cela ne fût vrai. Que papa arrive bientôt, et que je l'entende appeler mon prénom. De toute mon âme, je suppliai mon ange d'exaucer au moins ce vœu-là. Puis je rouvris les yeux.

La route était vide. La nuit tombait. De longues ombres s'étiraient sur le bitume. Le ciel avait pris une menaçante teinte grise et de légers flocons de neige commençaient à voleter dans la bise. J'entendis claquer une porte et vis Papa George émerger de sa caravane. Il m'aperçut, se laissa tomber dans son rocking-chair et alluma une cigarette. Puis il baissa la tête et se mit à se balancer.

Une fois de plus, je regardai vers la colline.

Papa n'était pas là.

Papa ne reviendrait jamais.

2

La tombe d'un mineur

Il neigeait, le jour de l'enterrement de papa. Mais ni en partant pour l'église, ni lorsque nous suivîmes le corbillard au cimetière, je ne sentis les flocons que le vent glacé me jetait au visage.

Les trois cercueils étaient côte à côte devant le chœur et rien ne les distinguait les uns des autres. L'église était pleine de mineurs avec leurs familles, de commerçants, d'amies et de collègues de maman, et je vis de nombreux camarades de classe. Bobby Lockwood semblait au supplice, ne sachant trop s'il devait risquer un sourire ou avoir l'air désolé. Je lui souris, et il en parut très touché.

J'entendis sangloter beaucoup, derrière moi, et des gens souffler à grand bruit dans leur mouchoir. Au fond de l'église, un bébé pleura pendant toute la durée du service.

Papa George dit que la compagnie aurait dû envoyer plus de représentants, et déplora qu'on n'ait pas fermé les puits pendant quelques jours, par respect pour les morts. Mama Arlène et lui suivirent le fourgon mortuaire jusqu'au cimetière. À part le crissement du gravier sous les pas, tout était terriblement silencieux. J'accueillis presque avec soulagement les récriminations de Papa George.

— C'est à cause de l'embargo sur le pétrole que ces pauvres gars sont morts, s'indigna-t-il. La compagnie a flairé le profit et mis la pression sur les mineurs. Ce n'est pas la première fois, croyez-moi, ni la dernière non plus !

En passant sous le portail du cimetière, je vis qu'il y avait des anges gravés dans la pierre. Maman garda la tête baissée pendant toute la cérémonie. De temps en temps, elle poussait un grand soupir et gémissait tout bas :

— J'ai hâte que tout soit terminé ! Qu'est-ce que je vais dire à tous ces gens ?

Mama Arlène, le bras passé sous le sien, lui tapotait doucement la main.

— Allons, ma petite Hellie, du courage.

Papa George marcha près de moi jusqu'à la tombe, la tête basse et les yeux pleins de larmes, sa tignasse grise toute saupoudrée de neige. Les deux autres mineurs morts dans l'accident étaient enterrés dans une autre partie du cimetière, du côté nord. Les cantiques chantés par les assistants parvenaient jusqu'à nous, portés par la bise glacée de février qui rabattait les flocons sur les masures de la ville. Dès qu'il eut fini son oraison, le prêtre s'esquiva pour aller prier sur les tombes des autres mineurs. Nous relevâmes tous la tête et je regardai maman.

Même en noir et sans maquillage, elle était ravissante. Son épaisse chevelure châtain clair était tirée très en arrière, son regard triste était un charme de plus. Elle avait acheté sa robe noire pour la circonstance, et portait une cape à capuchon. Le bas de sa jupe cachait tout juste ses genoux et volait au vent, mais elle ne semblait pas avoir froid. Elle était plongée dans une stupeur encore plus profonde que la mienne. J'avais l'impression que si Mama Arlène ou moi cessions de la tenir par le bras, le vent l'emporterait. Je savais qu'elle aurait voulu être n'importe où plutôt qu'ici. Elle détestait le malheur. Si quelque chose l'attristait, elle se versait un gin-tonic et augmentait le volume de la radio, pour chasser la mélancolie.

Je coulai un dernier regard vers le cercueil, n'arrivant toujours pas à croire que mon papa y était enfermé pour de bon. Non, c'était impossible. Le couvercle allait se soulever brusquement, et papa se dresserait sur son séant, pour annoncer en riant que c'était une plaisanterie. J'en riais presque, moi aussi. Mais le couvercle restait obstinément clos, les flocons dansaient sur le bois verni avant de s'y écraser pour fondre presque aussitôt, telles des larmes.

Les assistants défilèrent, certains nous prenant dans leurs bras, d'autres se contentant de nous serrer la main en secouant la tête. Tout le monde prononçait les mêmes paroles de condoléances. Maman garda presque tout le temps les yeux baissés, si bien que ce fut à moi de saluer les gens et de les remercier. Quand Bobby me prit la main, je lui donnai une brève accolade. Il eut l'air embarrassé, marmonna quelques mots et s'éloigna rapidement pour rejoindre ses camarades. Je ne lui en voulus pas, mais j'avais l'impression d'être une lépreuse. Tout le monde paraissait garder ses distances avec nous, à croire que le malheur s'attrapait comme un rhume.

Nous revînmes du cimetière encore plus rapidement que nous y étions allés, surtout maman. La neige tombait plus dru, et maintenant que tout était fini, je sentais le froid me transpercer jusqu'aux os.

Les parents et amis des autres mineurs se rassemblaient pour la traditionnelle veillée, où l'on reprend des forces tout en se réconfortant mutuellement. Mama Arlène avait préparé un rôti en pensant que nous nous retrouverions tous chez elle. Mais dès la sortie du cimetière, maman lui annonça qu'elle ne viendrait pas.

— J'ai assez vu de tristes figures pour aujourd'hui, gémit-elle.

Mama Arlène insista.

— C'est dans les occasions comme ça qu'on a besoin les uns des autres, voyons !

Mais maman secoua la tête et hâta le pas.

Et brusquement, Archie Marlin surgit à nos côtés, avec ses souliers en simili cuir et son complet voyant, ses cheveux roux luisants de brillantine.

— Puis-je vous raccompagner chez vous, Hellie ? proposa-t-il.

Les yeux de maman brillèrent, ses joues rosirent. Rien ne pouvait mieux la réconforter que les attentions d'un homme.

— C'est vraiment gentil de votre part, Archie. Merci.

— Il n'y a pas de quoi, répliqua-t-il avec un grand sourire. J'aimerais pouvoir faire plus.

Je surpris l'expression d'Alice : ses yeux déjà saillants faillirent lui sortir de la tête.

— Viens, ma chérie, dit maman en me prenant la main.

Mais je reculai aussitôt.

— Inutile, je rentre avec Alice.

— C'est ridicule, Melody. Il fait froid.

— Je n'ai pas froid, prétendis-je, même si j'étais bien près de claquer des dents.

— Très bien, fais comme tu veux, capitula maman.

Et elle monta dans la voiture d'Archie. Les banquettes étaient recouvertes de laine synthétique dont les poils s'accrochaient aux vêtements. La robe noire de maman allait en être pleine, mais elle ne paraissait pas s'en soucier. En partant pour l'église, elle m'avait dit qu'elle jetterait cette robe à la poubelle aussitôt qu'elle l'aurait enlevée.

— Je n'ai pas l'intention de porter le deuil pendant des semaines, avait-elle déclaré. La tristesse vous vieillit et ne ramène pas les morts. D'ailleurs je ne peux pas porter ce truc noir au salon de coiffure, tu es bien d'accord ?

Cette remarque me stupéfia. La mort de papa, pour moi, c'était un peu comme si le monde s'était arrêté de tourner.

— Quand reprends-tu ton travail, maman ?

— Demain. Je n'ai pas vraiment le choix, crut-elle bon d'expliquer. Il n'y a plus personne pour nous aider à vivre, maintenant... Bien que ça ne fasse pas une grande différence, ajouta-t-elle à mi-voix. Pour ce qu'il gagnait !

— Et moi, dois-je retourner tout de suite au lycée ?

Je n'en avais pas plus envie que ça, mais c'était la colère qui me faisait parler.

— Évidemment. Qu'est-ce que tu ferais de tes journées ? Tu mourrais d'ennui entre ces quatre murs.

Elle avait raison, mais cela ne me semblait pas bien de reprendre nos vies comme si rien n'était arrivé. Papa était mort. Je ne l'entendrais plus jamais rire, je ne verrais plus son sourire. Le ciel lui-même pourrait-il être encore aussi bleu ? Que m'importait désormais ce qui était beau, ce qui était doux, ce qui sentait bon ? Je n'aurais plus jamais envie d'avoir de bonnes notes aux contrôles, ou d'étaler mon savoir tout neuf. Papa était le seul qui s'en souciait, qui se montrait fier de moi. Avec maman, j'avais toujours l'impression que l'éducation était une chose inutile pour une fille. Elle croyait que, sitôt en âge, la seule chose importante était de décrocher un mari.

En rentrant avec Alice, il me semblait que mon cœur s'était mué en un de ces gros blocs de charbon que papa arrachait aux entrailles de la terre : ce charbon qui l'avait tué. Alice et moi échangeâmes à peine quelques paroles pendant le trajet. Il nous fallut garder la tête baissée, pour nous protéger des flocons qui nous fouettaient la figure. En arrivant à Mineral Âcres, nous vîmes la voiture d'Archie garée devant notre caravane et, en approchant, nous entendîmes le rire de maman.

— Je ferais peut-être mieux de rentrer, balbutia mon amie avec embarras.

— J'aimerais mieux pas. Nous irons dans ma chambre et nous fermerons la porte.

— D'accord, acquiesça-t-elle.

Nous trouvâmes Archie et maman assis à la table du coin repas, de chaque côté d'une bouteille de gin. Maman avait déjà changé de robe, elle en portait une en soie bleue. Elle avait dénoué ses cheveux et s'était mis du rouge à lèvres.

— Tu es contente, maintenant que tu as les pieds gelés ? me lança-t-elle.

— J'avais besoin de marcher un peu, maman.

— Il y a de l'eau sur le fourneau, si vous voulez vous faire du chocolat.

— Je te remercie, maman, mais je n'ai besoin de rien pour le moment.

— Alice veut peut-être boire quelque chose, elle ?

— Non merci, madame Logan.

Ce refus poli provoqua la fureur de maman.

— Tu pourras dire à ta mère que ma maison est propre, en tout cas ! glapit-elle.

Alice en resta tout interdite.

— Je vous assure, madame Logan...

— Viens, décidai-je. Allons dans ma chambre.

Je m'engageais déjà dans le petit couloir, Alice sur mes talons, quand maman cria derrière moi :

— Tu ferais peut-être mieux d'aller au repas de funérailles, je n'ai rien préparé pour dîner !

— Aucune importance, renvoyai-je sur le même ton, je n'ai pas faim.

Et, sitôt refermée la porte de ma chambre, je me jetai à plat ventre sur mon lit et enfouis mon visage dans l'oreiller, étouffant à la fois ma rage et mes sanglots. Alice s'assit au bord du matelas, trop secouée pour parler. Un moment plus tard, nous entendîmes la radio diffuser une musique entraînante. J'éprouvai le besoin d'excuser maman.

— C'est parce qu'elle ne peut plus supporter de pleurer, tu comprends ?

Alice hocha la tête, mais elle avait l'air mal à l'aise.

— Elle veut que je retourne en classe tout de suite, ajoutai-je.

— Et tu vas le faire ? Tu devrais, tu sais.

— Facile à dire, ce n'est pas ton papa qui est mort !

Je regrettai instantanément mes paroles.

— Excuse-moi, je ne voulais pas dire ça. Je sais que je devrais reprendre une vie normale, comme si de rien n'était. Mais qu'est-ce que je vais devenir, à l'heure où papa rentrait du travail ? Je ne pourrai pas m'empêcher de surveiller le bout de la route, chaque jour, en espérant le voir arriver !

Je vis les yeux de mon amie se remplir de larmes, mais c'était plus fort que moi. Il fallait que je parle.

— Je n'arrête pas de me dire que si je me concentre et que j'espère, assez fort et assez longtemps, tout redeviendra comme avant. Tout ça ne sera jamais arrivé. Ce sera simplement... comme un mauvais rêve.

— Rien ne le ramènera, Melody, murmura tristement Alice. Son âme est au paradis, maintenant.

— Pourquoi Dieu l'a-t-il rappelé à Lui ? m'indignai-je. Pourquoi être venue au monde, si c'est pour perdre mon papa quand j'en ai le plus besoin ? Je ne remettrai jamais les pieds dans cette église !

— C'est idiot de t'en prendre à Dieu, Melody.

— Ça m'est égal !

Alice croyait que je ne pensais pas ce que je disais, je le vis bien à son expression. Mais je le pensais, avec une conviction totale. Puis, d'un seul coup, je pris conscience de la futilité de ma révolte et de ma colère.

— Qu'allons-nous devenir, sans lui ? Peut-être que je vais devoir quitter l'école et chercher du travail.

— Tu ne peux pas faire ça !

— Je serai peut-être bien obligée. Maman ne gagne pas grand-chose au salon de coiffure.

Alice réfléchit quelques instants.

— Il y a la retraite des mineurs, et la sécurité sociale.

— Maman dit que ça ne suffira pas, fis-je observer.

Un bruyant éclat de rire nous parvint, mêlant les voix de maman et d'Archie Marlin. Alice fit la grimace.

— Mon père se demande comment Archie s'arrange pour échapper à la prison. Il dit qu'il sert du whisky rallongé.

— Maman essaie seulement d'être moins triste, avançai-je en guise d'excuse. Elle avait besoin de compagnie et c'est lui qui s'est trouvé là, c'est tout.

Alice hocha la tête, mais sans grande conviction. Je pris mon violon, effleurai les cordes et un sourire ému me vint aux lèvres.

— Papa aimait tellement m'écouter jouer, soupirai-je.

— Je ne connais personne qui joue aussi bien que toi, Melody.

Je lançai brutalement mon violon sur le lit.

— En tout cas, je ne jouerai plus.

— Bien sûr que si ! Ton père n'aurait jamais voulu que tu abandonnes, n'est-ce pas ?

Je restai un moment songeuse. Alice avait raison, mais je n'étais pas d'humeur à donner raison à qui que ce fût.

Un autre éclat de rire d'Archie Marlin nous parvint du bout du couloir. Je plaquai les mains sur mes oreilles.

— Quelle camelote, les cloisons de cette caravane ! Du vrai papier à cigarettes.

— Tu peux venir chez nous, offrit Alice. Il n'y a que mon frère à la maison.

Alice habitait l'une des plus jolies demeures de Sewell. D'habitude, j'adorais y aller, mais ce soir-là il me semblait que c'était mal de m'octroyer un plaisir. J'hésitai. Subitement, nous entendîmes Archie et maman chanter en accompagnant la radio, puis à nouveau éclater de rire. Je me levai et empoignai mon manteau.

— D'accord. Sortons d'ici.

Alice acquiesça et me suivit jusqu'au bout du petit couloir. Maman était vautrée sur le canapé, à présent, et Archie se tenait debout à ses côtés, le verre à la main. Sans mot dire, il tendit le bras pour baisser le volume du son.

— Je vais chez Alice, annonçai-je.

— Bonne idée, ma chérie. Papa n'aimerait pas te voir broyer du noir ici.

Je faillis riposter qu'il n'aurait pas aimé non plus la voir boire, rire et chanter avec Archie Marlin, mais je me mordis la langue et pris le chemin de la porte.

— Ne rentre pas trop tard ! cria maman derrière moi.

Je m'abstins de répondre. Dès que nous fûmes dehors, Alice et moi, la radio se fit à nouveau entendre et nous n'échangeâmes pas un mot jusqu'à Hickory Hill, la colline aux noyers. La demeure des Morgan se dressait sur la hauteur, et par les fenêtres du salon et du séjour on voyait toute la vallée de la Sewell. Mme Morgan était très fière du style colonial de sa maison à deux étages, de son porche à colonnes et de son garage attenant. Elle comptait douze pièces. Le séjour était aussi grand que notre caravane, la chambre d'Alice deux fois comme la mienne et celle de son frère Tom encore bien plus spacieuse. La seule fois où je risquai un coup d'œil dans la chambre de maîtres, avec la salle de bains contiguë, je me crus dans un palace.

Nous trouvâmes Tommy dans la cuisine. Perché sur un tabouret, le combiné du téléphone coincé entre l'épaule et la joue, il étalait du beurre de cacahuètes sur du pain. Dès qu'il m'aperçut, il ouvrit des yeux ronds de surprise.

— Je te rappelle, Tina, dit-il en raccrochant précipitamment. Melody... toutes mes condoléances. Ton père était un homme très bien.

— Merci.

Tom dévisageait fixement Alice, comme s'il attendait une explication à ma présence. Tout le monde se comportait comme si j'étais contagieuse, constatai-je une fois de plus. Un chagrin tel que le mien faisait peur, personne ne voulait s'y trouver confronté. Alice s'empressa de rassurer son frère.

— Nous montons dans ma chambre, Tom.

— Vous voulez manger quelque chose ? J'étais justement en train de me préparer un petit casse-croûte.

Mon estomac réagit vivement à cette suggestion. Il y avait des jours que je n'avais pas fait un repas substantiel.

— Je mangerais bien un morceau, oui.

— Je prépare quelques sandwichs, décida brusquement Alice. Nous les monterons dans ma chambre.

Tom fronça les sourcils.

— Maman n'aimerait pas ça, tu le sais.

— Elle fera une exception, pour une fois ! lui renvoya sa sœur, avec un regard si sévère qu'il capitula aussitôt.

— Tant que vous ne mettez pas de désordre... Et comment va ta mère, Melody ? s'empressa-t-il d'enchaîner.

— Heu... (J'hésitai, un peu gênée.) Elle va bien, merci.

Alice me prit d'autorité par la main.

— Viens, montons d'abord dans ma chambre.

À sa suite, je gravis le grand escalier circulaire recouvert d'épais tapis et gagnai sa chambre. Dès l'entrée, elle me désigna son grand lit à baldaquin tendu de vaporeux rideaux roses. Les colonnes aussi étaient roses, comme le chevet découpé en forme de cœur. Je rêvais d'avoir un lit pareil, au lieu de mon malheureux matelas à ressorts.

— Tu peux t'allonger, si tu veux. Et ne t'occupe pas de mon balourd de frère, nous n'arrêtons pas de nous chamailler. Il faut toujours qu'il joue les gendarmes.

J'ôtai mon manteau, me laissai tomber sur les coussins moelleux, et Alice enchaîna aussitôt :

— Au fait, je m'attendais à ce que Bobby vienne chez toi.

— Ah bon ? Pas moi. Il avait l'air terrifié, à l'église. Au cimetière aussi.

— Je sais que tu l'aimes bien, mais... il me semble un peu immature, non ? S'il t'aimait vraiment, il aurait voulu être avec toi pour te réconforter.

Je n'ignorais pas qu'Alice détestait me voir avec un petit ami. Cela m'éloignait d'elle.

— Personne ne se comporte de façon très mature, dans ce genre de situation, expliquai-je, et je ne lui en veux pas. Pour le moment, les garçons m'indiffèrent complètement.

Elle parut enchantée de ma réponse.

— Je fais un saut à la cuisine et je nous remonte des sandwichs, d'accord ?

— Ne te donne pas trop de peine pour moi, je t'en prie.

— Ne t'inquiète pas pour ça. Repose-toi, lis ou regarde la télévision, suggéra-t-elle. Fais comme chez toi.

— Merci, Alice.

Après son départ, je fermai les yeux. J'aurais dû être auprès de maman. Elle aurait dû vouloir être avec moi, et non avec Archie Marlin. Elle serait triste quand il partirait, il ne fallait pas que je m'attarde longtemps. J'entendais encore la voix persuasive de papa me suppliant de comprendre ses faiblesses. Il souffrait toujours plus pour elle que pour lui, et j'étais sûre qu'il le faisait encore en ce moment, même si c'était lui qui était enfermé dans un cercueil.

Combien de temps encore mes camarades allaient-ils me regarder de cette façon bizarre ? Ce serait dur de retourner en classe et de sentir tous ces regards apitoyés braqués sur moi. Peut-être que maman avait raison, finalement. Peut-être valait-il mieux faire comme si de rien n'était, pour que les gens se sentent moins gênés. Mais ne serait-ce pas faire injure à la mémoire de papa ? Pourtant, il allait bien falloir trouver une façon de cacher mon chagrin et continuer à vivre ma vie, même si elle me semblait terriblement vide, à présent.

Si j'avais eu un frère, je ne me serais pas disputée sans cesse avec lui comme Alice avec le sien, méditai-je. Il m'aurait aidée dans mes problèmes avec maman, nous nous serions réconfortés l'un l'autre. Je suis sûre qu'il aurait ressemblé à papa, et j'en voulais à maman d'être trop égoïste pour avoir désiré un autre enfant. Elle aurait pu tenir compte de mon besoin d'avoir un compagnon, quand même !

Je devais être plus fatiguée que je ne le croyais car je n'entendis pas Alice revenir. Elle déposa son plateau sur la table de nuit, s'assit et se plongea dans ses révisions d'histoire en attendant que j'ouvre les yeux. La nuit tombait quand je le fis, la lampe de chevet était allumée. Je me redressai sur mon séant et me frottai vigoureusement les joues.

— Je t'ai monté du lait chaud et un sandwich, dit Alice en désignant le plateau. Tu dormais, je n'ai pas voulu te réveiller. Mange, Melody, tu en as besoin.

Je pus constater, en voyant près d'elle une assiette et un verre vides, qu'elle ne m'avait pas attendue et je mordis dans mon sandwich, non sans inquiétude. Comment allait réagir mon estomac en recevant cette nourriture solide ? Il réagit très bien. Le sandwich était délicieux et j'eus tôt fait de l'avaler, sous le regard amusé d'Alice.

— Tu avais faim, je vois !

— J'en ai bien l'impression. Merci beaucoup. Je crois que je devrais rentrer, ajoutai-je après un regard à l'horloge miniature posée sur sa commode.

— Rien ne t'y oblige. Si tu veux, tu peux même dormir ici.

— Non, insistai-je. Il faut que je rentre, ma mère a besoin de moi. Excuse-moi si je n'ai pas été d'une compagnie très agréable.

— Ne t'en fais pas pour ça. Tu viens au lycée, demain ?

— J'ai bien peur que non. Il faut que je reste au moins une journée à la maison, déclarai-je avec fermeté.

— Je t'apporterai la liste des devoirs et je te raconterai ce qu'on a fait.

Je lui souris avec gratitude.

— Merci. Merci d'être ma meilleure amie, Alice.

Elle me rendit timidement mon sourire, les larmes aux yeux, et me suivit dans l'escalier. Puis, comme je m'étonnais du silence qui régnait partout, elle m'expliqua :

— Mes parents sont en train de s'habiller pour dîner, comme tous les soirs. Nous sommes très traditionalistes, chez nous.

Parvenue à la porte d'entrée, je me retournai pour contempler sa somptueuse demeure.

— C'est une bonne chose. Ce doit être agréable de s'asseoir autour d'une vraie table de famille. Tu as de la chance.

— Non, rétorqua-t-elle avec une âpreté qui m'étonna, tu te trompes. Nous sommes riches, d'accord, et je suis la meilleure élève de la classe, mais c'est toi qui as de la chance.

— Quoi ?

Pour un peu, j'en aurais ri. Me dire cela à moi, et justement aujourd'hui !

— Tu es la plus jolie fille du lycée, tout le monde t'aime et un jour, tu seras la plus heureuse de nous tous.

Je secouai la tête, comme si Alice avait proféré la plus grosse bêtise qui soit, mais elle maintint avec assurance :

— Tu verras.

C'est alors que, de l'étage, nous parvint la voix de Mme Morgan.

— Alice ? Tu as monté de la nourriture dans ta chambre ?

— Je ferais mieux d'y aller, chuchotai-je. Merci !

— À demain, chuchota-t-elle à son tour en refermant la porte sur moi.

Et, sans trop savoir pourquoi, je me sentis plus navrée pour elle que pour moi-même.

Quand j'arrivai chez nous, la voiture d'Archie Marlin n'était plus là. Il faisait noir dans la caravane. Il n'y avait qu'une petite lumière dans le séjour, les verres étaient toujours sur la table, à côté de la bouteille de gin à moitié vide. Je tendis l'oreille et me dirigeai sans bruit vers la chambre de maman. La porte était entrouverte, et je pus jeter un coup d'œil à l'intérieur. J'aperçus maman couchée à plat ventre, la jupe remontée au-dessus des genoux et un bras pendant du lit. Je m'avançai pour la voir de plus près. Profondément endormie, elle respirait bruyamment par la bouche. Je la couvris et sortis tout doucement pour aller remettre la caravane en ordre. Puis, juste au moment où j'allais me coucher, moi aussi, on cogna discrètement à la porte. C'était Mama Arlène.

— Comment vas-tu, ma chérie ? s'enquit-elle en entrant.

— Moi ?... très bien. Maman dort.

— Parfait. Je vous ai apporté des restes de la veillée. Pas la peine de les laisser perdre, commenta-t-elle en rangeant quelques assiettes pourvues d'un couvercle dans le réfrigérateur.

— Merci, Mama.

Elle s'approcha de moi et prit mes deux mains dans les siennes. Elle n'était pas bien grande, quelques centimètres de moins que moi, mais elle avait une constitution de fer. Et un sacré tempérament, aimait à dire Papa George. Ce petit bout de femme était de taille à porter les ennuis de tout un chacun sur ses épaules. Elle entreprit de me le prouver.

— Tu vas avoir de rudes moments à passer, Melody, mais rappelle-toi une chose. Nous sommes juste à côté, si tu as besoin de nous. À toute heure du jour et de la nuit.

— Merci, murmurai-je d'une voix étranglée.

— Dors, maintenant, ma chérie.

Mama Arlène m'attira contre elle, et les larmes que je retenais à grand-peine débordèrent. Une fois de plus, j'éclatai en sanglots.

— Dors, répéta la voix consolante. C'est le meilleur remède... avec le temps.

Je respirai un grand coup et pris le chemin de ma chambre. J'entendis Mama s'en aller, puis ce fut le silence. Le sifflet d'un train gémit dans le lointain et l'écho retentit dans la vallée, morne et plaintif. Une partie du charbon des wagons de marchandises avait sans doute été extrait par papa, juste avant cet... juste avant qu'il...

Quelque part, vers le nord, quelqu'un allait mettre ce charbon dans son poêle et, pendant quelque temps, aurait bien chaud. Et moi ? me demandai-je en frissonnant. Qu'est-ce qui pourrait me tenir chaud, désormais ?

Je n'étais pas très sûre que Mama Arlène ait eu raison, à propos du pouvoir apaisant du temps. Au cours des jours et des semaines qui suivirent, mon chagrin se mua en une sorte de torpeur ; mais il se réveillait dès que quelque chose, ou quelqu'un, me faisait penser à papa. Une fois, je crus même le voir marcher sur la route.

Je détestais aller du côté de la mine. Sa vue, et celle des autres mineurs, me serrait douloureusement le cœur.

Maman ne retourna jamais au cimetière, mais moi, oui. J'y allai tous les jours pendant les premières semaines, puis tous les deux jours, ou à peu près. À mon retour au lycée, on me traita avec certains égards, mais cela ne dura pas. Bientôt, les professeurs et mes camarades reprirent avec moi leur attitude habituelle. Mes amis recommencèrent à m'entourer et à plaisanter avec moi.

Mais Bobby Lockwood, lui, prit ses distances. Il parut s'intéresser à Helen Charpenter, une élève de troisième qui avait plutôt l'air d'être en première. Alice, qui s'arrangeait pour saisir au vol toutes sortes de conversations privées, m'apprit qu'elle était encore plus coureuse que Beverly Marks. Elle prédit même qu'il ne faudrait pas attendre longtemps avant qu'elle ne tombe enceinte, elle aussi.

Mais tout cela m'était bien égal. Je ne versai pas une larme sur la trahison de Bobby. Des choses qui m'avaient paru d'une extrême importance me semblaient insignifiantes. La mort de papa m'avait précipitée dans la maturité. Maman, au contraire, devenait de plus en plus futile. L'effet le plus tangible de la mort de papa, sur elle, était qu'elle éprouvait encore plus qu'avant la terreur de vieillir. Elle passait un temps fou devant sa coiffeuse, inspectait sans arrêt sa penderie, en se plaignant que ses robes étaient passées de mode. Sa conversation était entièrement centrée sur elle-même. La couleur et la longueur de ses cheveux, ses poches sous les yeux, ses jambes qui perdaient leur galbe, tel un soutien-gorge qui lui allait moins bien qu'un autre, et ainsi de suite.

Elle ne s'informait jamais de mes résultats scolaires. Et entre ce qu'apportait Mama Arlène et ce que je cuisinais moi-même, elle ne préparait jamais un repas. En fait, elle rentrait rarement dîner avec moi, sous prétexte de ne pas grossir.

— Je ne peux pas me permettre un régime aussi nourrissant que le tien, Melody. Si je ne suis pas là pour six heures, ne m'attends pas.

Elle finit par ne rentrer dîner qu'une ou deux fois par semaine et, le plus souvent, je mangeais avec Mama Arlène et Papa George.

Mais bien qu'elle s'inquiétât pour sa ligne et son teint, maman continuait à boire du gin et à fumer. Quand je lui demandais pourquoi, elle se mettait en colère. Elle disait que c'était son seul travers, et que tout le monde avait bien le droit d'en avoir un.

— Les gens trop parfaits finissent dans les monastères ou les couvents, Melody, ou bien ils deviennent fous. Je subis trop de tensions depuis la mort de ton père, j'ai besoin de me détendre, alors ne me crée pas de nouveaux problèmes.

Autrement dit : « Laisse-moi tranquille. » Ce que je fis.

J'aurais eu beaucoup de raisons de me plaindre, pourtant. La fréquence de ses rencontres avec Archie Marlin, le nombre de fois où il venait chez nous. Mais je me mettais un pavé sur la langue et gardais mes reproches pour moi. Il en fallait si peu pour que maman se fâche, maintenant. Et après chacune de ses colères, véritables crises d'hystérie, elle s'effondrait en sanglotant et je me sentais terriblement coupable. Je finis par avoir l'impression que, de nous deux, elle était la fille et moi la mère.

Nos factures s'accumulaient, maman n'y prêtant aucune attention. À deux reprises, on faillit nous couper le téléphone et, une fois, un agent de la compagnie d'électricité vint placarder un avertissement sur notre porte. Maman commettait sans arrêt des erreurs avec le compte en banque. Je dus me charger du budget, des courses et du ménage. Papa George m'aidait, mais il était très affecté par la mort de papa, lui aussi. Il paraissait plus vieux, moins bien portant et très fatigué, depuis quelque temps. Mama Arlène lui répétait sans arrêt de surveiller sa santé, mais il ne voulait pas s'arrêter de fumer ; il prit même l'habitude de boire un petit whisky chaque jour, en fin d'après-midi.

Il m'arrivait d'être réveillée la nuit par le rire de maman, et d'entendre la voix d'Archie Marlin. Peu de temps après, c'est de la chambre de maman que me parvenaient les rires. Je me bouchais les oreilles, mais cela ne m'empêchait pas d'entendre ce que j'identifiais trop bien, hélas : les bruits de leurs ébats amoureux.

La première fois que je les entendis, j'en fus réellement malade et je dus courir aux toilettes pour vomir. Maman, par contre, ne m'entendit même pas : elle ne demanda jamais ce qui s'était passé. En général, Archie Marlin était parti quand je me levais mais il arrivait, le matin, que je l'entende remuer dans la cuisine ou dans le séjour. Dans ces cas-là, je restais au lit jusqu'à son départ.

Tout cela s'était produit très vite, bien trop vite aux yeux de la plupart des gens de Sewell, et je savais que les ragots allaient bon train à notre sujet. Un soir, maman rentra du travail folle de rage. Elle avait eu une prise de bec avec une de ses meilleures clientes, Mme Sampler. Celle-ci avait fait observer que maman ne respectait pas le deuil exigé par la décence. Sur quoi, m'apprit-on plus tard, maman était entrée dans une telle fureur que Francine avait dû la prier de s'en aller.

Elle était hors d'elle en racontant la scène et se servit à boire en parlant.

— Non mais, qu'est-ce qui lui permet de me dire ce que je dois faire, à celle-là ? Qu'est-ce qu'elle sait de mes problèmes ? De ce que j'ai enduré ? Elle vit dans sa belle maison et me regarde de haut, comme si elle avait le droit de me juger !

Maman s'interrompit, le temps de s'assurer que j'étais de son côté. Ce n'était pas le moment de la contrarier, elle était assez en colère comme ça. Aussi, à chacun de ses regards inquisiteurs, je me hâtais de lui fournir la bonne réponse. Je hochais la tête avec enthousiasme, affichant l'indignation attendue à l'idée qu'on ait osé la critiquer.

— Je déteste ces gens ! Ils se croient supérieurs parce qu'ils ont de l'argent, mais ils ont l'esprit étriqué. Ils sont tellement... tellement...

Maman trébucha sur le mot et quêta une suggestion de ma part.

— Provinciaux ?

— C'est ça. Qu'est-ce que ça veut dire, au juste ?

— Qu'ils ne voient pas plus loin que leur petit horizon. Ils n'ont pas assez vécu hors de leur trou pour avoir les idées larges.

Ma réponse enchanta maman.

— Tu n'es pas bête, toi. Et en plus tu as raison, je crois entendre Archie. Il déteste cette ville autant que moi, et toi aussi.

— Pas moi, maman. Je ne la déteste pas.

— Bien sûr que si. Qu'est-ce que tu peux en attendre de bon ? conclut-elle en lampant le reste de son cocktail.

Puis elle alla décrocher le téléphone pour appeler Archie et lui raconter ce qui venait de se passer.

Je ne mesurai pas l'importance de l'incident, du moins pas tout de suite. Mais quelques jours plus tard, en rentrant du lycée, je trouvai maman affalée sur le canapé en train de regarder un feuilleton télévisé. Manifestement, elle ne s'était pas habillée de la journée. Je n'eus même pas besoin de l'interroger : elle vit mon regard et prit les devants.

— Je ne travaille plus chez Francine, annonça-t-elle.

— Quoi ! Et pour quelle raison ?

— Nous nous sommes disputées. Après toutes ces années, on aurait pu croire qu'elle se montrerait loyale envers moi, non ? Je me suis mise en quatre pour elle, je lui ai rendu toutes sortes de services. Une ingrate, voilà ce qu'elle est ! Comme toutes les autres.

— Que vas-tu faire, maman ?

— Ne m'en parle pas maintenant, je suis trop furieuse, rétorqua-t-elle avec une petite moue boudeuse. Qu'est-ce qu'il y a pour dîner ?

— Le poulet d'hier à réchauffer. Je peux faire des pommes de terre et des haricots verts, si tu veux.

Maman fit la grimace.

— Si c'est tout ce qu'il y a, on s'en contentera !

J'avais les mains tremblantes en préparant le repas. Qu'allions-nous devenir ? Où maman trouverait-elle un emploi ? Il n'y avait qu'un salon de coiffure à Sewell. Peut-être ce que j'avais suggéré à Alice finirait-il par arriver, après tout. Je devrais quitter le lycée pour chercher un emploi moi-même.

L'assurance-vie de papa était insuffisante, et les allocations de sécurité sociale aussi. D'ailleurs, maman avait déjà dépensé presque tout en vêtements neufs.

Mais elle n'avait pas l'air de se tracasser beaucoup, je dois dire. Quand le repas fut prêt, elle changea d'avis et ne fit plus la difficile. Elle mangea, but et décrivit complaisamment sa nouvelle toilette et les chaussures assorties. Après le dîner, elle fila dans sa chambre pendant que je faisais la vaisselle et réapparut subitement, vêtue d'une jupe et d'un chemisier neufs, de nouveaux pendentifs aux oreilles.

Elle se pavana devant moi comme un mannequin, et je dois reconnaître qu'elle était ravissante. L'idée me traversa qu'elle pourrait peut-être devenir mannequin professionnel, et j'eus l'imprudence de le dire. Maman se lança aussitôt dans une de ses tirades favorites.

— C'est ce que j'aurais dû être, justement ! Mais je n'avais personne pour me conseiller, personne d'assez évolué pour m'indiquer comment faire et où aller. Comment est-ce que j'aurais su tout ça, moi ? On a besoin de quelqu'un pour vous aider, vous guider. C'est pour ça qu'il faut bien choisir son mari : écouter son cœur ne suffit pas.

« Mais il n'est peut-être pas encore trop tard pour moi ! soupira-t-elle en jetant un regard au miroir.

Et du coup, elle retrouva son entrain.

— Il faut que j'aille au bon endroit, pour voir les gens qu'il faut. Oui, c'est ça ! reprit-elle en battant des mains.

Et, le visage soudain rayonnant, elle repartit en courant vers sa chambre comme si quelqu'un l'y attendait.

Mon cœur tressaillit, effleuré par une crainte insidieuse. C'était une chose de rêver ou de faire des souhaits, de temps en temps. Papa m'avait appris à croire, à espérer en des jours meilleurs, mais s'enfermer dans un monde de rêve était tout autre chose. En faisant cela on se coupait de la réalité, on perdait de vue ses responsabilités. C'était ce qui était en train d'arriver à maman.

La vaisselle finie, j'allai dans ma chambre et me plongeai dans mon travail de classe, jusqu'au moment où maman vint frapper à ma porte. Toujours vêtue de ses nouveaux atours, elle passa la tête à l'intérieur.

— Je vais en ville, annonça-t-elle. Surtout, ne ferme pas à clef !

Sur quoi, un klaxon retentit au-dehors et elle disparut. Inutile de me demander qui était venu la chercher !

Une autre question me tourmentait, toujours la même : qu'allions-nous devenir ?

Deux jours plus tard, j'obtins ma réponse.

Et le choc fut encore bien plus brutal que tout ce que j'avais pu prévoir.

3

« Belle Rêveuse », amer chagrin

CET après-midi-là, je revins du lycée en traînant les pieds, en proie à un étrange sentiment de vide. C'était comme si j'avais eu un grand trou dans la poitrine. Un groupe d'écoliers me dépassa en courant, et leurs rires résonnèrent joyeusement dans l'air cristallin. Leur gaieté me rendit toute songeuse. Les enfants n'avaient jamais besoin de surmonter leur tristesse, un rien suffisait à les en délivrer. Mais grandir signifie comprendre que la vie a aussi sa face d'ombre, et le malheur m'avait projetée d'un coup dans la réalité. Rien n'était plus comme avant, même la nature.

La neige avait fondu. Les majestueux chênes blancs, les hêtres et les peupliers reverdissaient. J'avais vaguement conscience que des oiseaux voletaient dans les branches autour de moi. Dans le ciel bleu flottaient de blancs nuages mousseux, mais je ne leur prêtais plus la forme de chameaux ou de baleines. Mon imagination était prisonnière de je ne sais quel recoin sombre et secret.

D'habitude, le premier soleil printanier m'enivrait. Tout ce qui, en temps ordinaire, m'attristait ou me décourageait, perdait soudain toute importance. Aucune pensée morose ne résistait à la simple vue d'une fleur en bouton ou au rire léger d'un enfant.

Mais toute la splendeur de tous les printemps du monde ne me rendrait pas mon papa. Sa voix, son rire me manquaient de plus en plus. Mama Arlène s'était trompée : le temps ne guérissait pas ma blessure. Il ne faisait qu'approfondir le vide qui se creusait en moi.

Je traînais le pas en rentrant, mon cartable à l'épaule. C'était la sacoche de toile bleue que papa m'avait achetée il y avait bien longtemps, et elle était lourdement chargée ; nous avions deux contrôles à préparer pour le lendemain, et des tas de devoirs. Alice était restée au lycée pour une séance du Comité d'Information. Il y avait aussi une répétition pour la soirée des jeunes talents, et j'étais censée y jouer du violon. J'avais posé ma candidature quelques mois plus tôt. Mais depuis la mort de papa, je n'avais plus touché mon instrument. Cela ne me disait plus rien, et j'avais perdu toute confiance en moi.

Tout le monde semblait avoir quelque chose à faire, des amis à voir, des réunions de groupe. J'avais bien essayé, une fois ou deux, de retrouver un peu d'enthousiasme pour certaines choses que je faisais avant la mort de papa, mais cela ne marchait pas. Une part importante de moi-même était morte avec lui. Et mon attitude finissait par lasser mes camarades, y compris Alice. Au bout d'un moment, ils cessèrent de me supplier ou de m'encourager à me joindre à eux, et je devins peu à peu comme l'ombre de moi-même. On aurait dit que j'étais transparente, même aux yeux de mes professeurs. En classe, leur regard paraissait me traverser. Que je lève la main ou non, ils ne m'interrogeaient pratiquement plus.

Je souriais de moins en moins souvent, j'avais oublié jusqu'au son de mon rire. Même avant d'avoir perdu son emploi, maman se plaignait de mon abattement. Maintenant, c'étaient des reproches continuels.

— Si je peux prendre le dessus, tu peux aussi, me sermonnait-elle. Et après tout, c'est aussi bien comme ça. Ton père n'a plus à redouter la vieillesse, au moins : il restera jeune dans tes souvenirs. Et là où il est, il n'a plus de soucis d'argent.

J'exprimais mon indignation de l'entendre parler comme ça, mais elle ne faisait qu'en rire.

— Comme tu voudras. Si tu préfères promener toute la journée cette tête d'enterrement, c'est ton affaire. Tu perdras tes amis, et ce n'est pas comme ça que tu attireras les beaux garçons.

— Ça m'est égal ! renvoyais-je farouchement.

Les garçons, les soirées, les longs bavardages au téléphone... je me moquais bien de tout ça, maintenant ! Maman ne s'en était donc pas encore aperçue ?

Je ne tenais pas à me disputer avec elle ce jour-là, mais comme elle ne travaillait plus, je m'attendais à la trouver chez nous. Elle prétendait que ma mine maussade lui coupait l'appétit, ce qui me semblait un prétexte tout trouvé pour sortir avec Archie Marlin. Je me préparai donc à subir un nouveau sermon.

Mais quand j'ouvris la porte principale de la caravane, je ne fus pas accueillie par l'habituel concert de récriminations. Je vis plusieurs valises ouvertes sur le sol, et maman qui s'affairait entre elles, pliant des vêtements et les y jetant aussitôt.

— Ah, tant mieux ! s'exclama-t-elle en m'apercevant. Tu rentres de bonne heure. J'avais peur que tu sois retenue par une bêtise quelconque, pour une fois que j'ai besoin de toi.

— Mais qu'est-ce que tu fais, maman ? Pourquoi toutes ces valises ?

— Nous partons, annonça-t-elle, tout sourires.

Et, désignant du doigt les deux plus petites valises, près du canapé, elle ajouta :

— Tiens, ces deux-là sont pour toi. Désolée, c'est tout ce que tu pourras emporter, mais nous n'avons pas assez de place dans la voiture. Trie le plus important et emballe-le.

— Nous partons ? balbutiai-je, consternée. Pour aller où ? Je n'y comprends rien du tout.

Maman joignit les mains et leva les yeux au plafond, comme si elle rendait grâces au ciel.

— Je n'ai pas le temps de t'expliquer, Melody. Une occasion se présente et nous la saisissons, voilà tout. Dépêche-toi. Emballe ce que tu as de mieux, et n'oublie pas : il n'y a pas de place pour autre chose.

— Je n'y comprends rien, répétai-je, toujours plantée sur le seuil.

Cette fois, maman perdit patience.

— Il n'y a rien à comprendre. Nous partons, c'est tout. Nous quittons Mineral Âcres, enfin ! Tu devrais être contente, ma chérie, et remercier le ciel.

— Mais pourquoi partons-nous, maman ?

— Pourquoi ? (Elle eut un petit rire acerbe.) Pourquoi voudrais-je rester dans ce trou perdu, au milieu de tous ces bons à rien qui ne savent que se mêler des affaires des autres, et qui n'ont pas un gramme d'imagination ? Pourquoi voudrais-je rester dans une caravane de trois mètres sur huit, sur un parking minable où les gens vivent à quelques pas de leur propre tombe ? Toi qui es si brillante en classe...

Le rire forcé de maman grimpa dans l'aigu, puis se brisa tout net.

— Tu peux me le dire ? acheva-t-elle sombrement.

— Mais où irons-nous, maman ?

— N'importe où, mais ailleurs. Nous chercherons un endroit agréable, où je pourrai faire quelque chose de ma vie, au lieu d'étouffer comme une plante sous cloche. À quoi bon rester dans une ville minière, maintenant que ton père est mort ?

Maman esquissa un sourire, mais il ne me parut pas très sincère. Je risquai une timide protestation.

— Nous avons toujours vécu à Mineral Âcres.

— Parce que ton père y travaillait, voyons ! Écoute, Melody. J'ai dépensé plus d'argent que nous n'en avions en essayant de remonter la pente, après sa mort. L'argent de l'assurance est parti, et nous arrivons à peine à régler les factures, tu le sais. Tu me le rappelles sans arrêt. Je ne peux même plus payer les traites de la caravane, maintenant, et pas question d'aller supplier Francine de me reprendre. Que veux-tu que je fasse, ici ? Regarde-moi un peu !

Maman écarta les bras en un geste théâtral.

— Est-ce que tu me vois en serveuse de restaurant ? Je ne sais pas taper à la machine, et même si je savais ? Je ne voudrais pas rester bouclée dans les bureaux d'une compagnie minière. Nous n'avons pas le choix. Je dois aller là où j'ai une chance de m'en sortir, pendant qu'il est encore temps.

— Mais comment partirons-nous, maman ?

— Archie sera là dans vingt minutes, répliqua-t-elle. Alors ne perdons pas de temps à bavasser.

— Archie ?

Maman retrouva brusquement le sourire.

— Il s'en va, lui aussi. En fait, c'est lui qui a eu l'idée. Nous partirons dans sa voiture et...

— Archie ? (Je n'en croyais pas mes oreilles.) Nous partons avec Archie Marlin ?

— Disons plutôt qu'il part avec nous, rétorqua maman avec son petit rire nerveux. Mais il nous sera très utile, tu sais. Il a des amis dans les milieux du spectacle, et il pense que je pourrais devenir mannequin.

— Voyons, maman ! Il te raconte ça pour que tu restes avec lui, c'est tout.

— Quoi ! se récria-t-elle, offusquée. Comment oses-tu dire ça de lui ? C'est un garçon très sensible et qui nous veut du bien. Il se trouve qu'il n'a que nous, d'ailleurs, et ça me paraît une bonne idée de rester ensemble. Alors fais tes bagages, maintenant, Melody. Et en vitesse.

— Mais le lycée, mes...

— Tu iras dans un autre, voilà tout. Un qui sera encore mieux. Oh, ma chérie ! (Maman battit des mains comme une enfant.) Tu ne trouves pas ça passionnant ? Quel mal y a-t-il à vouloir changer de vie ? Je sais que tu n'es plus heureuse ici, ce n'est pas vrai ?

— C'est à cause de ce qui est arrivé à papa, murmurai-je.

— Justement, et on ne pourra jamais rien y changer. Alors pourquoi rester ? Un nouveau départ, voilà ce dont nous avons besoin. Mais il faut se décider avant qu'il ne soit trop tard, Melody. Je n'aurai pas une seconde chance. Des tas de gens sont restés coincés dans ce trou pour avoir trop attendu. Moi, ça ne m'arrivera pas, conclut maman d'un ton résolu.

Et d'un seul coup, elle retrouva le sourire.

— J'ai une autre surprise pour toi, mon trésor. Je voulais la garder pour quand nous serions partis pour de bon, avec toute la route et tout l'avenir devant nous.

Je la dévisageai fixement. Quelle surprise me réservait-elle encore ?

— Eh bien ? reprit-elle, étonnée de mon silence. Tu ne veux pas savoir ce que c'est ?

Je secouai la tête avec accablement. Toutes ces valises ouvertes, ces vêtements éparpillés, la maison sens dessus dessous... Je dus faire effort pour demander :

— Qu'est-ce que c'est ?

— Notre premier arrêt sera Provincetown, au Cap Cod. Tu vas connaître la famille de ton père, finalement. Eh bien ? Tu es contente ? Toi qui posais toujours des tas de questions sur eux... maintenant tu vas les avoir, tes réponses !

Je pris une grande inspiration. Maman avait raison : c'était une surprise, mais quelque chose sonnait faux dans cette histoire. Mon cœur s'emballait, tout arrivait trop vite. Je n'arrivais plus à penser très clairement.

— Tu ne crois pas que nous devrions nous organiser un peu, maman ? Tu ne veux pas t'asseoir, le temps de réfléchir tranquillement ?

— Non, fit-elle d'un ton boudeur, sinon nous ne partirons jamais. Il faut battre le fer pendant qu'il est chaud, c'est ce que dit toujours Archie.

— Mais pourquoi devons-nous partir avec lui, maman ?

Je vis ses yeux se rétrécir et son expression se durcit.

— J'aime beaucoup Archie, Melody. Il me fait rire, et j'en ai par-dessus la tête des jérémiades et des pleurnicheries. Des gens qui me regardent comme une bête curieuse, tout ça parce que mon mari est mort dans un accident de la mine. Mais Archie, lui...

Maman s'assit sur le canapé, tapota le coussin à côté d'elle et, toujours sur mes gardes, je vins la rejoindre. Pour la première fois depuis la mort de papa, elle me prit dans ses bras et se mit à me caresser les cheveux. Je commençai à me détendre. C'était si bon de retrouver maman, elle m'avait tant manqué !

— Tu finiras par aimer Archie quand tu le connaîtras mieux, reprit-elle d'une voix cajoleuse. C'est le remède dont nous avons besoin, toi et moi. La seule chose que je te demanderai, quand nous aurons quitté Sewell, ce sera de ne plus l'appeler Archie.

— Et pourquoi pas ?

— Parce que ce n'est qu'un surnom. En réalité, il s'appelle Richard.

— Mais comment peut-il partir si vite ? Il a un emploi, risquai-je, espérant que maman n'allait pas se mettre en colère et me repousser brusquement.

Archie avait-il été surpris en train de trafiquer son whisky, comme le supposait le père d'Alice ? Cette question-là, je la gardai prudemment pour moi.

— Ce n'est pas un emploi pour quelqu'un comme Ar... comme Richard, se hâta de rectifier maman. Il ne peut pas rester barman toute sa vie. Allons, dépêche-toi de faire tes bagages et n'oublie pas : deux valises, pas plus.

— Mais je vais devoir laisser tellement de choses !

— George et Arlène s'en occuperont, décréta-t-elle. Et quand nous serons installés quelque part, ils nous feront suivre le reste des affaires.

Mon Dieu, Mama Arlène ! Je pris brutalement conscience que je n'allais plus la revoir.

— Tu l'as mise au courant, maman ?

— Je m'apprêtais à lui en parler, mais ça aurait entraîné des discussions à n'en plus finir, et que veux-tu... j'ai mes bagages à faire, moi aussi !

— Et pour le lycée, maman ? Il faut que je les prévienne et que...

Cette fois, maman explosa.

— Tu as fini, oui ? Fais tes valises et estime-toi heureuse de quitter ce piège à rats. Tu peux compter sur les doigts de la main ceux qui ont réussi à s'en tirer !

Sur quoi, retrouvant brusquement sa bonne humeur, elle se leva et gagna rapidement sa chambre. Je promenai autour de moi un regard effaré, refusant toujours de croire que nous allions partir pour de bon. Et papa, dans tout ça ? Je ne pourrais même pas aller sur sa tombe pour lui dire adieu. Et Alice, et mes camarades ? J'avais mes livres de bibliothèque à rendre, en plus. Et le courrier, les factures impayées... il fallait absolument que nous passions à la banque. Nous avions encore tant de choses à faire !

Je posai mon sac et rejoignis maman dans sa chambre. Sa penderie était grande ouverte, son lit jonché de vêtements. Elle considérait le tout d'un œil pensif.

— Ça m'ennuie de laisser tant de choses, mais je me rachèterai de nouvelles toilettes, finit-elle par décider.

— Maman, je t'en prie... Attendons et faisons les choses comme il faut.

Elle se retourna brusquement, l'air furibond.

— Tu n'es pas en train de faire tes valises ? Je te préviens, Melody : dès qu'Archie arrive, nous partons. Ce qui n'est pas emballé reste là. C'est compris ?

J'avais une boule dans la gorge, mais je déglutis et hasardai une suggestion désespérée.

— Et si je restais avec Papa George et Mama jusqu'à ce que tu nous aies trouvé une nouvelle maison, maman ?

Elle secoua la tête, catégorique.

— J'y avais pensé, mais Papa George va plus mal que je ne croyais, il donne suffisamment de souci à Mama Arlène. D'ailleurs, ils ne sont pas vraiment de ta famille, ils ne pourraient pas être tes tuteurs légaux. Ce serait trop de responsabilité pour des gens aussi usés par l'âge.

— Ils ne sont pas si vieux que ça, protestai-je.

— Melody, dépêche-toi de faire ces valises !

Maman avait haussé le ton, mais elle se radoucit aussitôt.

— Ne me rends pas les choses trop difficiles, ma chérie. Conduis-toi comme une grande fille. Moi aussi, j'ai un peu peur, et c'est normal. Tout le monde a peur au moment de commencer une nouvelle vie. J'ai besoin de ton soutien.

Elle attendit une réaction, qui ne vint pas, et sa voix se fit caressante.

— D'ailleurs, tu sais que papa t'aurait demandé de m'obéir, n'est-ce pas ? Tu sais ça ?

— Oui, admis-je à contrecœur.

Et je m'en retournai, tête basse, mais une fois dans ma chambre je me trouvai confrontée à l'impossible. Il y avait là tant de précieux souvenirs, en particulier des cadeaux de papa ; comme ma première poupée, par exemple, et toutes mes photos. Les valises que m'avait attribuées maman pourraient à peine contenir une dizaine d'ensembles, et encore moins de jouets en peluche. Et mon violon, alors ?

— Dix minutes ! hurla maman de sa chambre.

Dix minutes. J'avais dix minutes pour décider de ce que je laissais derrière moi, peut-être pour toujours. Je fondis en larmes.

— Melody ! cria encore maman. Je ne t'entends pas faire tes bagages.

Lentement, j'ouvris les tiroirs de ma commode et en tirai ce que je savais être de première nécessité : du linge, des chaussettes, quelques paires de chaussures. Puis j'allai à la penderie et y pris des jupes et des chemisiers, deux paires de jeans et plusieurs sweaters. Les valises se remplirent vite, mais je rassemblai le plus de photographies possible et les glissai sous les vêtements. Puis je m'efforçai de caser ma première poupée, mon chat et mon ours en peluche, et quelques autres cadeaux de papa. C'est à ce moment que maman vint vérifier où j'en étais. Elle vit du premier coup d'œil que mes valises débordaient.

— Tu ne peux pas emporter tout ça, Melody.

— Je ne pourrais pas avoir un autre bagage ?

— Non, trancha maman. Arch... Richard a les siens, lui aussi, et personnellement j'ai besoin de quatre valises. Il faut que je sois bien habillée pour les entretiens avec les employeurs et les auditions, tu comprends ?

— Mais je ne demande pas grand-chose de plus. Juste un petit carton et peut-être...

— Melody, si tu es incapable de te décider, je le ferai pour toi, décréta maman.

Et elle tendit vivement la main vers mon chat en peluche.

— Non, pas ça ! m'écriai-je. C'est le dernier cadeau de papa !

— C'est ça, ou cet ours, ou un de tes vêtements. Choisis. Tu es une grande fille, maintenant. Tu n'as plus besoin de jouets.

Je compressai mes chères peluches, rabattis le couvercle et m'assis dessus pour boucler les serrures. Les valises étaient lourdes et bombées, mais j'avais réussi à y fourrer ce que je ne pouvais absolument pas abandonner.

— Tu n'auras besoin que du manteau et des bottillons que tu portes sur toi, fit observer maman. N'oublie pas tes gants.

— Ni mon violon, ajoutai-je.

— Ton violon ? Par pitié, Melody ! C'est un vrai crin-crin.

— Papa aimait beaucoup m'entendre en jouer.

— Eh bien, il ne peut plus t'entendre, maintenant ! Et là où nous allons, tu ne t'en serviras sûrement pas beaucoup.

Je croisai les bras et m'adossai fermement à la cloison.

— Si je ne peux pas emporter mon violon, je reste ici, maman. Je te le jure.

— Bon, ça va, capitula-t-elle. Je suppose qu'il te faudra un certain temps pour oublier ce trou minable. Fais comme tu veux.

Là-dessus, elle repartit pour empaqueter ses produits de beauté, ce qui me fit penser que j'avais oublié ma trousse de toilette. Je dus rouvrir une valise pour la caser. J'étais encore en train de batailler avec les serrures quand Archie Marlin arriva. Il était un peu mieux habillé que d'habitude, en complet brun sport, et portait même une cravate.

— Salut ! fit-il en entrant sans frapper dans ma chambre. Tu es fin prête ?

— Non.

Ma riposte morose parut l'amuser.

— Tu es tout excitée par le départ, je parie ?

— Pas du tout. Je regrette que nous partions si vite.

Archie Marlin redressa les épaules et bomba le torse.

— Vite fait, bien fait ! clama-t-il, l'air très content de lui. On est homme d'action ou on ne l'est pas.

Je dus me détourner pour qu'il ne vît pas mes yeux s'embuer de larmes.

— Hellie ! appela-t-il à pleins poumons.

En un instant, maman fut dans ma chambre.

— Ah, tu es là ? Parfait, j'ai presque fini mes bagages. Tu peux commencer à charger la voiture, Richard.

Archie ouvrit des yeux ronds comme des billes, et maman se hâta d'expliquer :

— Je l'ai prévenue, pour ton surnom.

Sur quoi, j'eus droit à un clin d'œil complice d'Archie-Richard.

— Tu es au courant, alors ? Tant mieux. Je n'ai jamais aimé ce surnom.

— Tu as tout emballé, Melody ? s'enquit maman.

— Il ne me reste plus qu'une valise à boucler, mais ce n'est pas facile. Elle est tellement bourrée !

Archie, qui commençait à traîner sur le plancher les deux plus grosses valises de maman, les lâcha pour s'asseoir sur la mienne. Lui aussi dut batailler avec les serrures, et ne fut pas peu fier de réussir à les fermer.

— Si tu as besoin de quoi que ce soit, Melody, tu n'as qu'à me demander ! se rengorgea-t-il.

Je fis la grimace. La seule idée de lui demander quoi que ce soit me soulevait le cœur. C'est alors que maman suggéra :

— Pendant que nous chargeons les bagages, si tu allais dire au revoir à Mama Arlène ?

J'enfilai mon manteau, happai mon étui à violon et descendis les marches. Archie me suivait de près, remorquant péniblement les valises de maman. Elles pesaient leur poids, c'est vrai. Mais papa les aurait soulevées sans effort, lui !

Tristement, j'allai sonner à la porte de Mama Arlène. Un regard lui suffit pour comprendre qu'il se passait quelque chose de grave.

— Melody, ma petite... qu'est-ce qui ne va pas ?

— Nous partons, Mama Arlène ! m'écriai-je en me jetant dans ses bras. Nous quittons Mineral Âcres pour toujours.

Je lui racontai tout, d'une traite, y compris ma suggestion de rester ici et de vivre avec eux. Nous étions encore sur le pas de la porte que j'avais déjà tout dit. Mama hocha la tête d'un air sagace.

— Maintenant, je comprends pourquoi ta mère me demandait comment se portait George ! Entre un moment, petiote.

Papa George n'était pas dans son fauteuil favori, en train de regarder la télévision. Avant que j'aie eu le temps de demander où il était, j'eus ma réponse. Le bruit d'une toux rauque me parvint de la chambre à coucher.

— Mon pauvre George n'est pas au mieux de sa forme, soupira Mama. Le docteur voudrait qu'il aille à l'hôpital, mais tu le connais. Il n'ira jamais. Quand m'as-tu dit que vous partiez, déjà ?

— Aujourd'hui. Tout de suite !

— Quoi ? Mais elle n'a jamais parlé de... Tout de suite, là, maintenant ?

Aussi bouleversée que je l'avais été moi-même à cette nouvelle, Mama Arlène porta vivement les mains à sa gorge.

— Elle veut que vous gardiez nos affaires en attendant, expliquai-je. Nous les ferons suivre plus tard.

— C'est entendu, je prendrai bien soin de tout. Ma petite Melody, gémit Mama Arlène en fondant en larmes, tu vas tellement nous manquer ! Tu es la petite-fille que nous avons toujours rêvé d'avoir, et que nous n'aurons jamais.

— Je ne veux pas m'en aller, me lamentai-je.

— Il faut que tu ailles avec ta mère, petiote. Elle a besoin de toi.

— Elle n'a pas besoin de moi, répliquai-je farouchement. Elle a Archie Marlin.

— Archie Marlin ? (Le regard de Mama Arlène se chargea de reproche.) Oh, je vois.

— Qu'est-ce qui se passe, là dehors ? appela Papa George de sa chambre.

— Tu ferais mieux d'aller lui dire au revoir, Melody.

J'y allai, la mort dans l'âme. Papa George paraissait tout menu sous sa couette. Il eut une violente quinte de toux et cracha dans un plateau métallique, posé à côté du lit. Puis il prit une longue inspiration et se tourna vers moi.

— De quoi parliez-vous, toutes les deux ?

— Nous partons, Papa George, murmurai-je.

— Comment ça ? Qui est-ce qui part ?

— Maman et moi... définitivement.

Il inspira une autre goulée d'air, toussa un peu et, non sans effort, se redressa sur son séant.

— Où est-ce qu'elle t'emmène ?

— Nous allons voir la famille de papa, au Cap Cod.

Papa George hocha lentement la tête.

— C'est peut-être une bonne chose, après tout. En tout cas c'est plutôt rapide, comme départ, tu ne trouves pas ?

— Si. Je n'ai dit au revoir à aucun de mes amis et je ne suis pas encore allée au cimetière.

Papa George resta un moment tout songeur. Puis il tendit le bras vers sa table de nuit, prit quelque chose dans le tiroir et me fit signe d'approcher.

— Tiens, c'est pour toi, dit-il en me tendant une montre de gousset plaquée or. Elle marche toujours aussi bien.

Il la portait quelquefois, et je connaissais l'inscription gravée à l'intérieur du boîtier. « À George O'Neill, le champion de la pioche. » Quand on l'ouvrait, elle jouait « Belle Rêveuse », l'un des airs favoris de Papa George.

— Je ne peux pas accepter, Papa George ! Cette montre a tellement de prix, pour toi.

— Elle en aura encore bien plus si c'est la fille de Chester Logan qui la porte, petiote ! Allez, prends-la et garde-la précieusement, insista-t-il en me la fourrant dans la main. Comme ça, tu ne pourras pas m'oublier.

Je me jetai à son cou.

— Voyons, Papa George ! m'exclamai-je, au bord des larmes. Je ne pourrai jamais t'oublier.

J'étais atterrée de le sentir si frêle et si fragile entre mes bras. J'avais l'impression qu'il fondait sous mes yeux. Il eut une nouvelle quinte de toux et me repoussa pour se glisser sous sa couverture. J'attendis qu'il eût repris son souffle.

— Envoie-nous des cartes postales, me recommanda-t-il.

— Promis. J'écrirai tous les jours.

Cette fois, Papa George sourit.

— Une carte postale de temps en temps, Melody, nous n'en demandons pas plus. Et n'oublie pas ton violon. Que je n'aie pas passé tout ce temps à te l'apprendre pour des prunes.

— Je n'oublierai pas.

— Bien, murmura-t-il en fermant les yeux. C'est bien.

Je pleurais à chaudes larmes, à présent. Le chagrin m'étouffait. Je me détournai, pour m'apercevoir que Mama Arlène se tenait sur le seuil, dans le même état que moi. Elle me tendit les bras et nous échangeâmes une longue étreinte, puis elle me suivit au-dehors.

Archie avait terminé de charger la Chevrolet, il claqua la porte du coffre. Puis il s'installa au volant et maman rejoignit Mama Arlène.

— Je n'avais pas compris que vous partiez si vite, soupira ma vieille amie.

— Ça s'est arrangé comme ça, que voulez-vous ! Melody a déjà dû vous demander si vous pouviez vous occuper des affaires qui restent, je pense ?

— J'aurai l'œil sur la caravane, soyez tranquille.

— Une fois installée, j'enverrai chercher ce qui nous intéresse, promit maman. Comment va George ?

— Il est alité, le pauvre.

— Oh ! fit maman, mais son regard en disait long, et celui de Mama Arlène aussi. Eh bien... je vous écrirai un petit mot de temps en temps, c'est promis.

Je réfléchissais à toute allure. Il y avait tant de choses auxquelles il fallait penser !

— Mama Arlène, je laisserai mes livres de classe sur la table.

J'appellerai mon amie Alice et elle s'occupera de rendre mes livres de bibliothèque, d'accord ?

— Bien sûr, ma chérie.

— Tenez, dit maman, la main tendue. Voilà les clés de la caravane.

Mama Arlène les prit à contrecœur. Son regard s'attacha sur moi, ses lèvres tremblèrent. Je m'éclaircis la gorge pour annoncer :

— Je ferais mieux d'aller mettre ces livres sur la table de la cuisine, maman.

— Dépêche-toi, nous devrions déjà être partis. Nous avons une longue route à faire. Allez, va vite !

Je courus à la caravane et, pendant un moment, je ne pus rien faire d'autre que regarder autour de moi. Il n'y avait pas beaucoup d'espace vital, et nos meubles étaient tout à fait ordinaires. Les tapis montraient la corde, les rideaux étaient bien minces et le papier mural décoloré, c'est vrai. Les robinets gouttaient, le chauffage marchait mal, et en été on se serait cru dans un four. J'avais mille et mille fois souhaité avoir une vraie maison au lieu de cette caravane. Mais elle avait été mon foyer, depuis toujours, et maintenant j'avais l'impression d'abandonner une vieille amie.

À cette petite table, j'avais pris d'innombrables repas en compagnie de papa. Sur ce canapé fatigué, je m'étais blottie des milliers de fois dans ses bras en regardant la télévision. Dans ce même coin, j'avais soufflé bien des bougies d'anniversaire. Dans celui-là, nous installions toujours notre petit sapin pour le décorer. Les cadeaux ne formaient jamais des piles impressionnantes, chez nous, mais je trouvais toujours cela très palpitant.

Ma chère vieille maison à roulettes ! pensai-je avec émotion. Et, tout bas, je lui dis adieu.

Adieu la pluie tambourinant sur le toit, le vent qui faisait tout gémir et grincer dans tous les coins, les grondements dans les tuyaux dont nous avions ri si souvent, papa et moi. Et ma petite chambre, comment lui dire adieu, à elle aussi ? Elle avait été mon univers, mon refuge, un endroit bien à moi... et je la voyais pour la dernière fois.

Je me mordis la lèvre et, pendant un instant, comprimai ma poitrine à deux mains pour refouler mon chagrin. Puis je rassemblai mes manuels de classe, mes livres de bibliothèque, et les portai sur la table de la cuisine.

Archie Marlin fit retentir son avertisseur. Je promenai un dernier regard autour de moi, gravant chaque détail dans ma mémoire. Archie klaxonna encore.

— Adieu, murmurai-je au seul foyer que j'eusse jamais eu.

Et je courus à la porte sans me retourner, craignant trop, si je le faisais, de n'avoir plus la force de partir.

— Qu'est-ce qui t'a pris tant de temps ? geignit maman, la tête à la fenêtre.

La banquette arrière était à moitié recouverte par des vêtements qu'elle n'avait pas pu caser ailleurs. Je m'y trouvai une place et posai mon étui à violon par terre.

— En route ! rugit Archie en démarrant.

Je collai le nez à la vitre. Mama Arlène se tenait dans l'embrasure de sa porte, petite silhouette menue, toute triste, la main figée en un geste d'adieu. Ma vision se brouilla. Je me rejetai en arrière et retins mon souffle quand Archie, le pied au plancher, franchit en trombe le portail de Mineral Âcres et prit la direction de l'autoroute.

— Nous allons nous arrêter au cimetière, au moins ?

Ma question fit sursauter maman.

— Quoi ! Pour quoi faire ?

— Mais pour dire au revoir à papa, expliquai-je avec l'accent du désespoir.

— Oh, Melody ! Moi qui voulais commencer ce voyage sur une note optimiste !

— Je dois dire au revoir à papa, m'obstinai-je. Il le faut.

Archie échangea un regard avec maman et fit observer :

— C'est sur le chemin, en fait.

— Bon, vas-y, accorda-t-elle. Mais je n'entre pas, je ne pourrais pas le supporter. Tu as cinq minutes.

— Tu es sûre que tu ne veux pas venir, maman ?

La tristesse de son regard était sincère, en cet instant. Elle me dévisagea longuement, puis secoua doucement la tête.

— Je lui ai déjà dit adieu, Melody. J'ai dû le faire, sinon je n'aurais pas eu la force de vivre.

J'ouvris la porte, sautai à terre et courus entre les tombes jusqu'à celle de papa. Une fois là, j'étreignis la pierre dressée, comme j'avais tant de fois serré papa dans mes bras, posai la joue sur le granit et fermai les yeux.

— Papa, chuchotai-je, nous partons mais je reviendrai aussi

souvent que je pourrai. Maman doit s'en aller. Elle ne supporte plus de vivre ici.

« Je sais que tu lui pardonnerais. Tu lui as toujours tout pardonné, ajoutai-je avec un peu d'amertume. Et je sais que tu me dirais de la soutenir, mais je ne peux pas commander mes sentiments. »

Je tombai à genoux, murmurai une brève prière, cueillis un brin d'herbe qui poussait sur la tombe et le glissai dans la montre de Papa George. Jamais il ne me quitterait, décidai-je. Et je laissai le boîtier ouvert, le temps de jouer une partie de « Belle Rêveuse ». Papa aussi adorait cette chanson.

Le klaxon d'Archie Marlin me rappela à l'ordre.

Je me levai, refermai la montre et contemplai l'horizon lointain. Je buvais des yeux la ligne des collines, les arbres, les buissons. J'aurais voulu enfermer leur image dans ma mémoire, comme le brin d'herbe dans le boîtier de la montre. J'embrassai la pierre tombale de papa, non sans y laisser quelques larmes, et regagnai la voiture sans dire un mot. Archie et Maman se contentèrent de me jeter un regard appuyé, sans rien dire, eux non plus.

Puis la Chevrolet nous emporta vers le nord, où notre premier arrêt devait être Richmond.

À la sortie de la ville, un panneau routier annonçait :

« Vous quittez Sewell, Virginie-Occidentale. » Maman poussa un long cri de plaisir quand nous le dépassâmes.

— Je m'en vais ! Je m'en vais pour de bon ! Ma peine de prison est terminée !

Qu'avait-elle voulu dire par là ? J'aurais bien aimé le lui demander, mais j'avais trop mal. Je savais que ma voix se serait brisée au premier mot.

Archie accéléra. Maman et lui allumèrent la radio et se mirent à chanter sur la musique. Au bout d'un moment, maman se retourna vers moi.

— Tâche d'être contente, Melody, s'il te plaît. Si tu ne l'es pas pour toi, sois-le pour moi.

— J'essaierai, maman, articulai-je d'une voix à peine audible.

— À la bonne heure.

Le paysage défilait. J'y prêtais peu d'attention, mais j'en voyais assez pour sentir augmenter ma peine. Par la vitre arrière, je vis disparaître Sewell derrière une colline et, avec elle, le cimetière où reposait papa.

Puis je me retournai et regardai devant moi. Je tremblais d'effroi, comme aurait pu trembler un nouveau-né, projeté gigotant et hurlant dans l'avenir. J'étais aussi affolée, aussi désorientée qu'il aurait pu l'être.

Et aussi terrifiée devant l'inconnu.

4

Déracinée

JE m'adossai aux coussins et m'absorbai dans mes pensées. Du vivant de papa, nous étions allés quelquefois sur des plages de Virginie, tous les trois. Mais à part ces rares occasions, nous n'avions pas pu beaucoup voyagé. Je n'étais jamais allée dans le nord, et je ne connaissais New York, Boston et Washington que par les films et les livres. Maman essayait de m'allécher en me promettant toutes sortes de plaisirs quand nous passerions par Washington et Boston, et affirmait qu'un jour nous irions à New York. Elle disait y être allée une fois, mais avec ses parents adoptifs, et n'avait pas trouvé ça très passionnant. C'est à peine si elle s'en souvenait.

— Mais nous, ce sera différent. Nous irons dans les musées, nous dînerons dans les grands restaurants... n'est-ce pas, Richard ? insistait-elle à tout bout de champ.

— Absolument. Melody, ta vie ne fait que commencer.

— Tu vois bien ? renvoyait maman, ravie.

Tout en conduisant, Archie décrivait complaisamment les villes qu'il avait visitées, critiquant celle-ci, admirant telle autre. À l'entendre, il connaissait les meilleurs restaurants de New York et de Chicago. Il était allé très souvent à Las Vegas, et au moins trois fois à Los Angeles. Et dans le monde du spectacle et du cinéma, il était comme un poisson dans l'eau. Il avait rencontré tellement d'acteurs et de gens de métier, dans les bars et les restaurants où il avait travaillé ! Ce serait un jeu pour lui d'introduire maman dans ce milieu, naturellement. Il n'avait qu'à décrocher le téléphone. Et maman qui gloussait de plaisir et avalait l'hameçon tout rond, comment pouvait-elle être aussi crédule ? Cela me révoltait, mais je me souvins des propos de papa. Il m'avait dit un jour que lorsqu'on désirait vraiment croire à quelque chose, même si on vous confrontait à la preuve du contraire, on refusait de la voir. Et surtout, on se gardait bien de poser certaines questions, de peur d'entendre la réponse.

Maman aurait dû demander à Archie Marlin, par exemple, pourquoi ses brillantes relations ne l'avaient pas aidé à trouver un meilleur emploi. Comment avait-il échoué dans un trou comme Sewell ? J'étais tentée de le demander moi-même, mais je ne tenais pas à fâcher maman. Mieux valait essayer de dormir un peu.

Nous fîmes halte pour prendre de l'essence et acheter de quoi grignoter, puis continuâmes tout droit sur Richmond. Archie n'arrêtait pas de vanter un certain petit restaurant italien, dont les patrons nous réserveraient sûrement un accueil spécial, affirmait-il. Tout devait être « spécial » avec lui. Mais quand nous arrivâmes dans la rue où était censé se trouver l'établissement, il n'y était plus. Ce qui ne démonta pas Archie le moins du monde.

— C'est le problème, avec ces petits restaurants, fit-il remarquer. Ils ouvrent en un tournemain et ferment sans crier gare. Par chance, voilà un resto-route ! Nous nous en contenterons, conclut-il en se garant sur le parking.

Je n'avais pas faim, mais maman insista pour que je mange. Et pendant que nous attendions d'être servis, j'étudiai d'un peu plus près Archie Marlin. J'essayais de comprendre ce que maman lui trouvait, surtout après avoir été mariée à un homme aussi beau et aussi vigoureux que papa.

Non seulement Archie avait des taches de son sur la figure, mais même sur les mains. Ses poignets grêles me semblaient à peine plus solides que les miens ou ceux de maman, et je ris toute seule en l'imaginant en train de soulever une pioche ou un pic. Pas étonnant qu'il ait tout juste la force de soulever un verre de bière !

Toute son énergie lui venait des nerfs, rien à voir avec la force calme de papa. Archie ne tenait pas en place. Quand on lui posait une question, il ne vous regardait jamais en face en répondant. Il baissait les yeux, fixait le plafond, ou jouait avec une cuiller.

Pendant que nous attendions la serveuse, il raconta comment il distribuait les cartes au blak-jack, dans un casino de Las Vegas. Il n'avait pas son pareil pour les battre et les escamoter, se vanta-t-il. Et il avait été, à l'en croire, un des meilleurs donneurs de cartes de la ville. Je finis par me lasser de ses fanfaronnades.

— Pourquoi avoir quitté le métier, alors ?

— J'étais trop jeune, rétorqua-t-il, et tu sais ce que c'est... je gaspillais mon argent au jeu, comme tous les autres. Mais enfin, j'ai pris du bon temps !

Maman ouvrit des yeux émerveillés.

— Ce que ça devait être excitant ! Les illuminations, le luxe, tous ces gens riches et ces acteurs que tu as dû rencontrer.

— Oui, bien sûr, admit Archie comme s'il n'avait fait que ça de toute sa vie. Je me suis bien amusé à Vegas, mais je sais m'amuser partout, moi.

Cette fois, je posai ma question sans détour.

— Et comment avez-vous atterri à Sewell, finalement ?

Maman me lança un regard de reproche, mais je ne quittai pas Archie des yeux. Il eut un sourire crispé.

— Ça m'a paru un bon petit coin tranquille, au début, et je pensais être mûr pour mener une vie simple et sans histoires. Mais c'était une erreur, conclut-il en riant. Une erreur monumentale.

Maman rit avec lui, mais je ne trouvai pas ça drôle.

— Qu'est-ce que vous reprochez à la vie simple et sans histoires ? ripostai-je, coupant net leur éclat de rire. Qu'y a-t-il de mal à avoir un métier honnête, des amis loyaux, une belle maison agréable à vivre ?

— Rien, quand on a soixante-quinze ou quatre-vingts ans.

— C'est vraiment malin, comme réponse !

Ma repartie ne plut pas à maman. Elle fronça les sourcils.

— Excuse-toi, Melody. Tout de suite.

— Ce n'est pas grave, fit Archie. Elle ne sait plus trop où elle en est. Tu sais bien ce qu'on dit, non ? « On peut extirper une fille de sa campagne, mais on ne peut pas extirper la campagne de la fille. » Attends d'avoir vu du pays, ajouta-t-il avec un clin d'œil à mon adresse. Tu finiras par être d'accord avec moi.

Ça m'étonnerait, ruminai-je. Plutôt m'enterrer à vie dans une mine de charbon.

On nous servit enfin. Je chipotai ma nourriture, pendant qu'ils papotaient au sujet de tout ce qu'ils allaient voir et faire. Chaque fois qu'Archie mentionnait un nouvel endroit, maman gloussait de joie. Il avait été aux chutes du Niagara, bien sûr. Et à Yellowstone, au Grand Canyon, à Alamo. Il avait même fait du rafting et du ski en Utah.

— Vous devez être beaucoup plus âgé qu'on pourrait le croire, fis-je observer d'un petit ton détaché.

Il en resta fourchette en l'air, un sourire encore plus crispé que le premier littéralement vissé aux lèvres.

— Comment ? Pourquoi ça ?

— Parce que si vous avez vraiment visité tous ces endroits-là, vous devez avoir au moins cent ans.

Le rictus d'Archie s'évapora.

— C'est pourtant la vérité, ma petite. Et si tu es restée claquemurée toute ta vie dans un trou, je n'y suis pour rien ! cracha-t-il avec colère.

Puis, après un bref coup d'œil à maman, il se hâta de reprendre son sourire sirupeux.

— Mais heureusement, tout ça va changer. N'est-ce pas, Hellie ?

— Parfaitement, approuva maman, le regard furibond. Et définitivement.

Après cela, je gardai le silence. Maman et Archie voulurent prendre un dessert et un café, mais pas moi. Je demandai la permission d'aller attendre dans la voiture, et Archie me donna les clefs sans se faire prier. Ils n'étaient que trop contents de se débarrasser de moi. Furieuse et frustrée, je regagnai ma place à l'arrière et j'eus tout le temps de remâcher mes idées noires. Il se passa presque une demi-heure avant qu'ils ne reviennent, bras dessus, bras dessous et pouffant de rire comme des gamins.

— Comment va la princesse en sabots ? s'enquit Archie en démarrant.

— Très bien, ripostai-je.

— Tant mieux, parce que nous ne voulons pas de princesse en sabots larmoyante dans notre carrosse. N'est-il pas vrai, reine Hellie ?

— Non, répliqua maman. Le malheur est interdit par la loi.

— Exactement. Moi, le roi Archie — pardon : le roi Richard, décrète par la présente que la tristesse et les larmes sont désormais prohibées. Toute personne qui oserait se plaindre de quoi que ce soit aura un blâme. Au bout de deux blâmes, le plaignant deviendra grouillot.

— Grouillot ? s'étonna maman.

— Celui qui doit obéir aux ordres, faire absolument tout ce qu'on lui dit... et se grouiller, en plus !

Maman faillit s'étouffer de rire, et Archie conduisit pendant un bon moment sans rien dire. Puis une nouvelle question me vint aux lèvres.

— Où êtes-vous né, au fait ?

— Moi ? à Detroit.

— Vous n'avez pas de famille ?

— Aucune qui vaille la peine de m'en souvenir.

— Melody ! me gourmanda maman. Je t'ai élevée un peu mieux que ça, quand même. On ne fourre pas son nez dans les affaires des gens.

— Je voulais juste faire la conversation, maman. Tu me reproches toujours d'être trop renfermée.

— Oui, mais ce n'est pas une raison pour faire subir un interrogatoire à Richard.

— Je me demandais seulement si ce n'était pas le contraire, grommelai-je en haussant les épaules.

Archie fronça les sourcils.

— Comment ça, le contraire ? Qu'est-ce que tu veux savoir ?

— Si ce n'était pas plutôt votre famille qui ne prenait pas la peine de se souvenir de vous.

— Melody !

Dans le rétroviseur, je vis le regard d'Archie se glacer.

— Tu ne manques pas d'air, toi. Tu iras loin.

— Elle n'est pas comme ça d'habitude, expliqua maman. C'est l'énervement du départ, j'en suis sûre.

Archie ralluma la radio et conduisit en silence. La nuit tombait, la pluie survint, bientôt ce fut un vrai déluge. Les essuie-glaces n'arrivaient pas à évacuer l'eau. Apparemment, ils étaient en piteux état.

— J'espérais avoir fait plus de route que ça ce soir, observa soudain Archie. On devrait s'arrêter dans un motel.

Maman s'empressa de lui donner raison.

— Comme tu voudras, Richard, c'est toi le grand voyageur. Nous sommes entre tes mains compétentes.

Alors là, il y avait de quoi vomir. À travers le pare-brise inondé, je contemplai fixement l'obscurité que trouait de temps à autre un double éclat de phares. Un bref instant, les gouttes de pluie captées par leur faisceau ressemblaient à des glaçons, et j'en avais des frissons dans le dos.

Au bout de dix minutes, Archie ralentit pour se garer sur l'aire de stationnement d'un motel. Il pleuvait à seaux, maintenant, c'est à peine si nous distinguions l'enseigne au néon. Archie releva sa veste sur sa tête et courut jusqu'à la réception. Dès qu'il eut quitté la voiture, maman se retourna vers moi.

— Melody, j'exige que tu traites Richard avec respect. C'est un adulte, figure-toi.

— Qu'est-ce que j'ai fait de mal ?

— Tu lui as parlé comme si c'était un de tes camarades de classe, et tu lui as posé des tas de questions personnelles. C'est impoli. S'il veut nous parler de lui-même, il le fera tout seul, d'accord ?

— Il ne m'intéresse pas du tout, si tu veux savoir.

— Eh bien c'est dommage, parce que nous allons vivre ensemble pour un bon bout de temps. Il vaut mieux tâcher de nous entendre. Voyons, ma chérie...

Maman se retourna et sa voix se fit implorante.

— Essaie d'être heureuse, ma petite fille. Pense à toutes les choses merveilleuses que tu vas voir bientôt. Dis-toi que c'est une chance, Melody, une chance que je n'ai jamais eue. J'ai dû vivre avec des gens que je n'aimais pas et endurer des choses affreuses, moi.

— Des choses comme quoi, par exemple ?

— Un jour, je t'en parlerai, dit maman d'une voix rêveuse, le regard chargé de souvenirs.

Ma curiosité s'aiguisa.

— Quand est-ce que tu m'en parleras, maman ?

— Quand tu seras assez grande pour comprendre.

— Mais je suis assez grande, maman, j'ai quinze ans. Je ne suis plus une enfant, tu devrais me regarder plus souvent.

— Je te regarde, soupira-t-elle, je ne fais même que ça. Tu n'as pas fini de grandir et tu es à un âge critique. Je me rappelle très bien ce que ressentais, à cet âge-là. Crois-moi.

Elle étendit le bras pour poser la main sur la mienne.

— Je veux que tu aies ce qu'il y a de mieux dans la vie, c'est tout. Tu me crois, au moins ?

— Oui, maman, affirmai-je... et j'aurais tant voulu que ce fût vrai !

La porte s'ouvrit à toute volée, Archie bondit à l'intérieur et la claqua derrière lui. D'un revers de main, il balaya l'eau qui ruisselait sur sa figure.

— Bon sang, quel orage ! Quand même, nous avons de la chance : le motel est bondé, mais il restait une chambre.

— Parfait, approuva maman.

Une chambre ? Une seule chambre pour nous trois ? J'avais bien entendu. Archie redémarra et se gara devant la chambre C.

— Il va falloir faire vite, annonça-t-il. Je vais aller ouvrir pendant que vous déciderez de ce qu'il vous faut pour la nuit. On ne prend que ça pour ce soir, d'accord ?

— D'accord, acquiesça maman.

Sur quoi, Archie-Richard replongea sous l'averse, et maman se retourna pour demander :

— De quoi as-tu besoin pour la nuit, Melody ?

— Sommes-nous vraiment obligés de dormir dans la même chambre ? questionnai-je d'une voix morne.

— Allons, conduis-toi comme l'adulte que tu prétends être et réfléchis. De quoi as-tu besoin ?

— De la petite valise, marmonnai-je avec humeur.

— Parfait. Va vite t'abriter, Richard et moi nous chargeons de prendre le nécessaire. Allez, ma chérie !

Ce n'était plus une averse, c'était une vraie tempête, maintenant. Les mains au-dessus de la tête, je courus jusqu'à la porte C, restée grande ouverte, et me ruai à l'intérieur.

La chambre ne payait pas de mine. Des murs d'un beige terne, plutôt crasseux au niveau des plinthes. Deux grands lits séparés par une table de chevet brun foncé, où trônait un téléphone de modèle antique. À côté de la commode, un lampadaire à l'abat-jour fané, qui avait dû jadis être jaune. La porte du placard, béante, voisinait avec celle de la salle de bains.

J'avais besoin d'y aller, justement, et j'y entrai. Mais il me fut impossible de refermer la porte : elle ne tenait pas d'aplomb sur ses gonds. Le bac à douche ne comportait pas de rideau, mais il y avait une belle traînée de rouille derrière le tuyau d'écoulement. Et un robinet gouttait dans le lavabo, que surmontait une armoire de toilette au miroir fêlé.

Maman et Archie émergèrent en trombe de l'écran de pluie, riant aux éclats. Est-ce qu'ils allaient trouver toutes les choses aussi amusantes, même cette chambre sinistre ?

— La porte des toilettes ne ferme pas, déclarai-je.

Ils cessèrent de rire pour se tourner vers moi.

— Et d'une ! proclama gravement Archie en levant l'index.

— Une quoi ?

— Une plainte. Une de plus et tu es le grouillot pendant tout le voyage.

— Très drôle, rétorquai-je, les poings aux hanches. Et pour la porte, je fais quoi ?

L'homme compétent alla examiner la porte.

— Pour la fermer, conclut-il après un moment de réflexion, tu n'auras qu'à la soulever un peu par la poignée.

— Merci.

Je saisis solidement la clenche en entrant dans la salle de bains et appliquai les instructions d'Archie. Ça ne fermait toujours pas très bien, mais il fallait faire avec. Je les entendis à nouveau pouffer de rire.

Quand je sortis, Archie brandissait une bouteille de gin et il en versait dans deux verres.

— Ça nous réchauffera, au moins !

Ils trinquèrent et, quand ils eurent bu, maman parcourut la pièce du regard et constata :

— Je viens juste de m'apercevoir qu'il n'y a pas de télévision, Melody. Tu as apporté quelque chose à lire ?

— Mais non, tu sais bien que j'ai dû laisser tous mes livres. Il n'y avait pas assez de place dans les bagages, tu te rappelles ?

— Et de deux ! fit Archie, tout réjoui. Deux plaintes, c'est toi le grouillot.

Maman rit et ils choquèrent à nouveau leurs verres.

— Il nous faudrait quelque chose pour mélanger avec ça, fit observer Archie. Si tu allais nous chercher un soda ou un ginger ale à la réception, Melody ?

Puis il fouilla dans sa poche, en tira deux billets d'un dollar et me les tendit.

— Tiens, et reste bien sous l'avant-toit pour ne pas te faire doucher.

Je consultai maman du regard. Affalée sur le lit, elle affichait un sourire béat.

— Allez, sois gentille, ma chérie. Va vite.

Je saisis les billets, happai mon manteau et sortis en claquant la porte. Au moins, je n'entendais plus le rire d'Archie et de maman, c'était toujours ça. Et je n'étais pas fâchée non plus de m'éloigner d'eux pour un moment.

Ce motel était vraiment un endroit minable. Le parking était défoncé de place en place, certaines lettres de l'enseigne étaient éteintes. Et tout en longeant le mur, mon manteau serré autour de moi, j'eus la nette impression que la plupart des chambres étaient inoccupées.

Le bureau de la réception, plutôt exigu, comportait un canapé en similicuir rouge tout crevassé, une chaise qui perdait son rembourrage et une petite table basse. Derrière le comptoir se tenait un petit homme chauve et lippu, qui m'adressa un sourire édenté.

— Que puis-je faire pour vous, mademoiselle ?

— Je voudrais un soda en boîte, s'il vous plaît.

— Le distributeur est en panne, mais j'ai ça dans le frigo, proposa le veilleur, en indiquant du doigt une petite pièce de derrière. Vous ne voulez que du soda ?

— Oui, s'il vous plaît.

Il ne lui fallut qu'une minute pour aller chercher la boîte bien fraîche, et je lui donnai un dollar. Puis j'aperçus l'appareil téléphonique à pièces, contre le mur, et tendis le second billet.

— Puis-je avoir de la monnaie pour le téléphone ?

— Pas de problème.

L'échange fait, je me dirigeai vers l'appareil. L'homme se rassit, pour se plonger apparemment dans une revue, mais je vis bien qu'il me lorgnait du coin de l'œil. Je composai mon numéro, introduisis le nombre de pièces requises, attendis. Alice décrocha à la seconde sonnerie.

— C'est moi, Alice. Melody.

— Mais où es-tu ? J'ai essayé de t'appeler des tas de fois, en rentrant du lycée.

— Où je suis ? Je n'en sais rien moi-même, Alice ! Quelque part près de Richmond, en Virginie.

Le gérant ne faisait même plus semblant de lire, maintenant. Il regardait ouvertement dans ma direction. Je lui tournai le dos et baissai la voix.

— Nous avons quitté Sewell, Alice. Maman avait tout arrangé. Quand je suis rentrée à la maison, elle faisait les bagages. Nous sommes avec Archie Marlin, me lamentai-je.

— Quoi ! Et où allez-vous ?

— À Provincetown, au Cap Cod, enfin... pour commencer. Après, je ne sais pas. Maman compte chercher un nouvel endroit où vivre.

La voix d'Alice exprima l'incrédulité la plus totale.

— Tu es partie pour de bon, alors ?

— Oui. Tu voudras bien dire au revoir à tout le monde pour moi ? Et en particulier à M. Kile, ajoutai-je, pleurant presque en songeant à mon professeur préféré.

— Mais comment saurai-je où te joindre ?

— Je t'écrirai dès que nous aurons un point de chute. Oh, pendant que j'y pense... j'ai laissé mes manuels de classe et mes livres de bibliothèque sur la table de la cuisine, dans la caravane. Mama Arlène est au courant. Tu pourrais faire un saut et les rendre pour moi, s'il te plaît ?

— Bien sûr, promit Alice. Quand même ! Je n'arrive toujours pas à y croire.

— Et moi, alors ? Tu sais que je déteste Archie Marlin, alors imagine ce que je ressens.

L'opératrice m'avertit que je devais remettre de la monnaie, mais il ne me restait plus que cinquante centimes. Je hâtai mes adieux.

— Au revoir, Alice. Merci d'être ma meilleure amie.

— Melody ! lança-t-elle d'une voix tragique, comme si j'étais un fantôme en train de disparaître.

La communication fut coupée net. Et je restai plantée là, le combiné en main, n'osant pas me retourner pour ne pas laisser voir que je pleurais. Puis je pris une grande inspiration, essuyai mes larmes et raccrochai.

— Une sacrée pluie qu'on a ce soir, commenta le gérant. Vous venez de loin ?

— Sewell.

— Ça ne fait pas si loin que ça.

Ignorant cette tentative de conversation, je pris le chemin de la porte.

— Hé ! Vous oubliez votre soda, fit l'homme en désignant l'étagère, près du téléphone.

— Merci.

J'allai chercher la boîte et revins sur mes pas, mais au moment de sortir je m'arrêtai pour demander :

— Vous êtes complet, pour ce soir ?

— Complet ? (Un rire silencieux secoua les épaules du gérant.) Pas vraiment, non !

— Ah bon, je croyais, marmonnai-je en passant la porte.

Dans la chambre C, maman et Archie avaient allumé la radio et dansaient. Maman eut l'air un peu gênée en me voyant, puis elle me sourit.

— Comme tu vois, Arch... Richard a le don de tirer parti des pires situations.

Je tendis brutalement la boîte à Archie-Richard.

— Merci, princesse. Et la monnaie ?

— J'ai dû appeler Alice pour lui demander de rendre mes livres, expliquai-je. Nous vous devons la communication.

— Plus les intérêts, dit-il avec un clin d'œil pour maman.

Puis, d'un geste expert, il ouvrit la boîte et versa du soda dans leurs deux verres. Je choisis cet instant pour déclarer :

— Il y a des tas de chambres vides.

Archie se figea, rouge comme une pivoine.

— Ah oui ? Ce n'est pas ce que m'a dit le petit chauve, au bureau. Il voulait nous pousser à prendre une chambre plus chère, c'est sûrement ça.

— Il aurait plutôt eu intérêt à en louer deux, non ?

Archie ne se laissa pas démonter par mon ton agressif.

— Pas du tout. Cette chambre-là lui rapporte plus que deux autres.

— Qu'est-ce que ça change pour nous, de toute façon ? intervint maman.

— Ça change que je suis fatiguée, voilà.

— Eh bien va te coucher, ma fille. Nous éteindrons la lumière pour ne pas te gêner.

Ce qu'elle fit, puis elle alla baisser le son de la radio. Voyant que je n'avais pas d'autre solution, je tournai le dos pour déboutonner mon chemisier, ôtai ma jupe et mes chaussures et me glissai entre les draps. Ils empestaient la naphtaline. Je tournais toujours le dos à maman et Archie, mais je savais qu'ils continuaient à danser, à boire et à chuchoter. Je fis des vœux pour m'endormir très vite et, par miracle — ou parce que j'étais exténuée — je m'endormis.

Mais au beau milieu de la nuit, je m'éveillai brusquement. J'entendis un gémissement sourd, puis un rire étouffé, bientôt suivi par des grincements de ressorts. J'avais déjà entendu ces mêmes bruits dans la caravane, à travers les cloisons, et j'avais compris ce qu'ils signifiaient. Je le compris cette nuit-là aussi.

Comment maman pouvait-elle laisser un autre homme la toucher, si tôt après la mort de papa ? Est-ce qu'elle avait déjà oublié sa présence, sa voix, le contact de ses lèvres ? Archie Marlin était si différent de papa, en plus ! C'était une mauviette. Maman n'aurait-elle pas pu attendre de rencontrer quelqu'un qui vaille la peine d'être aimé ?

Elle se sentait perdue et frustrée, m'expliquai-je. Elle redoutait la solitude. Tout allait probablement changer quand nous aurions trouvé un meilleur endroit où vivre, et qu'elle serait plus satisfaite d'elle-même. Elle ne pouvait pas vouloir passer sa vie avec un homme comme Archie Marlin, sûrement pas.

Je serrai les paupières et me blottis dans l'oreiller, essayant de penser à autre chose. Mais leur souffle devint plus bruyant, maman gémit, puis ce fut le silence. Quelques instants plus tard, maman se faufilait dans mon lit.

Demain matin, au réveil, elle y serait encore et Archie Marlin serait dans le sien. Nous étions tous censés faire comme si je ne savais rien, du moins pour le moment. Tout le monde mentait, en somme. Comme façon de commencer une nouvelle vie, c'était plutôt triste.

Le lendemain, sitôt notre toilette finie, nous quittâmes le motel. Il était encore plus décrépit au grand jour, maman elle-même en fit la remarque. Mais Archie trouva le moyen d'en plaisanter.

— Tous les ports se valent dans la tempête. J'ai connu pire.

— Ça, je veux bien le croire, ripostai-je entre mes dents.

Et si l'un ou l'autre m'entendit, personne ne réagit.

Un peu après Richmond, nous fîmes halte pour le petit déjeuner, puis nous repartîmes vers le nord. J'aperçus le Capitole de loin, à quelque distance de la route. Maman avait pourtant promis que nous verrions des tas de choses intéressantes, à Washington, mais il ne fut pas question de nous y arrêter. Ni à Baltimore ni dans aucune autre grande ville. Apparemment, Archie et maman étaient pressés d'arriver à Provincetown. Je commençai à m'interroger sur les parents que nous allions y rencontrer.

Je ne savais pas grand-chose d'eux, bien sûr. À part le fait qu'ils vivaient au Cap Cod, que papa avait un jeune frère et que toute sa famille pratiquait depuis des générations la pêche au homard. Le père de papa avait pris sa retraite, et sa femme et lui habitaient une maison trop grande pour eux seuls. À part ça, j'ignorais tout d'eux. Quand je demandais à maman combien d'enfants avait le frère cadet de papa, elle parlait de deux jumeaux, un garçon et une fille. Un autre enfant était né après qu'elle eut quitté la ville avec papa, mais elle ignorait le sexe de celui-là. Par contre, elle croyait se souvenir que les jumeaux étaient à peu près de mon âge, ou peut-être un peu plus vieux.

— Le frère de papa s'est marié avant vous, alors ?

— Il me semble, hésitait maman. C'est possible. Je ne sais plus. Et arrête avec tes questions, Melody ! Tu auras toutes tes réponses en arrivant à Provincetown.

J'insistai quand même.

— Mais le frère de papa, combien a-t-il d'années de moins que lui ?

— Une ou deux. Il est très différent de lui.

— Comment ça, différent ?

— Tu verras bien ! s'impatienta maman.

Et elle refusa d'en dire plus long sur le sujet.

Avec tout le mystère qui entourait cette famille, il n'était pas surprenant que je me sente nerveuse. De toute évidence, les parents de papa savaient qu'il était mort, maman avait dû le leur dire. Lui en voulaient-ils toujours ? Et pourquoi désiraient-ils nous voir maintenant, après tout ce temps ? Quand je posai la question à maman, elle soupira :

— C'est ce que ton père aurait voulu, j'en suis sûre.

Je me dis que cela devait être vrai, que je devais me montrer forte, et faire l'impossible pour que tout le monde se réconcilie.

Comme nous approchions du Massachusetts, Archie Marlin déclara subitement :

— Vous savez quoi ? Je viens de réaliser que je ne suis jamais allé au Cap.

— Pas possible ? ironisai-je, m'attirant un regard menaçant de maman.

Mais Archie sourit jusqu'aux oreilles.

— La pêche et la voile, vous savez... ce n'est pas mon fort.

— Tiens donc ! ripostai-je. Moi qui croyais que vous faisiez du rafting ?

— Descendre un fleuve en radeau, c'est excitant, mais ça n'a rien à voir avec la voile ou la pêche.

— Le Cap Cod a ses charmes, intervint adroitement maman. Les gens sont parfois un peu durs, mais c'est la mer qui les rend comme ça.

Sur quoi, Archie-Richard protesta galamment :

— Je ne te trouve pas dure du tout, moi !

Je préférai reporter mon attention sur le paysage.

Nous nous arrêtâmes dans un motel nettement plus agréable, ce soir-là. Nous avions une suite, et j'eus le canapé-lit pour moi toute seule. Et en plus, je pus prendre une douche et me laver les cheveux. Après le dîner — que nous prîmes sur place — je regagnai l'appartement pendant que maman et Archie restaient au bar-salon. Ils rentrèrent des heures plus tard, gloussant et chuchotant, et je fis semblant de dormir quand ils s'enfermèrent dans la chambre.

Même dans ces conditions confortables, j'eus du mal à trouver le sommeil, cette nuit-là. Ma dernière nuit avant Provincetown. Je me posais tant de questions angoissantes que j'en tremblais intérieurement. Quel accueil nous réserverait la famille de papa ? Comment serait notre nouvelle maison ? J'étais comme un ballon flottant de-ci de-là, au gré du caprice d'Archie Marlin et de maman. Nous n'avions sans doute pas grand-chose à Sewell, mais maintenant je n'avais plus rien du tout. Pas d'amie, pas de repère familier, personne à qui me confier. Je ne m'étais jamais sentie aussi seule. J'avais beau serrer les paupières jusqu'à en avoir mal, je ne pouvais pas chasser les craintes qui me harcelaient. Je me tournai et me retournai dans mon lit, glissant d'un cauchemar à l'autre, jusqu'au moment où les premiers rayons de soleil filtrèrent à travers les rideaux.

Archie et maman dormirent très tard. Je fis ma toilette, m'habillai, et m'assis pour lire un dépliant touristique en espérant qu'aujourd'hui au moins, nous pourrions visiter quelque chose. Finalement, lasse d'être enfermée dans cette pièce étouffante, je sortis faire un tour dans les environs du motel. Quand je rentrai, maman et Archie étaient prêts et nous allâmes prendre le petit déjeuner. Ils étaient plutôt éteints, tous les deux, et pas très bien réveillés. Je pris sur moi de demander :

— Est-ce que nous allons faire un peu de tourisme, avant d'arriver à Provincetown ?

Archie émit un grognement maussade, et maman se hâta de répondre :

— Au retour, ma chérie. Aujourd'hui, nous voudrions arriver le plus tôt possible au Cap.

— Je croyais qu'on devait visiter des tas d'endroits, grommelai-je à mi-voix.

Maman poussa un soupir à fendre l'âme.

— Melody, s'il te plaît, pas de jérémiades aujourd'hui ! Je crains d'avoir un peu trop bu, hier soir.

Je me tus, et ce fut en silence que nous rechargeâmes les bagages dans le coffre et reprîmes la route. J'eus l'occasion d'admirer de très jolies vues de l'océan, surtout quand nous traversâmes le canal du Cap Cod. Il faisait un temps superbe, les voiliers et les barques de pêche semblaient peints sur l'eau bleue. En respirant à pleins poumons l'air salin, j'eus la curieuse impression de rentrer chez moi. C'était peut-être ce qu'aurait ressenti papa, s'il avait été du voyage. Je me dis qu'en allant là-bas, j'allais apprendre beaucoup de choses sur lui et cette pensée apaisa un peu mon inquiétude. D'une certaine façon, il serait près de moi.

Alors que nous roulions sur l'autoroute 6, maman s'endormit. Les kilomètres défilaient à n'en plus finir. Quand les panneaux routiers annoncèrent que nous approchions de Provincetown, une légère excitation s'empara de moi et me fit battre le cœur. Comment maman pouvait-elle dormir en un moment pareil ? Après tout, elle aussi rentrait chez elle ! Finalement, Archie sortit de son mutisme pour annoncer que nous arrivions à l'extrême pointe du Cap : Provincetown. Maman s'agita un peu, ouvrit les yeux et s'étira.

Je ne vis d'abord devant moi que les dunes.

— On dirait le désert, commentai-je.

Puis le Monument des Pèlerins apparut, et maman m'expliqua de quoi il s'agissait.

— C'est là que les premiers pèlerins sont censés avoir débarqué. Les sang-bleu font tout un plat de cette histoire.

— Les sang-bleu ?

— Les gens qui font remonter leur lignée jusqu'au « Mayflower », le bateau des premiers pèlerins. La famille de ton père, par exemple, ajouta maman avec dédain. Ils se croient d'une race supérieure.

— C'est pour ça que vous êtes partis, papa et toi ?

— Entre autres choses, oui.

Sur cette réponse laconique, maman se tut et Archie dut lui demander :

— Alors ? Où allons-nous, maintenant ?

— Tourne à gauche, ordonna-t-elle brièvement.

— Est-ce qu'ils nous attendent aujourd'hui, maman ?

— Oui. Jacob devrait être à la maison. La marée monte.

— Comment sais-tu ça ? m'étonnai-je.

— Les vagues se brisent sur la plage juste à la limite de l'herbe, tu vois ?

Je fis signe que oui.

— Les bateaux de pêche sortent et rentrent à marée haute, expliqua maman. Je sais au moins ça, mais ne m'en demande pas plus, ajouta-t-elle précipitamment.

Et j'eus l'impression que ces souvenirs lui faisaient mal.

Suivant ses directives, Archie s'engagea lentement dans une rue étroite bordée de boutiques de souvenirs, de restaurants de fruits de mer, et de tavernes aux noms évocateur comme le Mât de Misaine ou le Flibustier. Les maisons, dont certaines semblaient vraiment très vieilles, étaient construites en bardeaux de cèdres. La plupart proposaient des chambres d'hôtes, qui pour le moment attendaient le client. Un peu partout, des écriteaux affichant « Libre » se balançaient au vent de mer.

— Ce n'est pas encore vraiment la saison, m'apprit maman, les touristes ne sont pas encore arrivés. Mais en plein été, ces petites rues grouillent de monde. On peut à peine y circuler.

— Comme à Las Vegas, en somme.

Ignorant ce commentaire d'Archie, maman indiqua :

— Tourne ici.

Ce qui nous fit obliquer vers l'est, et nous engager dans une rue encore plus étroite que les autres, si possible. Des deux côtés se dressaient de petites maisons du pays, avec leurs modestes carrés d'herbe drue en guise de jardin de devant. J'en vis même une avec un buisson de lilas qui montait jusqu'au toit.

Comme nous roulions lentement sur la chaussée, j'entendis maman murmurer :

— J'ai l'impression d'être partie depuis cent ans, et pourtant ça n'a presque pas changé.

Subitement, il n'y eut plus de maisons. Rien que des dunes. Je crus que nous allions nous arrêter là, mais maman dit à Archie de suivre la route. Elle tourna bientôt vers le nord.

Et voilà que sur notre droite, à une centaine de mètres devant nous, une maison apparut. Je pouvais voir la plage et l'océan tout proches. Un nuage de mouettes décrivait des cercles autour de quelque chose d'invisible, sur le sable.

— C'est ici, dit maman.

Une camionnette beige était garée dans le chemin gravillonné. Non loin de là, près d'une voiture bleue dont l'arrière était soulevé sur un cric, un homme était penché sur un pneu. Tout ce que je pus voir c'est qu'il était grand, très mince, et du même blond que papa. Il ne se retourna pas, même quand nous nous arrêtâmes à l'entrée du chemin.

— C'est ton oncle Jacob, chuchota maman.

Finalement, il leva les yeux. Je vis toute suite la ressemblance entre lui et papa, surtout dans le tracé du menton et des pommettes. Mais il était plus maigre que papa, plus brun de teint et paraissait plus vieux, alors que je le croyais plus jeune. Il nous observa un instant. Puis il se remit à s'occuper de son pneu, comme s'il n'éprouvait pas le besoin de savoir qui nous étions ni ce que nous étions venus faire là.

Archie consulta maman du regard.

— J'avance ?

— Oui, acquiesça-t-elle avec un interminable soupir. Melody, prépare-toi à faire la connaissance de ta famille.

5

La seule mère que j'avais

ARCHIE s'avança lentement dans l'allée, sans que l'oncle Jacob daigne se retourner. Il ne le fit que lorsque la Chevrolet s'arrêta tout près de lui, se releva et, à grand renfort de gestes, nous indiqua qu'il fallait reculer.

— J'ai besoin de la place pour travailler, comprenez-vous ?

— Désolé, s'excusa promptement Archie.

Et il recula de trois bons mètres, après quoi nous descendîmes de la voiture. Oncle Jacob continuait à s'occuper de son pneu dégonflé.

— Bonjour, Jacob, l'interpella maman.

Il répondit d'un hochement de tête, toujours tourné vers la voiture, puis finit par laisser tomber :

— Rentrez dans la maison, j'en ai encore pour un moment. Sarah vous a attendus toute la matinée, vous étiez censés arriver hier soir.

Il peinait pour dévisser un boulon de la roue, les muscles de son cou saillaient sous l'effort. Je le vis se détendre quand le boulon finit par céder.

— Le voyage nous a pris plus de temps que prévu, expliqua maman.

Oncle Jacob grogna. Archie prit une mine dégoûtée. Maman me posa la main sur l'épaule et me pilota vers la porte d'entrée.

Comme toutes les maisons typiques du Cap, celle-ci possédait un de ces belvédères que l'on nomme dans la région « balcons de veuve », parce que c'est de là que les femmes de marins guettaient, parfois en vain, le retour de leurs époux. Les volets bleus, tout comme les bardeaux de cèdre, étaient rongés par le sel. Nous nous avançâmes sur le petit chemin étroit, pavé de galets, qui menait à la porte d'entrée.

Je remarquai les frais rideaux de toile écrue aux fenêtres, et les pots de jonquilles et de tulipes en fleurs sur les rebords. Une mangeoire à oiseaux pendait du toit, et une hirondelle voletait à proximité, attendant prudemment que nous soyons passés. Maman frappa, discrètement d'abord, puis recommença au bout d'un moment, un peu plus fort.

— Entrez donc, cria l'oncle Jacob, elle ne vous entend pas. Elle doit être dans la cuisine.

Maman tourna le bouton de la porte et nous pénétrâmes dans la maison. Un petit vestibule nous conduisit à la salle de séjour, sur la droite, et la première chose que nous vîmes fut la grande cheminée de briques. Elle occupait presque tout le mur d'en face. Une natte gris-bleu recouvrait le plancher à chevrons, assemblé à l'ancienne. Et deux meubles seulement, le canapé aux épais coussins et le fauteuil capitonné placé près de lui, étaient de même style. Tous les autres étaient dépareillés. Le rocking-chair fatigué, les deux petites tables en pin qui encadraient le canapé, la table à ouvrage logée dans un coin... Et tous, y compris les lampes de verre coloré ou d'albâtre, étaient de véritables antiquités.

J'aperçus des photos encadrées, sur le manteau de la cheminée. Au-dessus, monté sur une planche de bois bleu sombre, un gigantesque espadon empaillé nous regardait de ses yeux de verre.

— Sarah ? lança maman à la cantonade. Nous sommes là.

Un bruit de casserole tombant dans un évier métallique se fit entendre et, un instant plus tard, ma tante Sarah se montra sur le seuil. Elle s'essuyait les mains à son tablier blanc.

C'était une grande femme élancée, que sa longue jupe flottante — d'un bleu passé — faisait paraître plus grande encore. Son corsage à manches bouffantes, boutonné très haut, laissait tout juste apercevoir ses clavicules saillantes et la chaîne en or à laquelle pendait un médaillon, son seul bijou. Ses cheveux châtain clair, déjà striés de blanc, tombaient librement sur ses épaules. Aucun maquillage ne venait relever la pâleur de son teint.

Elle avait dû être jolie. Son petit nez, ses pommettes accusées, ses lèvres au contour plein ne manquaient pas de grâce. Mais l'ombre qui voilait ses yeux bruns paraissait déborder sur ses joues creuses, dont la maigreur lui durcissait les traits.

— Bonjour, Sarah, la salua maman.

— Bonjour, Hellie.

Tante Sarah n'avait pas changé d'expression, et à les voir se dévisager, maman et elle, j'eus comme une boule dans l'estomac. Ce n'était pas la largeur de la pièce qui semblait les séparer, mais une immensité d'espace et de temps. Aucune des deux n'esquissa le moindre geste de rapprochement. Le silence qui s'établit dura si longtemps qu'il me mit mal à l'aise : j'avais l'impression de m'enfoncer dans des sables mouvants. Que signifiait cet étrange accueil ?

Maman dut sentir qu'elle devait justifier la présence d'Archie.

— Mon ami Richard, présenta-t-elle. Il a eu la gentillesse de nous conduire en voiture depuis la Virginie.

Tante Sarah acquiesça d'un battement de paupières, puis se tourna vivement vers moi et je vis briller ses yeux. Maman posa les mains sur mes épaules.

— Et voici Melody.

J'eus la sensation que le regard de tante Sarah me traversait, tant il était pénétrant. Un imperceptible sourire s'ébaucha au coin de sa lèvre.

— Oui, murmura-t-elle en hochant la tête, comme si je répondais parfaitement à son attente. Elle est à peu près de la même taille que Laura, mais plus blonde. Et Laura n'a jamais porté les cheveux si longs.

La tristesse de sa voix me frappa, son visage parut se creuser davantage encore. Et j'entendis maman chuchoter :

— Je suis désolée pour tout ça. Vraiment navrée.

— Oui, commenta tante Sarah sans me quitter des yeux.

Que signifiaient ces propos ? Qui donc était Laura ? Je me retournai vers maman. De toute évidence, elle en savait plus long sur la famille de papa qu'elle ne voulait bien le dire.

— Je parie que tu as faim, me dit tante Sarah, retrouvant le sourire.

Je lui souris en retour, mais j'avais l'estomac si serré que je ne me croyais pas capable d'avaler la moindre miette.

— J'ai un poulet au four. Carry va bientôt rentrer du lycée avec May. Ils sont très excités à l'idée de te connaître, déclara-t-elle. En attendant... (Elle se tourna vers Archie et maman.) J'ai des clams à l'étouffée, si vous voulez.

— Ça, c'est parfait, la remercia maman. Depuis que je suis partie, je n'ai jamais mangé de clams aussi bons que les tiens.

— Vraiment ? Je ne vois pas ce qu'ils ont de spécial. On les gratte et on les met dans l'eau, ce n'est pas sorcier.

La mine de tante Sarah s'était durcie, et sa voix aussi. Maman bafouilla, mal à l'aise :

— Eh bien... c'est que les clams d'ici sont meilleurs, sans doute.

— Sûrement ! intervint vigoureusement Archie.

Tante Sarah haussa les sourcils et parut brusquement s'apercevoir de sa présence.

— Passons dans la salle à manger, proposa-t-elle, et mettez-vous à l'aise.

Une très vieille table à tréteaux prenait presque toute la longueur de la salle, flanquée de six chaises : deux de chaque côté, une à chaque bout. Ces deux-là, estimai-je, devaient provenir de la cabine d'un capitaine, et je notai que devant l'une d'elles était posée une Bible reliée en peau. Je remarquai aussi un gros bouquet de roses jaunes, sur une petite table dans un coin, et le tableau qui ornait l'un des murs. Une marine. On y voyait un long voilier cinglant vers l'horizon, sous un ciel couvert, mais un détail m'attira. On aurait dit qu'un rayon de soleil perçait la couverture de nuages. En m'approchant, je distinguai au centre de ce trait de lumière un doigt tendu, le doigt de Dieu, pointé vers le voilier solitaire.

— Asseyez-vous, je vous en prie. Cette chaise-là, précisa tante Sarah en désignant le siège sévère devant lequel était posée la Bible, c'est celle de Jacob. Tout le monde aime le jus d'airelles ?

— Avec un peu de vodka, c'est super !

La réponse d'Archie fit sursauter Sarah, et maman le foudroya du regard.

— Nous adorons ça, bien sûr, s'empressa-t-il de rectifier. Merci beaucoup.

Tante Sarah repartit aussitôt dans la cuisine et j'en profitai pour m'informer.

— Qui est Laura, maman ? Pourquoi ne m'en as-tu jamais parlé ?

— C'est trop triste, soupira maman. Pas maintenant, ma chérie.

Tante Sarah revenait déjà, portant un plateau chargé d'une carafe de jus d'airelles et de trois verres où tintaient des glaçons. Elle le posa sur la table.

— Laissez-moi me charger du service, offrit Archie, ce qu'elle accepta d'un signe.

Puis elle reporta son regard sur moi, avec une insistance gourmande qui réveilla mon malaise. Elle me buvait littéralement des yeux.

— Tu aimes les clams, ma chérie ?

— Je... je crois. Je ne me souviens pas d'en avoir mangé.

— Elle les adore, s'empressa d'affirmer maman.

— Laura aussi les adorait. Je vais les chercher.

Dès qu'elle fut sortie, je revins à la charge.

— Maman ?

J'implorais des informations, mais j'en fus pour ma peine.

— Patience, Melody. Laisse à tout le monde le temps de faire connaissance, au lieu de commencer à poser tes questions.

Maman se tut, hésita un peu, puis elle me gratifia d'un sourire engageant.

— C'est une jolie maison, tu ne trouves pas, ma chérie ? Il y a une plage juste derrière, avec un ponton. Et l'air de la mer ! j'avais oublié comme il était bienfaisant.

Elle inspira profondément, la mine extasiée, ce que je trouvai plutôt comique. C'était surtout papa qui aimait les excursions à la plage, pas elle.

— Et ça vous nettoie les poumons de toute cette crasse de charbon, crut devoir ajouter Archie. Ça, c'est sûr !

L'arrivée de tante Sarah me dispensa de répondre. Elle apportait de jolis bols en porcelaine bleu et blanc, qu'elle disposa devant nous. Puis elle alla chercher la marmite de clams et une coupe de beurre fondu.

— Servez-vous, je vous en prie.

Archie fourra la main dans la marmite et y pêcha un clam. Il en ôta la chair avec le pouce et l'index, la plongea dans le beurre et l'avala aussitôt.

— Mmm... délicieux !

— Ta fourchette, lui souffla précipitamment maman.

— Quoi ? Oh oui, bien sûr !

Sur ce, il puisa une pleine poignée de clams dans la marmite, les déversa bruyamment dans son bol et y planta carrément sa fourchette. Tante Sarah sourit, puis parut hésiter sur la conduite à tenir.

— Tu ne manges pas, Sarah ? s'enquit maman.

— Non, merci, je n'y tiens pas. Mais sers-toi, Hellie.

À nouveau, je sentis sur moi le regard pénétrant de ma tante et ma gêne redoubla. Je pris quelques clams dans la marmite et en détachai la chair avec ma fourchette. Tante Sarah ne me quittait pas des yeux, épiant chacun de mes mouvements, approuvant le moindre d'entre eux d'une inclination de la tête. J'avais l'impression d'être un échantillon sous la lentille d'un microscope.

Maman, en revanche, ne semblait rien remarquer de bizarre et paraissait se régaler.

— Ces clams sont aussi exquis que dans mon souvenir, déclara-t-elle avec conviction. Cela fait si longtemps !

Tante Sarah prit enfin le parti de s'asseoir.

— Oui, longtemps. Le voyage n'a pas été trop pénible ?

— Juste un peu de pluie en route, fit Archie, la bouche pleine.

Tante Sarah promena autour d'elle un regard songeur.

— Nous avons eu un hiver particulièrement dur, cette année. Il n'y avait pas moyen de réchauffer la maison.

— Vous chauffez ça comment ? voulut savoir Archie.

— Au feu de bois, et aux poêles à pétrole. C'est une vieille maison, mais nous ne l'avons jamais quittée depuis... depuis notre mariage. (Tante Sarah marqua une pause et fixa maman d'un œil songeur.) Tu n'as presque pas changé, Hellie. Tu es toujours aussi jolie. Et Melody a hérité de tes meilleurs atouts, ajouta-t-elle à ma plus grande confusion.

— C'est ce que tout le monde dit, oui.

— Cary ressemble à Jacob, mais notre petite May tient plutôt de mon côté. Laura, elle... Laura était différente, acheva tante Sarah dans un souffle.

Elle se figea, son regard dériva au loin. Et subitement, comme si elle reprenait conscience de notre présence, elle ramena les yeux sur moi :

— Tu es bonne élève, Melody ?

— Oui, madame.

— Et même très bonne élève, tint à préciser maman. Elle obtient des A partout.

— Juste comme Laura. Mais Cary, lui, n'est pas comme était sa sœur jumelle. Il se débrouille, mais il n'aime pas rester enfermé entre les quatre murs d'une classe. C'est tout Jacob, tenez. Donnez-lui quelque chose à faire dehors, qu'il vente ou qu'il neige, et il sera ravi. Quand un Logan est occupé...

Tante Sarah secoua la tête et acheva en soupirant :

— Le monde pourrait s'écrouler autour de lui qu'il ne s'en rendrait même pas compte.

— Je sais, Sarah.

Ma tante poussa un nouveau soupir, encore bien plus profond que le premier.

— Je suis désolée, pour Chester. Autant te le dire avant que Jacob ne rentre, il n'aime pas que je parle de lui.

Pourquoi le frère de papa ne voulait-il pas entendre parler de lui, même après sa mort ? Intriguée, j'observai maman. Elle fit un petit signe de tête compréhensif et changea délibérément de sujet.

— Et quel âge a Cary, maintenant ?

— Seize ans. May en a eu dix le mois dernier.

— J'espère qu'elle est bonne élève, elle aussi, persévéra maman, cherchant désespérément à soutenir la conversation.

Tante Sarah haussa un sourcil étonné.

— En effet, mais elle fréquente une école spéciale, tu sais bien. Cary l'accompagne et la ramène tous les jours, il lui est dévoué corps et âme. Je pense qu'il l'est même encore plus depuis que Laura est... depuis que Laura n'est plus là.

Une fois de plus j'interrogeai maman du regard, mais elle détourna le sien. Tante Sarah, par contre, ne me quittait pas des yeux. Elle paraissait déçue que je ne mange pas, et je piquai hâtivement ma fourchette dans un clam.

— Et comment vont Samuel et Olivia ? reprit maman.

Il s'agissait de mes grands-parents, dont je ne savais pas grand-chose. Je cessai aussitôt de manger pour écouter.

— À part un peu d'arthrite, ils vont bien. Je leur ai dit que vous arriviez.

— Ah bon ? fit maman.

Et le sujet en resta là, ce qui n'eut l'air de déranger ni maman ni ma tante. Mais moi, si. Je voulais en savoir plus. Mes grands-parents ne m'avaient jamais vue. Étaient-ils aussi curieux de me connaître que je l'étais de les voir ?

La porte s'ouvrit, se referma ; oncle Jacob apparut, un chiffon à la main. Son menton et sa bouche me rappelaient ceux de papa, mais son nez était plus long et plus pointu, ses oreilles plus grandes. Et ses yeux tiraient davantage sur le brun que sur le vert. Il laissa tomber d'un ton neutre :

— Les clams sont meilleurs, cette année.

— Ils sont fabuleux, renchérit Archie.

Sur quoi, oncle Jacob daigna enfin remarquer sa présence et maman se hâta d'expliquer :

— C'est mon ami Richard, Jacob. Nous avons fait le voyage dans sa voiture.

Oncle Jacob enregistra l'information d'un signe et reporta son attention sur moi.

— Je l'aurais crue plus grande, se contenta-t-il d'observer.

Et j'eus l'impression d'être coupable de n'avoir pas grandi comme il fallait.

— Melody ? C'est ton oncle Jacob, voyons.

J'articulai d'une voix chevrotante :

— Bonjour, oncle Jacob.

Sans même un sourire, il s'essuya tranquillement les mains.

— On a tout le temps de se voir plus tard, tous ensemble, annonça-t-il. Pour le moment, j'ai du travail à faire sur le bateau. Envoie-moi Cary dès qu'il arrive, Sarah.

Là-dessus, il repartit vers le fond de la maison.

— L'entretien du bateau est une chose très importante, expliqua ma tante avec un bref sourire. Alors, Hellie, qu'as-tu décidé ? Vous passez la nuit ici, j'imagine.

— Non. Nous avons un horaire très serré.

— Ah ! fit simplement tante Sarah.

Mais j'étais stupéfaite. Pourquoi être venues de si loin pour repartir si vite ? Maman ne devait-elle pas me faire visiter Provincetown ? Je n'eus pas le temps de poser la question. La porte d'entrée battit à nouveau et ma tante annonça :

— C'est sûrement Cary et May.

Quelques secondes plus tard, mes cousins se montraient sur le seuil de la pièce.

Cary était grand, et ressemblait vraiment beaucoup à son père. Même teint mat et mêmes traits, mais en moins rudes, et ses yeux étaient du même vert que ceux de papa. S'ils paraissaient plus brillants que les siens, c'était sans doute à cause de ses cheveux plus foncés, presque noirs et assez longs. Ils lui arrivaient pratiquement aux épaules. Il portait un jean et une chemise de toile bleue, aux manches roulées jusqu'aux coudes.

À son côté, toujours accrochée à sa main, se tenait ma cousine May. Elle était petite pour ses dix ans, et même plutôt menue, avec de grands yeux noisette pleins d'éclat. Ses cheveux châtains, coupés très courts, lui donnaient un peu l'air d'un lutin, et ses pieds chaussés de sandales étaient si mignons qu'on aurait dit ceux d'une poupée. Elle était vêtue d'une robe bleu clair au corsage brodé. Elle souriait, mais Cary arborait une mine très sérieuse, lui. Son regard glissa rapidement d'Archie à maman, puis s'arrêta sur moi, et j'eus l'impression qu'il s'adoucissait un peu.

— Dis bonjour à tout le monde, mon garçon, l'encouragea tante Sarah. Voici ta tante Hellie, son ami Richard et ta cousine Melody.

Instantanément, Cary pivota vers May en agitant rapidement les mains. Elle l'observa avec attention. Et dès qu'il eut fini, elle se retourna vers nous et articula soigneusement :

— Bonjour.

Son intonation un peu mécanique me surprit, et Cary s'en aperçut. Il me jeta sur un ton agressif :

— Oui, elle est sourde. Parfaitement.

— Si ce n'est pas malheureux ! laissa échapper Archie.

Par chance pour lui, le regard tranchant que lui lança Cary n'avait pas le pouvoir physique de couper, sans quoi sa tête aurait sauté de ses épaules.

— Et comment s'est passée la journée ? interrogea tante Sarah, en accompagnant ses paroles d'une série de signes.

May exhiba fièrement un papier couronné d'une étoile en or, et Cary plastronna :

— Elle a eu 20 sur 20 au contrôle d'orthographe !

— Magnifique, ma chérie, complimenta ma tante avec force gestes, nettement moins aisés que ceux de son fils. Cary, ton père a besoin de toi au ponton, tout de suite. Tu verras tout le monde au dîner.

Cary communiqua aussitôt quelque chose à May, qui acquiesça et se tourna vers moi. Sur quoi, son frère m'accorda un dernier regard avant de sortir.

— Monte te changer, May, indiqua tante Sarah à sa fille en employant les deux langages.

La fillette agita brièvement les mains en réponse et sortit à son tour.

— Je ne savais pas qu'elle était sourde, murmura maman. Et je ne crois pas que Chester l'ait sut, lui non plus.

— Oui, c'est de naissance. On aurait pu penser que ce serait un fardeau pour nous, mais... il y avait Laura.

Un silence tomba entre nous, lourd de malaise. Archie ne put le supporter longtemps.

— Si nous allions faire un tour en ville et visiter les environs avant le dîner, Hellie ?

Maman fit un signe d'acquiescement, et je demandai aussitôt à tante Sarah :

— Pouvons-nous emmener May ?

— Je ne crois pas que ce serait une bonne idée, s'interposa maman. Elle ne nous connaît pas encore.

C'était aussi l'avis de ma tante.

— Ta mère a raison, ma chère petite, dit-elle en se levant pour débarrasser la table. C'est un peu tôt.

— Voulez-vous que je vous aide, tante Sarah ?

Ma proposition parut la surprendre.

— Je te remercie, mais je vais me débrouiller. Si tu allais plutôt déballer tes affaires et voir ta chambre ?

— Ma chambre ?

Tante Sarah sourit sans répondre et s'en fut vers la cuisine. J'adressai un regard perplexe à maman.

— Ma chambre ? répétai-je. Qu'est-ce qui ne va pas chez elle, maman ? Tu viens de lui dire que nous partions ce soir !

Maman poussa un soupir dramatique.

— Sortons un moment, Melody, tu veux bien ?

Je les suivis, elle et Archie, et il se dirigeait vers le coffre de la Chevrolet quand maman l'arrêta :

— Laisse-moi lui parler d'abord, Richard.

Avec un haussement d'épaules, il s'appuya contre la voiture et alluma une cigarette. Je n'y comprenais plus rien.

— Mais qu'est-ce qu'il se passe, maman ?

Avant de me répondre, elle regarda du côté d'Archie, qui consulta ostensiblement sa montre.

— Laisse-nous faire quelques pas toutes seules, tu veux bien ? suggéra-t-elle en s'éloignant déjà. Viens, Melody. Écoute-moi bien et surtout ne fais pas de scène.

Je la suivis, brusquement sur mes gardes.

— C'est vraiment dommage que la famille ait été séparée si

longtemps, commença-t-elle. Et aussi que tu ne connaisses ni tes cousins ni tes grands-parents.

On aurait dit qu'elle récitait une leçon bien apprise.

— Oui, et alors ? C'est bien pour ça que tu as voulu venir, non ?

— C'était pour ça. Enfin, je veux dire... (Elle prit une grande inspiration et je vis ses yeux s'embuer.) C'est pour ça, bien sûr.

— Mais enfin, maman, qu'est-ce qu'il y a ?

— Oh, Melody ! Tu sais que je t'aime, que je t'aimerai toujours.

— Je le sais, maman.

— Tu sais aussi que, malgré tout mon amour, j'ai toujours regretté d'avoir été mère si jeune, reprit-elle d'un ton grave. Ne fais pas comme moi, surtout. Attends d'avoir trente-cinq ans pour avoir des enfants.

— Trente-cinq ans !

— Oui, tâche de t'en souvenir. Et souviens-toi aussi que j'ai essayé d'être une bonne mère.

— Mais je ne me plains pas, maman ! protestai-je, sur le point de pleurer, moi aussi. Tout s'arrangera, tu verras.

— Je sais que tout s'arrangera, ma chérie, mais d'abord il faut que je tente ma chance, non ? Tu ne voudrais pas que je puisse regretter de ne pas avoir essayé, ni que je me retrouve enterrée dans un autre endroit comme Sewell ?

« Si je ne suis pas heureuse, Melody, je ne peux pas te rendre heureuse non plus, n'est-ce pas ? N'est-ce pas ?

— Non, proférai-je, la gorge nouée.

— Bon. Tu comprends donc pourquoi je dois me déplacer, rencontrer des gens, passer des auditions, enfin tout ça.

— Tu me l'as déjà dit, maman.

— Je sais, mais... c'est un genre de vie que je ne peux pas t'imposer, enfin pas maintenant. Tu vas encore au lycée, tu as besoin de stabilité, besoin d'amis, de sorties...

— Est-ce que je ne peux pas trouver ça n'importe où, maman ?

Elle hésita, mordillant sa lèvre.

— Eh bien non, justement. Je ne vais pas trouver tout de suite où me fixer, il va falloir que je cherche. Et si une occasion se présente, je devrai la saisir au vol. On ne peut pas se permettre de négliger une chance à mon âge, souligna-t-elle avec insistance. Et quelle vie mènerais-tu, toi, pendant ce temps-là ?

— Mais, maman...

— Écoute-moi, ma chérie. Imagine que tu viennes juste de te faire des amis et que je t'annonce tout à coup qu'on s'en va, du jour au lendemain. Tu sais combien cela a été dur, cette fois-ci. Est-ce que tu voudrais que ça recommence ? Et dormir dans des motels minables, manger en route, enfin tout ça...

« Tu finirais par me détester, je me détesterais moi-même et je ne serais plus capable de rien. Nous serions malheureuses toutes les deux. Et je ne veux pas que tu sois malheureuse, conclut maman avec un sourire enjôleur.

— Mais alors, qu'allons-nous faire, maman ?

— Ah, justement. C'est là que tout peut s'arranger pour nous. Après la mort de ton père, j'ai appelé oncle Jacob et tante Sarah pour les prévenir, bien sûr. Je leur ai fait part de mes projets d'avenir, et c'est tante Sarah qui a eu l'idée.

Je retins mon souffle.

— Quelle idée, maman ?

— Elle a proposé que tu restes ici un moment, le temps que je retombe sur mes pieds. Elle est ravie de t'avoir et c'est un très bel endroit pour vivre. Tu t'y feras des tas d'amis intéressants, j'en suis sûre.

— Mais, maman... (Je secouai désespérément la tête.) Tu ne peux pas me laisser !

— Juste pour un moment, ma chérie. J'appellerai très souvent et je te ferai venir dès que je serai installée quelque part. Pour le moment, je dois partir avec Archie, et je sais que ça ne t'emballe pas de voyager avec nous.

— Avec Richard, tu veux dire, rectifiai-je sans douceur. Et ça ne l'emballe pas de voyager avec moi, lui non plus.

— Ce n'est pas à cause de Richard.

— Tu comptes l'épouser, maman ?

— Bien sûr que non, se défendit-elle, bien que sans grande conviction. D'ailleurs, tu seras très bien ici, en attendant.

— Mais je ne veux pas rester ici, maman ! Je ne veux pas être séparée de toi.

Elle m'embrassa sur le front et sourit avec tendresse.

— Ce ne sera pas long, je te le promets. Je ne pourrai pas saisir ma chance si je me fais du souci pour toi, et c'est toi qui en souffrirais. Je te négligerais encore plus qu'avant.

« Tu me comprends ? insista-t-elle en me caressant les cheveux. Tu es si intelligente ! Je suis sûre que tu t'en sortiras très bien, ici. Tout le monde t'aime, Melody. »

Je baissai la tête, vaincue. La brise de mer balayait mes joues, ébouriffant mes cheveux. Des mouettes criaient sur la plage et l'océan grondait, tout proche.

C'était papa qui avait été le ciment de notre petite famille. Lui parti, elle se disloquait.

— J'aurais préféré rester chez nous avec Papa George et Mama Arlène, maman.

— Je sais, j'y ai pensé. Mais Papa George est très malade, et une jeune fille aurait été une lourde responsabilité pour Arlène. Je ne pouvais pas m'en décharger sur elle.

Je relevai vivement la tête.

— Tu préfères te décharger de moi en me laissant ici ?

— Non, Melody. Ici, tu vivras dans ta famille, ce n'est pas du tout comme si je me débarrassais de toi.

— Mais je ne connais pas ces gens, moi ! Je suis une étrangère, pour eux.

Mon argument n'eut pas l'effet que j'escomptais.

— Raison de plus pour rester, vous apprendrez à vous connaître. Ce n'est pas vrai, ça ? triompha maman, guettant la réponse qu'elle espérait.

— Je ne sais pas, c'est possible. Mais pourquoi ne leur avons-nous jamais parlé avant ? Et pourquoi papa était-il si fâché contre eux ?

— Parce qu'ils ne voulaient pas qu'il m'épouse, je te l'ai déjà dit. Ils me méprisaient parce que j'étais une enfant adoptive, une orpheline. Je ne faisais pas partie de leur monde. Et tes grands-parents — les parents de ton père — voulaient le marier à une autre, une fille de leur choix.

« Mais c'est de moi que Chester Logan est tombé amoureux, et nous nous sommes mariés. Ils n'ont plus voulu lui parler, ni lui non plus d'ailleurs. Maintenant ils se rendent compte de leur sottise, j'en suis sûre, mais il est trop tard pour se réconcilier avec ton père. Le seul moyen qu'ils aient de se racheter, c'est de s'occuper de toi.

Presque essoufflée par sa tirade, maman marqua une pause avant d'ajouter :

— C'est pourquoi ils désirent tellement le faire, et pourquoi j'ai accepté. Tout ce que je demande, c'est que tu comprennes mes raisons, afin de partir le cœur tranquille. Si je suis rassurée à ton sujet, je pourrai mieux m'occuper de ma carrière et tout s'arrangera plus vite, Melody.

— Mais quelle carrière, maman ? Tu n'as même pas de projets.

— Oh que si ! lança-t-elle avec assurance. Je vais devenir actrice ou mannequin. Top-model, si ça se trouve. As-tu déjà vu quelqu'un qui mérite mieux de l'être ?

Elle eut un rire juvénile et pirouetta sur ses talons.

— Tu me vois en couverture de magazine, ou au cinéma ? Tu te vois en train de dire à tes amis que je suis ta mère ? »

Elle était ravissante, ainsi. Peut-être deviendrait-elle ce qu'elle rêvait d'être. Si je faisais une scène et l'empêchais de s'en aller, elle me reprocherait son échec. Et je ne voulais pas que maman me haïsse.

Archie faisait les cent pas près de la voiture. Au moins, je ne serais plus obligée de le supporter, celui-là. C'était toujours ça. Avec mon incorrigible optimisme je voulais croire, envers et contre tout, que l'arc-en-ciel brille toujours après l'orage.

— Alors ? s'enquit maman, tu vas rester avec la famille ? Tu veux bien, Melody ?

— Si c'est ce que tu veux, maman...

Ma voix se brisait de lassitude et de détresse, mais maman battit joyeusement des mains.

— Oh, merci, ma chérie ! Merci. Merci de me donner ma chance. Je ne t'abandonnerai jamais, je te le promets.

Je me retournai vers la maison au moment où May en sortait, tenant une raquette et une balle. Elle nous aperçut et son regard s'attarda sur nous, ce qui me fit penser à demander :

— Qu'est-il arrivé à Laura, maman ?

— Un jour, elle est sortie en mer avec un garçon et ils ont été surpris par la tempête.

— Laura s'est... noyée ?

Maman hocha la tête.

— Nous l'avons appris seulement quelques mois plus tard, et ton père a aussitôt appelé ton oncle. Mais Jacob n'a pas voulu lui parler. Cette maison a eu son lot de malheur, comme la nôtre, soupira-t-elle. Mais maintenant, ils vont être heureux.

— Pourquoi, maman ?

— Parce qu'ils t'auront, murmura-t-elle en passant un bras autour de mon épaule. Du moins, pour un moment.

Nous revînmes lentement vers l'allée. Au passage, maman croisa le regard interrogateur d'Archie, lui répondit par un discret battement de paupières et je compris ce qu'il attendait : il courut aussitôt décharger mes valises.

— Et le reste de mes affaires, m'inquiétai-je ?

— Je veillerai à ce qu'Arlène te les expédie, ne te tracasse pas. Va rejoindre ta cousine, maintenant.

Et voilà, c'était réglé. Je tâchai de faire bonne contenance : la petite May ne nous avait pas quittées des yeux. Brusquement, elle courut à moi, me prit par la main et me tira, comme pour m'emmener avec elle.

— Allez va, ma chérie, insista maman. Richard et moi nous chargeons de tes bagages.

— Mais...

Rien à faire. May me tiraillait le bras, je la laissai m'entraîner. Elle hâta le pas quand nous arrivâmes sur le sable et, quelques secondes après, je courais à ses côtés.

— Où allons-nous ? criai-je, oubliant momentanément sa surdité.

Apparemment, nous nous dirigions vers la jetée. Nous eûmes d'abord à escalader une dune, dont le sable cédait sous nos pas. C'était fatigant, j'eus bientôt tous les muscles douloureux. La petite May, elle, semblait parfaitement à son aise. Aussi légère que l'air, elle courut tout le temps devant moi sur la pente sablonneuse.

Quand nous atteignîmes la crête, je fis halte pour contempler l'océan. Au loin, deux bateaux de pêche progressaient en sens contraire, l'un vers l'horizon et l'autre vers la rive ; un voilier glissait sur les vagues, ses voiles blanches gonflées de vent. Sur ma droite, des cabanes s'étiraient le long des dunes. Et très haut sur nos têtes, flèche lancée dans le ciel bleu, un vol d'oies cendrées volait en direction du nord.

Tant de beauté me réconfortait, l'air salin semblait balayer de son souffle la tristesse de mon cœur. Ce lieu, pensai-je alors, avait été le terrain de jeux de mon père. Et maintenant, au moins pour un temps, il allait être le mien.

May tira sur ma main et désigna la jetée.

— Ca-ry, énonça-t-elle. Viens.

Je ris et la suivis jusqu'en bas de la dune, puis courus derrière elle à en perdre le souffle. Finalement, ce fut d'un pas plus mesuré que nous arrivâmes au ponton.

Le bateau-vivier de mon oncle se balançait tranquillement sur l'eau. On voyait bien qu'il était vieux, mais il était parfaitement entretenu et son nom : « Laura », venait d'être repeint sur sa coque gris et blanc. Au début, nous ne vîmes personne. Puis Cary émergea de la cabine, torse nu, un seau et une brosse en main.

— Ca-ry ! appela May.

Dès qu'il nous aperçut, il posa son seau et sa brosse afin de pouvoir s'exprimer par signes. Ses muscles vigoureux jouaient sous sa peau brune, toute luisante dans le soleil déclinant. Je pus voir qu'il portait au cou une chaîne en argent, et aussi qu'il avait l'air très fâché.

— Il y a quelque chose qui ne va pas ? lui demandai-je.

— May ne doit pas venir ici toute seule, et elle le sait.

— Elle n'est pas seule, elle est avec moi.

— Justement ! aboya-t-il. Tu n'es qu'une terrienne à la manque, c'est comme si elle était seule.

Il se remit à faire ses signaux et May reprit aussitôt le chemin de la dune.

— Ramène-la chez nous, ordonna-t-il en ramassant son seau et sa brosse.

Furibonde, je courus pour rattraper May qui marchait plus calmement cette fois, le nez baissé sur ses chaussures. Je la pris par la main et elle releva la tête en souriant. Elle avait de grands yeux noisette, pailletés de bleu, de vert et d'or. Des yeux magnifiques.

— Si l'endroit est si dangereux, grommelai-je, pourquoi vivre ici ?

Et c'est en martelant le sable à coups de talons rageurs que je ramenai May, sa main bien serrée dans la mienne. Maman et Archie attendaient près de la voiture. Dès qu'elle les vit, May lâcha ma main et fila vers la maison.

— Où étais-tu passée, ma chérie ? s'enquit maman.

— May m'a emmenée jusqu'à la jetée, mais apparemment c'est zone interdite, pour elle. Cary n'a pas été très aimable.

— C'est parce que vous ne vous connaissez pas encore assez, mais tout s'arrangera. J'en suis sûre, et...

Sur un froncement de sourcils d'Archie, maman s'interrompit net et se rapprocha de moi.

— Ma chérie, reprit-elle aussitôt, Archie et moi pensons qu'il est grand temps de partir, si nous voulons être à Boston ce soir. Il doit me présenter à quelqu'un.

— Vous partez maintenant ? Sans dîner ?

— Nous grignoterons quelque chose en route, voilà tout.

— Mais la ville, tout ce que tu voulais voir, et... l'oncle Jacob ? Tu ne voulais pas lui parler ?

— La ville ? fit maman dans un éclat de rire. Je la connais par cœur ! Quant à Jacob, je suis sûre qu'il ne tient pas à me parler pour le moment. Bon, qu'est-ce que j'oublie ?

Elle réfléchit, comme si elle vérifiait mentalement une liste, et débita tout d'une traite :

— Nous avons monté tes affaires dans ta chambre. Une très jolie chambre, avec vue sur l'océan, bien mieux que celle que tu avais chez nous. Sarah s'occupe de ton inscription au lycée, Sewell leur fera parvenir ton dossier scolaire. J'ai déjà signé tous les papiers pour que ta garde soit confiée à tante Sarah.

— Mais quand ? m'écriai-je, effarée qu'elle ait déjà trouvé le temps de faire tout ça.

— Eh bien, hum... là, maintenant. Ta tante avait réfléchi à tout. Elle est enchantée de t'avoir, Melody.

Archie monta en voiture et tourna la clef de contact. Le moteur gronda. Mon cœur se mit à battre à grands coups.

— Maman ?

— Ne rends pas les choses encore plus difficiles, ma chérie. Je t'appellerai dans quelques jours pour te faire savoir où je suis, et comment ça se passe. Et en moins de temps qu'il n'en faut pour le dire, je reviendrai te chercher.

— L'heure tourne ! cria rudement Archie.

J'implorai, le cœur chaviré d'angoisse :

— Tu ne peux pas rester encore un petit peu ?

— Un petit peu ne changera pas grand-chose pour toi, mais

pour moi, si. Nous avons une longue route à faire, ma chérie, je t'en prie.

Maman me tendit les bras, mais je ne répondis pas à son geste et elle m'embrassa rapidement sur le front.

Inutile de te dire d'être bien gentille, je sais que tu le seras. À très bientôt, ajouta-t-elle en se retournant vers la voiture.

— Maman !

Je courus à elle et la serrai dans mes bras, m'accrochant à elle, à la seule vie que j'avais connue, à tous nos chers souvenirs tissés de rires et de larmes. Sans doute n'était-elle pas la meilleure des mères, mais c'était la seule que j'avais, et nous avions connu de bons moments, malgré tout. Mais tout ce que je parvenais à me rappeler pour l'instant, c'était d'avoir été la petite fille qui marchait à son côté, suspendue à sa main, dans les rues de Sewell. Tout le monde nous regardait. Maman était si belle, et moi si fière !

— Melody, chuchota-t-elle. Je t'en prie, ma chérie...

Je la laissai partir et m'éloignai, sans la quitter des yeux.

— Je t'appelle bientôt, cria-t-elle en s'engouffrant dans la voiture.

Archie m'adressa un clin d'œil complice.

— Ne fais rien que je ne ferais pas moi-même, d'accord ?

— Ça ne m'engage pas à grand-chose, répliquai-je du tac au tac. Vous êtes capable de tout.

Il éclata de rire, entama une lente marche arrière pour sortir du chemin et, au passage, me jeta d'un ton jovial :

— Tu vas me manquer, princesse ! Je vais regretter mon grouillot.

Il s'engagea sur la route, et maman agita la main en signe d'adieu. Encore un souvenir à graver dans ma mémoire. Je vis disparaître la voiture et restai plantée là, doutant encore que tout cela fût vrai. Puis j'entendis s'ouvrir la porte, derrière moi, et me retournai vers la maison. Sur le seuil, tante Sarah s'essuyait nerveusement les mains à son tablier.

— Laura aimait bien m'aider à mettre la table, dit-elle avec douceur. Cela te plairait, à toi aussi ?

Je fis « oui » de la tête et son visage s'éclaira.

C'est bien ce que je pensais.

Elle rentra et je la suivis à l'intérieur, accablée. Je me sentais comme un naufragé qui vient juste de tomber à l'eau, brutalement jeté par-dessus bord.

Je cherchais désespérément une planche de salut.

6

Les affaires de Laura

TANTE Sarah, qui avait déjà posé la vaisselle et l'argenterie sur le plan de travail, pliait du linge dans la cuisine. Celle-ci était aussi longue que large, avec des pots et des casseroles accrochés au mur. Il y avait deux éviers de métal côte à côte, un grand fourneau de fonte, un réfrigérateur, et un placard sur la gauche en entrant. En cette fin d'après-midi, le seul éclairage était le jour déclinant qui pénétrait par la vaste fenêtre, côté ouest.

— Je sors ma plus belle porcelaine en ton honneur, ce soir, annonça ma tante en souriant. Ton arrivée chez nous est un grand jour. Tu mettras cinq couverts. Et tu t'assiéras en face de May, à côté de moi. C'était la place de Laura.

— Où est May ? demandai-je.

— Elle est montée dans sa chambre, sûrement pour faire ses devoirs. Elle est très studieuse, c'est Laura qui lui a appris à l'être.

— Elle m'a emmenée à la jetée, tout à l'heure, et Cary s'est fâché contre elle, racontai-je.

Tante Sarah hocha gravement la tête.

— Il ne permet à personne de l'emmener au bord de l'eau. Il a peur, tu comprends ? Nous avons tous encore un peu peur, murmura-t-elle d'une voix éteinte.

Je rassemblai la vaisselle et l'emportai dans la salle à manger. J'avais l'impression de me déplacer comme une somnambule.

Est-ce que tout cela était bien réel ? Est-ce que maman était vraiment partie en me laissant ici ?

Quand je revins dans la cuisine chercher les couverts et les serviettes, tante Sarah vérifiait la cuisson du poulet. Quelque chose mijotait sur le fourneau. Des pommes de terre cuisaient à petit feu, pendant que des tourtes aux légumes refroidissaient sur l'appui de fenêtre. Tous ces préparatifs culinaires me remontaient le moral. Cela sentait merveilleusement bon. Au petit déjeuner, je n'avais pas mangé grand-chose et à midi non plus, j'étais trop nerveuse et inquiète. À part un ou deux clams, je n'avais pratiquement rien avalé de la journée.

— Ta cousine adorait cuisiner avec moi, dit tante Sarah, penchée sur son fourneau. Elle a toujours aimé rester à la maison pour aider, même toute petite. Elle était dévouée, sans une once d'égoïsme, un vrai cœur d'or. Et tu sais ce que dit Jacob ?

Tante Sarah se retourna, un étrange sourire aux lèvres.

Il dit que les anges l'aimaient si jalousement que, pour exaucer leurs vœux, Dieu l'a rappelée à lui avant son heure.

Ma tante sourit encore, mais ses lèvres tremblèrent, et je vis briller des larmes dans ses yeux.

— J'aurais tant voulu la connaître ! m'écriai-je.

— Cela aurait été merveilleux, j'en suis sûre. Et vous auriez dû vous connaître. Oui, vous auriez dû...

J'aurais aimé demander pourquoi cela ne s'était pas fait, pourquoi les membres de cette famille s'étaient montrés si durs et si amers les uns envers les autres, mais j'estimai que le moment était mal choisi.

— Va donc finir de mettre le couvert, ma chérie, me conseilla ma tante après un grand soupir.

Et quand j'eus terminé, elle m'annonça qu'elle allait me montrer ma chambre.

— Tes bagages y sont déjà, précisa-t-elle. Je t'indiquerai où les mettre et de quoi tu pourras te servir.

De quoi je pourrais me servir ? Que voulait-elle dire ? me demandai-je en la suivant dans le petit escalier.

Les marches craquaient sous nos pas, et la rampe tremblait. Au premier, nous arrivâmes sur un étroit palier sans fenêtre qui coupait en deux un couloir obscur.

— Les chambres de Cary et de May sont à droite, m'informa tante Sarah. La nôtre, à Jacob et à moi, est tout au fond à gauche. Et voici la tienne, ajouta-t-elle en désignant la première pièce sur la gauche. C'était celle de Laura. La salle de bains est juste en face.

Elle ouvrit la porte de gauche et s'effaça devant moi.

— Et voilà, tu es chez toi !

Mon premier coup d'œil à ma future chambre me causa un choc : elle était remplie des effets personnels de ma cousine.

Des affiches montrant des chanteurs de rock et des acteurs de cinéma tapissaient les murs ; les étagères étaient bourrées de bibelots en céramique, dont toute une collection de chats. Sous les étagères, en face d'une petite table, une grande poupée était assise dans un fauteuil en réduction devant un service à thé miniature.

Je trouvai la chambre accueillante, et le papier rose à pois blancs ravissant. Le lit à baldaquin, placé entre deux fenêtres donnant sur la mer, était pareil à celui d'Alice Morgan, sauf que le chevet n'était pas décoré d'un cœur. Il était d'un mauve très clair, assorti à la couette, aux rideaux et aux coussins. Entre les deux oreillers bien joufflus trônait un gros chat en peluche, qui ressemblait comme un frère à celui que j'avais apporté.

Mon regard glissa sur la coiffeuse et la commode, assorties au lit elles aussi, et s'arrêta sur le bureau d'angle. J'y vis un carnet de textes ouvert, une pile de manuels scolaires et d'autres livres, qui devaient provenir d'une bibliothèque.

Pourquoi ne les avait-on jamais rendus ?

Je ne m'attardai pas sur la question et continuai mon inventaire. La porte de la penderie était ouverte, découvrant son contenu et, juste à côté, un peignoir de bain rose était suspendu à une patère. Les pantoufles étaient au pied du lit.

Les deux fenêtres étaient ouvertes, elles aussi. La brise marine agitait les rideaux, et l'odeur des embruns dominait le parfum léger que j'avais perçu en entrant dans la pièce.

— C'est beau, n'est-ce pas ? chuchota tante Sarah.

— Oui.

— Je veux que tu te sentes tout à fait à l'aise ici, Melody. Sers-toi de tout ce dont tu as besoin. Tu n'aimerais pas essayer une de ces jolies robes ? Elles ont l'air juste à ta taille, et cela me ferait plaisir de t'en voir porter une.

Je secouai doucement la tête. Malgré son apparence de pièce habitée, la chambre me faisait penser à un mausolée.

— Je ne sais pas si je devrais, tante Sarah.

— Bien sûr que si ! se récria-t-elle, les yeux agrandis par une soudaine inquiétude. C'est pour cela que j'ai voulu t'avoir. Pour éviter que tout cela ne soit perdu. Et si Laura était là, elle te dirait la même chose que moi.

Je fis le tour de la chambre, examinant chaque chose d'un peu plus près. Le paquet de lettres entouré d'un ruban, toujours posé sur le bureau. Les brosses de la coiffeuse, où s'accrochaient encore des cheveux bruns. Et sur la commode, la photo encadrée qui montrait ma cousine Laura devant la maison, un bouquet de roses jaunes à la main.

— C'était le jour de ses seize ans ! soupira tante Sarah. Cela fait presque un an, maintenant. L'anniversaire de Laura et de Cary tombe le mois prochain, tu sais ?

Donc, Cary allait avoir dix-sept ans.

— Est-ce qu'il est en terminale ? demandai-je.

— Oui. Laura aurait sûrement eu le prix d'excellence, tout le monde le dit. C'est elle qui aurait prononcé le discours le jour de la remise des diplômes.

Je concentrai mon attention sur la jeune fille du portrait. Tante Sarah disait vrai : elle était ravissante. Elle avait les traits de Cary, en plus délicat, et les mêmes cheveux sombres. Elle était aussi plus petite et plus menue, bien sûr. Elle avait dû être à peu près de ma taille et de mon poids, avec le buste à peine un peu moins développé, semblait-il. Je comprenais qu'à son propos oncle Jacob ait parlé des anges. Son visage irradiait une sorte de lumière angélique. Il semblait qu'on n'aurait pas été surpris si, tout à coup, il lui était poussé des ailes et qu'elle se fût envolée.

— Elle était très jolie, murmurai-je. Et lui, qui est-ce ?

Je venais de remarquer, glissée dans un coin du sous-verre, la photographie petit format d'un garçon aux cheveux bruns. Très beau, lui aussi.

— Robert Royce, dit tante Sarah d'une voix navrée. Il a été emporté avec elle, ce jour de malheur.

— Mon Dieu ! C'est affreux.

— Oui, affreux. Depuis... (Tante Sarah laissa errer son regard autour de la chambre.) Je n'ai plus touché à rien dans cette pièce, reprit-elle, sauf pour faire un peu de ménage. Tout est comme le jour de sa mort. Essaie de tout garder en l'état, ma petite Melody. Remets chaque chose exactement à sa place. Mais comme je te l'ai dit, sers-toi de tout ce qui te sera nécessaire, bien sûr.

« Tu dois avoir besoin d'un peu de repos, après un voyage

pareil. Nous dînons dans une heure. Jacob tient à ce que tout le monde s'habille pour dîner, fais-toi belle. J'ai laissé un tiroir libre pour tes affaires, ajouta Sarah en désignant le troisième, au bas de la commode. Il reste assez de place dans le placard pour ce que tu as amené, j'en suis sûre.

— Merci. Maman a promis de me faire envoyer ce que j'ai dû laisser.

— En attendant, sers-toi de tout ça, insista ma tante avec un ample geste de la main. Demain matin, je t'emmène à ton nouveau lycée, ce n'est pas loin. Tu pourras revenir à pied avec Cary et May, comme le faisait ta cousine. Ah, j'oubliais !

Sur le point de quitter la pièce, tante Sarah revint sur ses pas et s'arrêta devant le placard ouvert. Elle fit rapidement glisser les cintres sur leur tringle.

— Puis-je te suggérer une toilette pour le dîner ? Celle-ci, tiens, dit-elle en exhibant une robe bleue à manches trois-quarts, à grande collerette blanche. Ce serait parfait.

Elle posa la robe sur le lit et, après l'avoir examinée, je plaquai les mains sur mes côtes.

— Elle serait un peu serrée d'ici, vous ne croyez pas ?

— Mais non, le tissu est très souple. Et même si elle te serre, j'ouvrirai un peu les coutures. Je suis très bonne couturière, ajouta ma tante avec un petit rire. Cette robe, tu vois ? (Elle tira du placard une toilette en taffetas rose.) C'est moi qui l'ai faite, Laura l'a portée à un bal d'étudiants.

— Elle est ravissante.

— Tu iras peut-être au bal, toi aussi, commenta ma tante en allant replacer la robe, à la place exacte où elle l'avait prise. Du combien chausses-tu ?

Je le lui dis, et elle parut très déçue.

— Laura avait de plus petits pieds. Quel dommage que tu ne puisses pas porter ses chaussures ! Enfin, la robe t'ira, j'en suis sûre. Bienvenue chez nous, ma chère petite.

Sur ces mots, ma tante prit le chemin de la porte mais arrivée là, elle se retourna.

— C'est merveilleux de savoir que toutes ces choses vont à nouveau servir et être aimées, dit-elle d'une voix émue. C'est presque comme si... comme si c'était Laura qui t'avait envoyée chez nous !

Et cette fois, avec cet étrange sourire que je lui avais déjà vu, tante Sarah se retira.

Un frisson me parcourut. J'avais le sentiment d'être une intruse, dans cette chambre. C'était toujours celle de Laura. Mes deux petites valises étaient posées contre le mur, avec mon étui à violon par-dessus. Il y avait si peu de chose qui me fût personnel, ici. Tout portait la marque de Laura.

Mon premier soin en défaisant mes bagages fut de poser mon chat en peluche à côté de l'autre : on aurait juré qu'ils étaient de la même portée. Je plaçai mon ours à côté d'eux, sur l'oreiller, puis j'allai ranger mes vêtements dans l'espace qui m'avait été réservé. Cela fait, je m'approchai d'une fenêtre et contemplai le paysage.

Oncle Jacob et Cary revenaient de la jetée. Cary était toujours torse nu, la chemise négligemment jetée sur l'épaule, et marchait la tête basse. Oncle Jacob semblait lui faire la leçon. Brusquement, comme s'il avait senti mon regard peser sur lui, mon cousin leva la tête. Et pendant un moment déroutant, j'eus l'impression qu'à travers ses yeux d'émeraude, c'était Laura qui me fixait.

Un bruit léger derrière moi me fit sursauter, je me retournai aussitôt. May se tenait sur le seuil, un livre à la main.

— Bonjour, dis-je en lui adressant un geste d'accueil.

Elle entra, se laissa tomber sur le lit, ouvrit son livre et pointa le doigt sur une page. C'était une leçon de mathématiques. Je désignai d'abord la page, puis moi-même, en même temps que je demandais :

— Tu as besoin d'aide ?

Elle hocha la tête et fit quelques signes que j'interprétai comme : « Oui, s'il te plaît. Aide-moi. »

— C'est un simple calcul de pourcentages, observai-je. C'est facile.

Elle me dévisagea, perplexe. J'oubliais à tout instant qu'elle ne saisissait pas un seul mot. Quel effet cela pouvait-il faire de ne jamais entendre un chant d'oiseau, ni une note de musique, ni le son d'une voix aimée ? Cela me semblait injuste, surtout pour une enfant aussi gentille.

— D'accord, acquiesçai-je en inclinant la tête.

Je lui montrai le bureau et elle m'y suivit. Je m'y assis, ma petite élève debout à côté de moi, et m'attaquai aux problèmes en m'efforçant de lui communiquer ma pensée. Ce n'était pas une mince affaire pour moi, mais la petite May paraissait comprendre sans peine en lisant sur mes lèvres. Pour chaque problème, elle exécutait mes directives, parfaitement et rapidement. Elle était vraiment très intelligente.

— Que se passe-t-il ? fit une voix dans mon dos.

Je pivotai pour voir Cary s'encadrer dans l'embrasure.

— J'aidais simplement May à faire ses devoirs de maths.

— C'est moi qui l'aide pour ses maths. Elle ne peut pas t'entendre, tu lui rends les choses encore plus difficiles.

— Elle se débrouille très bien avec moi, déclarai-je.

Cary transmit rapidement quelque chose à May, qui parut ennuyée, puis il recommença. Elle secoua vivement la tête.

Sur quoi, il sortit en lançant d'un ton rogue :

— Si elle a de mauvaises notes, ce sera de ta faute !

— Vraiment charmant, grommelai-je, indignée.

May ne vit pas bouger mes lèvres, mais elle ne semblait pas s'inquiéter de l'humeur de son frère. Elle me sourit, se dirigea vers mon étui et le tapota d'un air interrogateur.

— C'est un violon, articulai-je avec soin.

J'ouvris l'étui, en tirai mon instrument et mon archet, sous le regard intrigué de l'enfant. Quelle tristesse de penser qu'elle ne pourrait pas m'entendre jouer ! Elle voulait que je joue, pourtant, et me le faisait clairement comprendre. Je secouai la tête en souriant, mais ses grands yeux m'implorèrent avec insistance. Je haussai les épaules, saisis mon archet et attaquai un joyeux petit air montagnard.

May se rapprocha de moi, leva lentement les mains et effleura mon violon du bout des doigts. Puis elle ferma les yeux.

Elle sent les vibrations, crus-je deviner. C'était vrai. Elle remuait la tête de haut en bas, en suivant parfaitement la mesure. J'en ris de bonheur et jouai de plus belle.

Et subitement, Cary réapparut, boutonnant sa chemise.

— Qu'est-ce que tu fabriques encore avec elle ?

Je m'interrompis et abaissai mon violon. May rouvrit les yeux, la mine déçue, et se retourna pour voir ce que je regardais.

— Elle voulait savoir ce que c'était, expliquai-je. Elle m'a demandé de jouer pour elle.

— Comme plaisanterie, c'est plutôt de mauvais goût !

— Mais c'est vrai, pourtant. Elle perçoit les sons avec ses doigts.

Une fois de plus, Cary tourna les talons. J'étais furieuse, et je le fis comprendre à ma façon. Les yeux agrandis, la bouche grimaçante, je désignai la porte et prononçai en détachant les syllabes :

— Ton frère... est un mons-tre.

Sur le moment, elle eut l'air choquée par mes paroles, puis elle éclata de rire.

Et ce rire innocent et clair fit fondre ma colère.

— Je ferais mieux de m'habiller pour dîner, dis-je en indiquant d'abord la robe de Laura, puis en faisant le geste de porter de la nourriture à ma bouche.

May fit signe qu'elle avait compris, reprit son livre et se retira pour aller s'habiller elle-même. Je rangeai mon violon, toute songeuse. Je revoyais papa, comme s'il était présent. Mama Arlène et Papa George, assis sur leur petite terrasse et m'écoutant jouer. Comme ils me manquaient, tous les trois !

Mais il était grand temps de me préparer, ma tante avait assez insisté sur l'importance du dîner, dans cette maison. J'allai me rafraîchir à la salle de bains et revins dans la chambre. J'aurais bien aimé débarrasser la coiffeuse de tous les objets de Laura, mais tante Sarah m'avait recommandé de ne pas y toucher. Je trouvai quelques petites places libres pour les miens et les y casai tant bien que mal.

La robe bleue était très ajustée, surtout à la poitrine. Je dus laisser les deux boutons du haut défaits, mais tant pis. Sarah tenait tellement à ce que je porte cette robe-là...

J'ignore si ce fut à cause de cette robe mais, quand je m'approchai du miroir, je me trouvai différente, comme si j'avais atteint un certain niveau de féminité. Malgré tout ce que pouvait me dire maman sur le sujet, je m'étais toujours sentie coupable d'être fière de mon physique. À l'église, le prêtre disait que c'était un péché d'orgueil.

Mais alors que, les mains frôlant mon buste et mes hanches, je pivotais sur moi-même pour examiner mon reflet, je m'avouai que je me trouvais jolie. Peut-être ferais-je tourner la tête aux hommes, moi aussi. Comme maman. Était-ce un péché que d'avoir de pareilles pensées ?

Ma brève séance d'introspection fut coupée net : on frappait rudement à la porte. J'eus l'impression d'être un malfaiteur surpris en flagrant délit.

— C'est l'heure, grogna Cary. Mon père n'aime pas qu'on soit en retard.

— J'arrive !

Je fis rentrer dans l'ordre une dernière mèche rebelle et allai ouvrir, pour me trouver face à face avec mes cousins. Le visage de Cary exprima une surprise intense, son air hargneux s'évapora. Il était très beau avec ses cheveux noirs rejetés en arrière. Il avait mis une cravate et portait un pantalon sport très bien coupé.

— C'est une des robes de Laura, souffla-t-il.

Toutes mes appréhensions resurgirent et je connus un moment de panique. Peut-être n'aurais-je pas dû mettre cette robe. Peut-être avais-je violé une des lois non écrites de cette déroutante maison. Je m'armai de courage et répliquai :

— C'est ta mère qui m'a dit de la porter ce soir.

La réponse dut le satisfaire, son visage s'adoucit. Puis, May saisit ma main. Il lui jeta un regard bref, tourna les talons et prit aussitôt le chemin de l'escalier, pour nous précéder dans la salle à manger.

Oncle Jacob était assis au bout de la table, rasé de frais, en chemise blanche et cravate, lui aussi. Ses cheveux humides, séparés par une raie médiane, étaient soigneusement lissés. Cary coula un coup d'œil furtif de mon côté avant de s'asseoir, puis May l'imita. Quant à moi, après une courte hésitation, je proposai spontanément :

— Je vais voir si tante Sarah n'a pas besoin d'aide.

Et, sur un signe approbateur d'oncle Jacob, je passai dans la cuisine.

— Puis-je vous aider à servir, tante Sarah ?

Elle se détourna promptement de son fourneau.

— Bien sûr, ma chérie. C'est ce que Laura faisait toujours.

Elle pointa le menton vers le plateau où étaient préparés les légumes, la sauce et le pain, et je commençai mon service.

Oncle Jacob avait ouvert sa Bible et lisait en silence. Cary et May attendaient, raides comme la justice, mais Cary leva les yeux pour suivre mes mouvements autour de la table. La dernière chose que j'apportai fut une carafe d'eau glacée, dont je servis un verre à tout le monde, puis je m'assis, au moment où ma tante entrait avec le poulet rôti. Elle me sourit et s'assit à son tour.

— Rendons grâces, dit oncle Jacob, et chacun baissa la tête. Seigneur, nous Te remercions pour la nourriture que nous allons prendre.

Quand tout le monde releva la tête, je crus que c'était fini, mais oncle Jacob tendit la Bible à Cary.

— C'est ton tour, mon garçon.

Après un nouveau coup d'œil dans ma direction, Cary se pencha sur la page que son père avait choisie.

— Lequel d'entre vous, s'il possède cent brebis et que l'une vienne à s'égarer, ne laissera les quatre-vingt-dix-neuf autres pour aller chercher la brebis perdue, jusqu'à ce qu'il la trouve ?

Cary s'exprimait d'une voix si ferme et si profonde que je dus le regarder à deux fois, pour m'assurer qu'il lisait dans le texte. Il poursuivit :

— Et quand il l'aura trouvée, il la ramènera sur ses épaules et se réjouira. Et quand il reviendra chez lui, il rassemblera tous ses amis et voisins et leur dira : « Réjouissez-vous avec moi, car j'ai retrouvée ma brebis qui était perdue. »

— Bien.

Oncle Jacob reprit la Bible. Puis, sur un signe de lui, tante Sarah servit des légumes à tout le monde, en commençant par mon oncle. Et tout en découpant le poulet, il finit par me regarder.

— Je vois que tu t'installes, commença-t-il. Ta tante te donnera une liste de tes tâches quotidiennes. Chacun accomplit la sienne, ici, ce n'est pas une maison pour vacanciers.

Oncle Jacob s'interrompit pour s'assurer que je l'écoutais attentivement.

— C'est moi qui me chargeais de presque tout le travail, chez nous, répliquai-je sans me laisser démonter.

— Vous viviez dans une caravane, si j'ai bien compris ?

— Cela représentait quand même beaucoup de travail, entre le ménage, la lessive et la cuisine.

Oncle Jacob déposa un morceau de blanc sur l'assiette de May.

— Ça, je veux bien le croire. Hellie n'a jamais eu beaucoup de goût pour les travaux domestiques. Ah, autre chose ! Qu'est-ce que c'était que cette musique, tout à l'heure ?

— Je jouais du violon pour May.

Oncle Jacob arqua ostensiblement les sourcils.

— Et qui t'a appris ça ? Chester n'était pas musicien. Encore que... mon père dit que son propre père l'était, ajouta mon oncle après un instant de réflexion.

— C'est Papa George qui m'a appris.

Quand j'eus rapidement expliqué qui étaient Papa George et Mama Arlène, mon oncle secoua lentement la tête.

— C'était donc un mineur de charbon, lui aussi ? Je ne comprendrai jamais comment on peut s'enfermer dans une montagne pour gagner son pain ! Surtout quand on a grandi au bord de l'océan, à respirer l'air pur du bon Dieu. C'est pour ça que nous sommes faits, pas pour vivre comme des taupes.

— Papa n'aimait pas tellement ça non plus, vous savez.

— Comme on fait son lit, on se couche ! grommela mon oncle.

Et je n'osai pas demander ce qu'il avait voulu dire par là. Je commençai à manger, comme eux tous, et au bout d'un moment ce fut oncle Jacob qui déclara, les yeux fixés sur moi :

— La récolte d'airelles s'annonce exceptionnelle, cette année. Si tu es encore là en automne, tu pourras nous aider.

— La récolte d'airelles ?

Du menton, oncle Jacob indiqua la direction du nord.

— Nous avons un bout de marais, par-là, et Cary pourra t'expliquer le travail. Ça complète ce que je gagne avec le homard. Ce n'est plus comme du temps où mon père avait encore sa flottille. Nous ne sommes pas millionnaires, marmonna-t-il, mais ça vaut toujours mieux que d'arracher des cailloux noirs aux entrailles de la terre.

Mon regard chercha celui de Cary et je vis qu'il m'observait. Il détourna les yeux pour se tourner vers May, qui lui sourit. Et devant ce sourire, je me dis qu'elle était bien le seul rayon de soleil autour de cette table.

J'aidai ma tante à débarrasser, puis à faire la vaisselle, après quoi je décidai de m'accorder une promenade. Pendant tout le temps où j'étais restée dans la cuisine, tante Sarah n'avait fait que me chanter les louanges de Laura. Elle aurait voulu me voir acquérir tous ses talents, toutes ses qualités, de son dévouement sans limites à son art de réussir les confitures. Personnellement, je ne demandais pas mieux, mais cela me faisait un effet bizarre d'être sans arrêt comparée à une morte. Si je laissais percer la moindre hésitation, tante Sarah interrompait aussitôt sa tâche et me regardait avec son déconcertant sourire.

— Mais il faut essayer, ma chérie. Laura voudrait que tu essaies.

Avec quelle certitude elle affirmait cela ! On aurait vraiment dit qu'elle pouvait s'entretenir avec son enfant noyée. Cela me faisait froid dans le dos.

J'étais bien lasse en quittant la cuisine, mais je n'en avais pas encore terminé. Pour gagner la porte, il fallait traverser le séjour. Et là, je trouvai mon oncle Jacob en train de lire son journal, installé dans le rocking-chair. Il leva les yeux à mon entrée.

— Ta vaisselle est finie ?

— Oui, oncle Jacob.

— Bien, alors nous pouvons avoir notre petit entretien. Assieds-toi, dit-il en repliant son journal pour m'indiquer le canapé, en face de lui.

Je gagnai lentement la place désignée.

— Notre petit entretien ? répétai-je en m'asseyant.

Mon oncle posa son journal sur le coffre de marin transformé en table basse, secoua sa pipe dans un cendrier-coquillage et se carra dans son siège.

— Quand Sarah m'a dit que Hellie voulait te confier à nous pour quelque temps, j'étais contre, admit-il avec franchise. Qu'elle ait cherché à esquiver ses responsabilités ne m'a pas surpris, je l'avais toujours connue ainsi. Mais Sarah tenait à t'avoir et elle a suffisamment souffert, crois-moi. Bien au-delà de ce qu'une femme honnête et courageuse ne devrait avoir à souffrir. Mais nous n'avons pas à juger le fardeau que Dieu nous impose, commenta-t-il à mon intention. Nous devons le porter, et continuer.

« Sarah, reprit-il en me fixant de son regard sévère, pense que Dieu t'a envoyée ici pour ton salut, et pour notre consolation. Tu ne combleras jamais le vide qu'a laissé dans nos cœurs la mort de Laura, personne ne le pourrait. Mais c'est un rayon d'espoir pour Sarah, et elle y a droit. Peux-tu comprendre cela ?

— Oui, balbutiai-je, respirant à peine.

— Tant mieux. Je veux que tu me promettes de ne jamais

décevoir Sarah. Tu as bien commencé, ce soir, en offrant de l'aider sans qu'on ait à te le demander. C'est ainsi que Laura aurait agi.

« C'était une fille sage. Elle lisait sa Bible, disait ses prières, travaillait bien en classe et ne nous a jamais causé la moindre peine, à la différence des jeunes d'aujourd'hui. Je ne l'ai jamais surprise à fumer, ni... à rien d'autre, ajouta mon oncle, le regard menaçant. Elle ne buvait jamais d'alcool hors de cette maison, rentrait toujours à l'heure et n'a jamais rien fait dont nous ayons à rougir.

J'exhalai enfin le souffle que je retenais depuis si longtemps. Laura n'était quand même pas une sainte ! osai-je alors penser. Mais je me gardai bien de penser tout haut.

D'ailleurs, mon oncle n'avait pas fini son sermon.

— C'est une petite ville, ici. Tout le monde sait tout sur tout le monde. Tout ce que tu feras nous atteindra, et nous en entendrons parler, tu peux en être sûre.

— Je n'ai jamais eu de problèmes en Virginie et je n'en aurai pas non plus ici, affirmai-je avec une belle confiance. Et en plus, je ne compte pas rester longtemps.

Oncle Jacob se racla la gorge.

— Bon, nous verrons ça. Remplis tes tâches, travaille en classe, écoute ta tante et tout ira bien, conclut-il en reprenant sa pipe, qu'il s'empressa de bourrer à nouveau.

J'en profitai pour déclarer :

— Je ne savais même pas, jusqu'à ce soir, que j'allais habiter ici.

Les yeux de l'oncle Jacob s'arrondirent.

— Pas possible ?

— Si. Je pensais que nous étions simplement venus vous rendre visite.

— Hellie a toujours eu des problèmes avec la vérité, observa pensivement Jacob. C'était comme un charbon ardent qui lui brûlait les mains.

— Pourquoi n'aimez-vous pas ma mère ? C'est seulement parce que ses ancêtres ne remontent pas aux premiers pèlerins ?

— Nous sommes tous pécheurs, dit mon oncle. Nos premiers parents, Adam et Ève, nous ont fait chasser du Paradis Terrestre. Nous sommes condamnés à errer, lutter et souffrir jusqu'à ce que nous ayons mérité le pardon. Nul homme ne vaut mieux qu'un autre.

— Maman disait que vous la méprisiez parce qu'elle était orpheline, pourtant.

— C'est un mensonge éhonté ! fulmina l'oncle Jacob.

— Alors pourquoi êtes-vous restés toutes ces années sans vouloir vous parler, papa et vous ?

— Ce n'était pas ma faute, répliqua-t-il en allumant sa pipe. C'est ton père qui a coupé les ponts, pas moi.

— Et pourquoi ça ?

La voix de mon oncle se durcit.

— Il a défié son père et sa mère. La Bible nous dit de les honorer, pas de les défier.

— Et en quoi les a-t-il défiés ? m'obstinai-je.

— Ta mère ne te l'a jamais dit ?

— Non.

— Et mon frère non plus ? Il ne t'a pas dit le moindre mot là-dessus ?

— Le moindre mot sur quoi, mon oncle ?

Il serra les lèvres et se redressa sur son siège.

— Ce n'est pas un sujet de conversation convenable pour une jeune fille, grommela-t-il. Les péchés des pères retombent sur leurs enfants, c'est tout ce que j'ai à en dire.

— Mais...

— Il n'y a pas de « mais » qui tienne. Je t'ai acceptée chez nous et demandé de bien te conduire tant que tu y seras, restons-en là.

J'avais bonne envie de pleurer, mais je retins mes larmes. Oncle Jacob ralluma sa pipe et, quand il eut tiré quelques bouffées, me dévisagea gravement.

— Dimanche, tu feras la connaissance de mes parents, nous dînons chez eux. Tâche de nous faire honneur. Ils ne sont pas très contents que je t'aie accueillie chez nous.

J'eus l'impression de recevoir une décharge électrique. Quelle sorte de grands-parents était-ce là ? Comment pouvait-on en vouloir à quelqu'un aussi longtemps ?

— Je ferais peut-être mieux de ne pas y aller, hasardai-je.

Mon oncle ôta vivement sa pipe de sa bouche.

— Bien sûr que tu iras ! Tu iras partout où nous irons, aussi longtemps que tu vivras sous ce toit, c'est compris ?

— Oui, monsieur.

— Voilà qui est mieux, dit mon oncle, un peu radouci.

Puis il se balança lentement dans son rocking-chair, sans me quitter du regard. Au bout d'un moment, j'esquissai un mouvement pour me lever, ce qui me valut instantanément un rappel à l'ordre.

— On ne se lève pas sans demander la permission.

Je me rassis et demandai, d'une voix tendue à se rompre :

— Puis-je me lever, maintenant ?

J'avais les nerfs à vifs, prêts à craquer eux aussi. Mais en guise de réponse, je n'obtins qu'une question.

— Cet endroit où vous habitiez en Virginie-Occidentale...

— Sewell.

— Oui, Sewell. C'est au fin fond des collines, je crois ?

— Oui, je suppose qu'on peut dire ça.

— Là où les gens distillent eux-mêmes leur mauvais whisky, se bagarrent sans cesse et se marient entre cousins ?

— Pardon ? (J'ébauchai un sourire, mais je m'aperçus qu'oncle Jacob était mortellement sérieux.) Non, c'était juste une petite ville minière, dis-je aussi gravement que lui.

Il eut un ricanement sceptique, puis se pencha en avant et pointa sur moi le tuyau de sa pipe.

— Il y a des endroits, dans ce pays, qui sont de véritables havres pour le démon et les siens. Le Malin s'y sent chez lui, encore plus qu'en Enfer. Ça ne m'étonne pas que Chester soit allé vivre dans un coin pareil quand il est parti avec Hellie.

Jacob se redressa sur son siège et réfléchit en tirant sur sa pipe.

— Peut-être que ta tante a raison, finalement. Peut-être que Dieu t'a envoyée chez nous pour te sauver.

— Mon père était un homme de bien, affirmai-je. Il travaillait dur, pour nous. Ce n'était pas un pécheur.

Oncle Jacob cessa enfin de se balancer.

— Tu ne sais peut-être même pas ce que signifie le péché. As-tu été élevée dans la crainte de Dieu ?

— J'allais à l'église, avec papa.

— Vraiment ? Peut-être Chester a-t-il fait sa paix avec Dieu avant de mourir, alors. Je l'espère, pour le salut de son âme.

— Mon père était un homme de bien, tout le monde l'aimait à Sewell. Plus que sa propre famille, ajoutai-je.

Mais l'oncle Jacob ne m'entendit pas : il était perdu dans ses pensées. Puis il reprit conscience de ma présence.

— L'homme qui a conduit ta mère ici, qui était-ce ?

— Un de ses amis qui pourrait lui faire connaître des gens utiles, répondis-je, avec un manque de conviction manifeste.

Oncle Jacob, qui s'en rendit parfaitement compte, attacha sur moi un regard soupçonneux.

— Et cet ami, elle l'a connu avant ou après la mort de ton père ?

— Elle le connaissait déjà avant.

— C'est bien ce que je pensais, commenta mon oncle avec un sourire forcé.

Une fois de plus, je dus lutter pour refouler mes larmes.

— Puis-je m'en aller, maintenant ? implorai-je en détournant les yeux. J'aimerais me promener un peu.

— Ne va pas trop loin et ne rentre pas trop tard. Sarah doit te présenter au lycée, demain matin.

Je me levai. Je mourais d'envie de crier à l'oncle Jacob : « Pour qui vous prenez-vous ? Ne disiez-vous pas qu'aucun homme ne valait mieux qu'un autre ? En quoi êtes-vous si parfait ? Qu'est-ce qui vous permet de juger mes parents et d'en parler comme vous le faites ? » Mais ma langue resta collée à mon palais. Je filai vers la porte, ruminant ma colère, avec le sentiment d'être une bombe à retardement qu'on venait d'amorcer. Tôt ou tard, il faudrait que j'explose. En attendant, j'aurais donné n'importe quoi pour pouvoir me jeter dans les bras solides et rassurants de papa.

Mais je ne trouvai que l'obscurité pour m'accueillir. Pas une lumière dans la rue, à part celle qui tombait des fenêtres. Un écran de nuages occultait les étoiles. Derrière la maison, les dunes étaient noyées dans les ténèbres et le vent faisait crisser le sable. Au-delà s'élevait le grondement de l'océan.

Pour moi, c'était un autre monde, entièrement étranger à celui qui avait été le mien. Je me sentais seule et j'avais froid sans les arbres, les fleurs et les chants d'oiseaux familiers. Ici, je n'entendais que le cri des mouettes. Des formes blanches me frôlaient, brassant la nuit de leurs ailes fantomatiques. Il eût suffi d'une chiquenaude pour que mes nerfs se brisent net, comme les cordes trop tendues d'un violon.

Les joues sillonnées de larmes, j'étreignis frileusement mes épaules et quittai le chemin de galets, pour m'avancer un peu en direction des dunes et de la mer. Je levai les yeux vers le ciel, souhaitant y voir une étoile, une seule étoile en signe d'espoir. Mais tout n'était que noirceur.

Où était maman ce soir ? me demandai-je. Pensait-elle à moi ? Elle devait avoir le cœur bien lourd, elle aussi.

À moins qu'elle ne fût en train de danser et de rire avec Archie, quelque part ? Peut-être, en ce moment même, la présentait-il à des tas de gens passionnants, dont je ne pouvais même pas me faire une idée ? J'aurais tant voulu qu'elle m'appelle au téléphone !

Je me retournais pour regagner la maison lorsque Cary surgit des ténèbres, à quelques pas de moi. J'étouffai un hoquet de surprise quand je reconnus sa silhouette ; et j'écarquillai les yeux en le voyant se rapprocher, suffisamment pour entrer dans la lumière diffuse qui provenait des fenêtres. Il avait l'air aussi étonné que moi.

— Qu'est-ce que tu fabriques ici ?

— Je me promène, c'est tout. Et toi ? Où étais-tu ?

— J'avais quelque chose à vérifier sur le bateau, et je ne voulais pas avoir à m'en occuper demain matin, dit-il en me rejoignant à grands pas.

— Mais il fait terriblement noir !

— Pas pour moi. J'ai parcouru ce bout de plage, de nuit et dans la tempête, plus souvent que je ne pourrais m'en souvenir. Tu finiras par le connaître comme ta poche, toi aussi, et tu t'habitueras à l'obscurité. Tu as l'air d'avoir froid, constata-t-il tout à coup.

— J'ai froid.

Je frissonnais, c'est vrai, mais le temps n'y était pas pour grand-chose. C'était surtout au cœur que j'avais froid.

— Qu'est-ce que tu attends pour rentrer, alors ?

— C'est ce que je vais faire.

— Parfait, commenta-t-il en poursuivant son chemin.

Il me précédait, maintenant, et se retourna quand je demandai :

— Pourquoi ne m'aimes-tu pas ?

— Qui a dit que je ne t'aimais pas ?

— Moi.

— Je ne te connais pas assez pour ne pas t'aimer. Repose-moi la question dans quelque temps, on verra bien.

— Très drôle, ripostai-je en m'efforçant de le rattraper. Au fait, comment puis-je apprendre le langage des signes ?

Cette fois, son intérêt s'éveilla.

— Tu veux apprendre le langage des signes ?

— Bien sûr. Comment pourrais-je communiquer avec May, sinon ?

— Il y a bien un livre, dit-il après un moment de réflexion. Je te le prêterai.

— Pourrais-je l'avoir ce soir ?

Ma promptitude me valut un second regard de mon cousin.

— D'accord, dit-il en allongeant le pas.

Et j'eus beau me hâter, il conserva son avance jusqu'à la maison. En entrant, il alla parler à l'oncle Jacob et je montai dans ma chambre, où je trouvai tante Sarah. Debout près de la penderie, elle m'accueillit d'un sourire.

— Bonsoir, ma chérie. J'ai pensé que je pourrais t'aider à choisir la robe que tu mettras demain matin. Que dirais-tu de celle-ci ? suggéra-t-elle en exhibant une longue robe bleue. C'est celle que portait Laura le dernier jour d'école, elle devrait très bien t'aller.

— J'ai apporté mes effets personnels, tante Sarah, ceux que je porte d'habitude en classe.

— Mais cette robe convient tout à fait, je t'assure. Laura la mettait souvent.

— Bon, d'accord, capitulai-je, d'autant plus volontiers que la robe était vraiment jolie.

— Très bien, ma chérie. Est-ce que tu commences à te sentir chez toi, maintenant ?

— C'est-à-dire... c'est très différent, ici. Mais vous avez été si bonne pour moi, me hâtai-je d'ajouter, de crainte de la décevoir.

Elle effleura doucement ma joue de la main.

— Tu es une très jolie jeune femme, et très gentille. C'est comme si Laura était revenue parmi nous. Dors bien, murmura-t-elle en m'embrassant les cheveux, comme ça tu seras fraîche et dispose demain matin. Bonne nuit, ma chérie.

Tante Sarah était si fragile, et en même temps si bonne ! Je désirais la rendre heureuse, mais quelque chose dans son regard m'effrayait. Elle attendait trop de moi. Je ne serais jamais la fille qu'elle avait perdue.

Non sans tristesse, je m'avouai l'ironie de la situation. Maman se débarrassait de moi avec une totale insouciance, et tante Sarah se serait fait couper la main droite pour revoir sa fille à la maison, ne serait-ce qu'une heure.

Je me jetai à plat ventre sur mon lit, le visage enfoui dans la couette. J'étais toujours dans la même position, oubliant que la porte était restée ouverte, quand un coup sur le battant me fit relever la tête.

— Tiens, dit Cary en jetant un livre sur le lit. Ne le perds pas et ne gribouille pas sur les pages.

Ses yeux s'attardèrent un instant sur moi, puis, comme sous l'effet d'une pensée insoutenable, il tourna les talons et regagna sa chambre.

Pendant quelques secondes, je me contentai de regarder fixement le manuel. Puis je m'assis, respirai un grand coup pour refouler mes larmes et ouvris le livre.

May n'entendrait sans doute jamais le son de ma voix, mais pour le moment je me sentais aussi petite fille, aussi vulnérable qu'elle l'était elle-même. Il me semblait que, dans cette maison, elle seule pouvait comprendre la profondeur de mon chagrin.

Je m'assis devant le miroir de la coiffeuse et pratiquai les premiers exercices, jusqu'à ce que mes yeux se ferment tout seuls. Rien d'étonnant, après une journée pareille. Je me hâtai de me déshabiller. Mais, une fois en chemise de nuit (la mienne), je me rendis compte que je ne pouvais pas me promener comme ça dans la maison. J'allai décrocher le peignoir de Laura et sortis pour me rendre à la salle de bains.

Quand j'en sortis, Cary s'apprêtait justement à y entrer. Je fus assez déconcertée par l'expression de son visage, quand il me vit là. C'était de la surprise, mais de toute évidence une surprise agréable. Je me risquai à demander :

— Est-ce que May dort déjà ? J'ai appris à dire bonsoir en langage des signes. J'aimerais essayer.

— Elle ne s'endort jamais avant que je sois venu lui dire bonsoir et éteindre la lumière. Ne la fais pas veiller, me recommanda-t-il en entrant dans la salle de bains.

Je trouvai May au lit, plongée dans un roman pour la jeunesse. Elle n'eut pas tout de suite conscience de ma présence. C'est seulement quand je fus tout près du lit qu'elle abaissa son livre et me sourit. J'exécutai les signes que je venais d'apprendre et transmis : bonne nuit.

Elle me répondit, le visage rayonnant, et me tendit les bras. Je l'embrassai sur les deux joues, répétai mon souhait de bonne nuit et quittai la pièce. Une fois de plus, je me trouvai nez à nez avec Cary.

— Bonsoir, dis-je au passage.

— Bonsoir, grogna-t-il en écho.

Je ne pus retenir un sourire : on aurait dit que je lui arrachais les mots de la bouche.

Je regagnai ma chambre, fermai soigneusement la porte et me glissai sous la couette. Les fenêtres étaient restées ouvertes, mais la brise ne me dérangeait pas. Le lit était si douillet ! Un vrai nid.

Je pris la montre de Papa George et la contemplai longuement. J'effleurai d'abord le boîtier du bout des doigts, l'ouvris, et touchai délicatement le brin d'herbe cueilli sur la tombe de papa. Le carillon joua son petit air, et sa douce mélodie me réchauffa le cœur.

Je ne voulais penser à rien de triste. Je ne voulais pas me souvenir du départ de maman, ni des dures paroles de l'oncle Jacob. Et pourtant, elles résonnaient toujours à mes oreilles.

« Les péchés des pères retombent sur leurs enfants. » Qu'avait-il voulu dire ? Quels péchés ?

Dehors, les vagues bruissaient doucement sur la plage, telle une berceuse. C'était cette même chanson de la mer, au rythme ample et fort, que ma cousine avait écoutée en s'endormant. Et à l'entendre, couchée ici, dans l'obscurité de sa chambre, je m'interrogeais sur ses pensées, ses espoirs, ses rêves. Et ses craintes. Elle aussi devait en avoir.

Et subitement, ce fut plus fort que moi, je fondis en larmes. C'était pour maman que je pleurais.

Je refermai la montre de Papa George et la reposai sur la table de chevet. J'aspirai une longue bouffée d'air salin. Puis, m'adressant à moi-même en langage des signes, je me souhaitai une bonne nuit et j'attendis la douceur du sommeil.

7

« Grandpa » Cary

Le soleil filtrait à travers le brouillard matinal. Ce fut d'abord un rayon timide, puis un flot de lumière qui se déversa dans ma chambre, chassant l'ombre et le sommeil. Je clignai des yeux et regardai autour de moi, me croyant toujours la proie d'un rêve étrange et compliqué. Ce long voyage, maman qui m'abandonnait chez des parents inconnus, mon réveil dans la chambre de ma cousine morte, tout cela ne pouvait être qu'un cauchemar, causé par le choc de la mort de papa. Il me suffirait de cligner des yeux une seconde fois, j'en étais sûre, pour me retrouver à Sewell. D'un moment à l'autre, j'allais m'éveiller, m'habiller, déjeuner, voir Mama Arlène et Papa George et partir pour le lycée. Je n'avais qu'à fermer les yeux, respirer un bon coup, faire un vœu, et quand je les rouvrirais tout serait comme avant.

Mais je n'eus pas le temps de formuler mon vœu. La porte de la chambre s'ouvrit et tante Sarah fut devant moi, les yeux ronds et la main plaquée sur la poitrine. Elle se remit très vite de sa surprise et me sourit.

— Bonjour, ma chérie. Désolée si je t'ai fait peur, mais quand je t'ai vue là, dans le lit de Laura... pendant un moment c'était comme si Laura n'était... comme si elle était toujours là. Tu as bien dormi ? Mais oui, bien sûr, répondit-elle à sa propre question. Le lit de Laura est vraiment confortable, n'est-ce pas ?

Je m'adossai au chevet du lit et me frottai les yeux.

— Quelle heure est-il ?

— Oh, il est tôt. Nous nous levons de bonne heure. Jacob voulait que je t'éveille avec tout le monde, mais je lui ai dit qu'après une journée comme celle d'hier, tu avais besoin de dormir. Cary et ton oncle ont passé plus d'une heure à préparer le bateau. Je leur ai déjà servi le petit déjeuner, en même temps qu'à Roy.

— Roy ?

— L'assistant de Jacob.

— Ah ! Et May ? Elle est levée, elle aussi ?

Tante Sarah ne répondit pas tout de suite. Elle fixait quelque chose qui venait d'attirer son attention. Puis elle s'approcha de la commode et remit soigneusement en place une des photos encadrées.

— May ? elle est à table. Cary et elle seront bientôt prêts à partir, mais tu as tout le temps, me rassura-t-elle. Je te conduirai au lycée un peu plus tard, et nous nous arrêterons au cimetière, comme je le fais chaque matin. Descends dès que tu es prête, ajouta-t-elle en regagnant la porte. Je sens que nous allons avoir une magnifique journée.

Restée seule, je regardai pensivement la photographie. Apparemment, je ne l'avais pas remise à la place exacte où elle s'était trouvée auparavant.

La lumière du matin illuminait la chambre, et plus que jamais j'avais l'impression de profaner un sanctuaire. Je me sentais coupable de me servir de tout ce qui appartenait à Laura... son lit, ses vêtements, sa ravissante coiffeuse. C'est elle qui aurait dû profiter de tout cela, pas moi.

Pourtant, dès que j'eus pris ma douche, je passai la robe choisie par ma tante pour ce premier jour dans mon nouveau lycée. Je n'aurais pas eu le cœur de refuser.

Puis j'étudiai attentivement mon image dans le miroir. Avais-je des traits communs avec ma cousine défunte ? Je ne constatai aucune ressemblance particulière, sauf quelques grandes lignes. Nous avions à peu près la même taille et le même poids au même âge, sans doute. Mais nos cheveux n'étaient pas de la même couleur, nos yeux non plus, et nous n'avions pas le même modelé de visage.

— Je savais que cette robe t'irait ! s'exclama tante Sarah quand je descendis. J'en étais sûre.

Cary et May étaient partis. Elle avait préparé, pour accompagner mes œufs, des espèces de beignets plats qu'elle appelait des palmes : c'était délicieux. Tandis que je m'en régalais, elle s'assit en face de moi et, tout en sirotant un café, me parla de la vie qui m'attendait, de la ville, du lycée, mais encore et surtout de Laura.

— Au lycée, elle jouait toujours dans les pièces de théâtre, m'apprit-elle. Et toi ? Tu l'as déjà fait ?

— Non, mais je participais à la présentation des jeunes talents. Je jouais du violon.

— Ah bon ? Laura n'était pas spécialement attirée par la musique. Elle chantait à la chorale, mais elle ne jouait d'aucun instrument. Bien que si elle avait voulu...

Tante Sarah réfléchit longuement et sourit.

— Elle aurait très bien pu, j'en suis sûre. Laura réussissait tout ce qu'elle entreprenait. Ce n'est pas comme moi, par exemple ! Je n'ai pas été plus loin que le lycée, mon père estimait que les filles n'ont pas besoin de poursuivre leurs études, expliqua-t-elle. Ma mère aurait voulu que je continue, mais cela ne m'attirait pas plus que ça.

« Finalement, il a été décidé que j'épouserais Jacob et me contenterais de tenir ma maison.

— Comment ça, décidé ?

— Le père de Jacob et le mien étaient grands amis, vois-tu ? Ils nous avaient déjà destinés l'un à l'autre avant que nous entrions au collège, ajouta ma tante avec un petit rire.

— Mais vous n'étiez pas amoureuse de l'oncle Jacob ?

— Je l'aimais bien. Et ma mère disait toujours que l'amour s'apprend et se cultive, que ce n'est pas une chose qui vous tombe dessus comme dans les romans. Cela me semble assez vrai, commenta tante Sarah d'un ton pénétré. C'est pour ça qu'on divorce si facilement de nos jours. Les gens veulent tomber amoureux plutôt qu'apprendre à aimer, ce qui demande du temps, un engagement et du dévouement. Le mariage et l'amour sont une sorte d'investissement, comme dit Jacob.

Je faillis éclater de rire.

— L'amour, un investissement ?

— Mais oui, ma chérie. Ce n'est pas aussi stupide qu'il y paraît.

— Mon père est tombé amoureux de maman, insistai-je. Il me l'a répété bien des fois.

— Oui, murmura ma tante en détournant les yeux. Je sais.

— C'est vrai que la famille l'a désapprouvé parce que maman était orpheline ?

Un curieux petit sourire étira les lèvres de tante Sarah.

— Qui est-ce qui t'a raconté ça ?

— Maman.

— Personne ne méprisait ta mère parce qu'elle était orpheline, voyons ! Cela n'a pas de sens. Tout le monde était bon pour elle, surtout Samuel et Olivia.

— Mais alors... (Je n'y comprenais plus rien.) Pourquoi la famille a-t-elle cessé de parler à papa ? Ce n'est pas parce qu'il l'a épousée ?

Tante Sarah se leva et se mit à débarrasser la table. Je la vis se mordre la lèvre mais n'en poursuivis pas moins :

— Oncle Jacob m'a dit que papa avait défié ses parents. Ce n'était pas cela qu'il voulait dire ?

— Je n'aime pas parler de Chester et de Hellie, répliqua ma tante, au bord des larmes. C'est du passé, tout ça. Et comme dit Jacob...

Elle respira un grand coup, comme si le fait d'aborder ce sujet l'avait vidée de son souffle, et poursuivit bravement :

— Il faut suivre le flot. On ne lutte pas contre la marée, vois-tu ? Maintenant, tu es chez nous, et j'aimerais que tu sois heureuse parmi nous. D'accord, ma chérie ? acheva-t-elle, retrouvant brusquement le sourire.

Elle avait le don de changer d'humeur à une rapidité surprenante, je m'en étais aperçue. Mais pourquoi tous ces mystères à ce propos ? me demandai-je. Qu'est-ce que cela cachait d'autre ?

— Il est temps de nous préparer à partir, Melody.

Je me levai de table et montai jeter un dernier coup d'œil à mon miroir. J'avais noué mes cheveux sur la nuque, avec un ruban rose trouvé dans un des tiroirs de Laura. Les minuscules taches de rousseur que j'avais sous les yeux ressortaient davantage depuis quelque temps, mais je n'y pouvais rien. Essayer de les masquer par du fard n'aurait fait qu'empirer les choses.

J'avais toutes les raisons d'avoir le trac. Changer d'école et se faire de nouveaux amis est une épreuve terrible, surtout pour une fille. À Sewell, j'avais remarqué comment les nouvelles étaient traitées, le plus souvent, et combien elles étaient nerveuses et timides. J'en étais désolée pour elles, et j'essayais de les aider à s'adapter, mais certaines de mes amies se sentaient menacées par les arrivantes. Les nouveaux visages attiraient davantage les garçons, du moins au début. Et toutes les filles qui avaient un flirt régulier devenaient littéralement paranoïaques.

Tante Sarah, qui m'attendait au bas des marches, parut satisfaite de mon apparence.

— D'habitude, Laura préparait elle-même son déjeuner, déclara-t-elle en me glissant deux billets dans la main. Mais comme tu n'as pas eu le temps ce matin, j'ai décidé de te donner de quoi t'offrir un repas au lycée. Tiens, prends ça.

— Merci, tante Sarah.

— Je veux te voir heureuse, murmura-t-elle en m'embrassant sur la joue. Tu es si jolie, si parfaite... comme Laura.

Là-dessus, nous partîmes pour la ville. La brume s'était évaporée, découvrant un ciel turquoise où le vent poussait des nuages floconneux. Des bateaux de pêche et des voiliers sillonnaient la baie, un grand cargo glissait à l'horizon. Et sur la colline, à ma gauche, les genévriers agités par la brise de mer se balançaient à un rythme mélancolique.

— Le cimetière est juste après le tournant, m'annonça tante Sarah. Nous n'y resterons pas longtemps.

Nous nous engageâmes sur le chemin qui menait au portail. Deux piliers de granit l'encadraient, surmontés chacun d'un oiseau qui ressemblait à un corbeau. L'allée de gravier bifurquait juste après l'entrée. Nous prîmes la voie de gauche et arrivâmes très vite à la concession de la famille Logan, devant la sépulture de Laura. C'était une simple pierre gris clair, sur laquelle étaient gravés son nom, Laura Ann Logan, deux dates et une inscription pieuse :

Que les saints se réjouissent
et que leurs chants résonnent au plus haut des cieux.

Sarah s'agenouilla, déposa une rose rouge sur la tombe et pria quelques instants, puis elle se retourna et me sourit.

— Les roses rouges étaient les fleurs préférées de Laura, vois-tu. Dès qu'elles fleurissent, je lui en apporte.

— Moi aussi, je les aime.

— Je le savais, murmura ma tante, les yeux brillants.

Elle se leva, secoua sa jupe, et nous allions partir quand je remarquai deux pierres tombales toutes neuves. Elles portaient les noms de Samuel et Olivia Logan, chaque nom suivi d'une date unique : celle de la naissance du titulaire.

— Ne s'agirait-il pas de mes grands-parents ? m'étonnai-je.

— En effet, ma chérie. Samuel a fait poser les pierres cette année, afin d'être certain que tout soit exécuté selon ses désirs. Les Logan ne se fient à personne, commenta ma tante avec un petit rire, même pas à leurs parents. Samuel voulait être sûr que sa tombe serait placée face au sud, afin que le soleil levant la réchauffe chaque matin.

Elle me prit la main pour sortir du cimetière, et pendant un moment ne prononça plus un mot. Mais quand nous arrivâmes en vue du lycée, elle se remit à parler avec animation de Laura, de son attachement à son école et à ses professeurs et de l'estime qu'ils avaient pour elle.

— On a failli fermer le lycée le jour de l'enterrement, tu sais ? Il y avait tellement d'élèves et de professeurs qui tenaient à y assister !

Nous remontâmes l'allée centrale jusqu'à l'entrée principale et pénétrâmes dans le grand hall. Nous étions attendues, ma tante ayant pris rendez-vous. La secrétaire générale, Mme Hemmet, nous accueillit avec chaleur et me remit des papiers, en m'invitant à les remplir en attendant d'être reçue par le directeur, M. Webster.

— Ainsi, c'est votre nièce ? dit aimablement la secrétaire à tante Sarah.

— Oui, madame. Elle est jolie, n'est-ce pas ?

Mme Hemmet acquiesça d'un signe. C'était une femme fluette aux gestes vifs, dont les cheveux poivre et sel se dressaient en courtes bouclettes sur son crâne, comme des ressorts. Tandis que je remplissais mes formulaires, elle et ma tante discutaient à bâtons rompus, de la ville, de la saison touristique toute proche et de la récolte d'airelles. Tante Sarah lui remit la procuration de maman, qui l'autorisait à agir en toutes choses comme ma tutrice légale. À mon tour, je lui tendis le questionnaire que je venais de remplir.

— Parfait, dit-elle en le parcourant du regard. Je vais m'occuper sans tarder de faire suivre votre dossier.

Et j'eus le plaisir d'entendre tante Sarah déclarer :

— C'est une excellente élève, vous verrez.

Elle m'avait crue sur parole, mais j'étais certaine que mes résultats me feraient honneur.

— À moins qu'un changement ne s'avère nécessaire, enchaîna Mme Hemmet, voici votre emploi du temps.

Elle me tendit une fiche où figuraient mes horaires, les numéros des salles et les noms des professeurs, puis elle alla frapper à la porte du directeur et nous annonça.

M. Webster était un petit homme corpulent, au teint fleuri et aux cheveux bruns clairsemés. Ses lunettes à lourde monture imprimaient une marque rouge sur son nez bulbeux, et de gros sourcils broussailleux avançaient comme un auvent sur ses yeux noirs. Il accueillit aimablement tante Sarah, et me dévisagea longuement avant de me tendre la main en souriant.

— Veuillez vous asseoir, dit-il en nous désignant deux chaises placées devant son bureau.

Nous y prîmes place et M. Webster baissa les yeux sur mon dossier d'inscription.

— Virginie de l'ouest, marmonna-t-il après l'avoir étudié un instant. Un pays minier... Parlez-moi un peu de votre ancien lycée, voulez-vous ?

Je le lui décrivis simplement et il me posa d'autres questions, apparemment plus intéressé par mes activités extra scolaires que par mon travail de classe. Quand je mentionnai que je jouais du violon, il releva ses gros sourcils et eut un hochement de tête approbateur.

— Voilà qui change tout, commenta-t-il. Nous avons chaque année une manifestation artistique destinée à collecter des fonds pour les boursiers. J'espère que vous y participerez.

— J'en suis sûre, répondit tante Sarah pour moi.

Et le directeur poursuivit :

— Puisque vous êtes la nièce de Jacob et Sarah Logan, je crois inutile de vous recommander de bien vous conduire, Melody. Mais nous avons un règlement à suivre, dans cet établissement, ajouta-t-il en poussant un livret vers moi. Prenez-en connaissance, et si vous avez des questions à poser, n'hésitez pas à venir frapper à ma porte. Bonne chance et bienvenue chez nous.

Je le remerciai, puis nous nous retirâmes, et j'aperçus dans le bureau d'accueil quelqu'un qui semblait nous attendre. C'était une jeune fille de petite taille, au teint bistre et aux yeux aussi noirs que ses cheveux d'ébène, qui lui balayaient les épaules. Vêtue d'un corsage bleu clair assorti à sa jupe légère, elle était pieds nus dans des sandales et portait un joli collier de coquillages.

— Voici Theresa Patterson, présenta Mme Hemmet, une de nos élèves boursières. C'est elle qui vous pilotera, aujourd'hui.

Tante Sarah semblait déjà connaître la nouvelle venue. Elle s'adressa aimablement à elle.

— Theresa, comme c'est gentil à toi d'aider Melody. Laura aimait bien t'aider dans ton travail scolaire, elle aussi.

— Bonjour, madame Logan, répondit Theresa sans l'ombre d'un sourire.

C'était une jolie fille, mais elle arborait une expression si austère qu'elle en paraissait presque fâchée. Elle se retourna vers moi pour demander :

— Tu as ton emploi du temps ?

— Oui, dis-je en lui tendant le carton.

Elle en prit rapidement connaissance et me le rendit.

— Exactement les mêmes cours que moi. Allons-y. Nous manquons l'histoire américaine et M.K. n'aime pas se répéter.

En la voyant s'éloigner, je consultai tante Sarah du regard. Elle eut un sourire encourageant.

— Bonne journée, ma chérie.

Je répondis d'un signe et me hâtai de rattraper Theresa, qui n'appréciait manifestement pas son rôle de cicérone.

— Pourquoi es-tu arrivée si tard ? grogna-t-elle sans se retourner.

— J'ai été retardée par une visite à faire en route. Ma tante a tenu à m'accompagner elle-même, et elle passe tous les matins au cimetière pour aller prier sur la tombe de ma cousine Laura. Elle s'est noyée l'année dernière.

Cette fois, Theresa daigna s'arrêter.

— Est-ce que tu crois me l'apprendre, par hasard ? Tu ne sais vraiment pas qui je suis, ni pourquoi on m'a choisie pour te mettre au courant ?

— Non.

— Je suis Theresa Patterson. Mon père est Roy Patterson, l'homme à tout faire de ton oncle Jacob, qui le fait trimer comme un esclave. On a dû trouver tout naturel que j'en fasse autant pour toi ! lança aigrement Theresa en reprenant sa marche.

Comme accueil, c'était charmant. Bienvenue dans ton nouveau lycée ! me dis-je avec philosophie.

Et j'allongeai le pas derrière Theresa Patterson.

Le lycée de Provincetown s'avéra fort peu différent de celui de Sewell, finalement. Les pupitres étaient du même modèle, les manuels d'histoire identiques, de sorte que je ne me sentis pas du tout dépassée. J'avais même pris suffisamment d'avance pour pouvoir lever la main et répondre à une question, malgré l'angoisse du premier jour. Le professeur, M. Kattlin, que ses élèves appelaient M.K., fut manifestement impressionné. Theresa m'adressa un sourire pincé.

— Tu as algèbre aussi, je crois ? s'enquit-elle dès que la sonnerie annonça la fin du cours.

— Oui.

— Tant mieux, ça me simplifiera les choses. Dépêchons-nous, la salle de maths est au fond du couloir et nous avons souvent des interros surprises. J'aime bien réviser ma leçon de la veille avant le cours.

Il se trouva que j'avais un chapitre d'avance sur la classe, mais cette fois je me gardai bien de lever la main. Le professeur donna une interrogation et parut surpris que j'y participe, lui aussi. Mais les élèves qui se trouvaient avec moi en histoire me regardèrent de travers. Je craignis, si je m'en tirais mieux qu'eux, d'être montrée en exemple dans le but de faire honte aux autres, ce qui n'était pas rare. J'avais vu des professeurs agir ainsi, à Sewell.

Le cours de maths achevé — c'était le dernier de la matinée —, Theresa me conduisit à la cafétéria.

— J'ai apporté mon déjeuner, dit-elle en me montrant son sac en papier brun. Payer nos repas en libre-service nous reviendrait beaucoup trop cher à tous.

— À tous ? Combien de frères et sœurs as-tu ?

— Deux sœurs et un frère, tous les trois au collège, et mon père ne gagne pas assez d'argent.

Je m'informai avec sympathie :

— Et ta mère ne travaille pas, je suppose ?

— Ma mère est morte, répliqua-t-elle avec raideur.

Et, désignant une table du fond, en partie occupée par un groupe d'élèves au teint basané, elle ajouta :

— Je vais m'asseoir là-bas, mais tu préfères sans doute ne pas côtoyer les bravas.

— Les bravas ?

— Moitié Noirs, moitié Portugais, expliqua Theresa en s'éloignant, me laissant plantée dans la file d'attente.

Je cherchai Cary du regard et l'aperçus de l'autre côté de la salle, attablé avec deux garçons. Il était en terminale, je savais donc que nous ne partagerions jamais les mêmes cours, mais j'avais espéré que nous nous verrions au moins au déjeuner. Il jeta un coup d'œil de mon côté, mais, loin de me faire signe de le rejoindre, il se remit à parler avec ses amis.

Me trouver seule dans une vaste salle bondée d'inconnus, dont une bonne partie me regardaient, n'était pas précisément agréable. Je n'avais jamais si bien compris l'expression « se sentir comme un poisson hors de l'eau »... et au Cap Cod, en plus ! me dis-je en me moquant de moi-même. Je me retournai vers le comptoir, souriant toute seule, quand une grande jeune fille élancée apparut à mes côtés. Elle avait des cheveux châtains, les plus étincelants yeux bleus que j'eusse jamais vus et un adorable sourire.

— Bonjour, m'aborda-t-elle aimablement. Je suis Lorraine Randolph.

Je serrai la main qu'elle me tendait.

— Melody Logan.

— Je sais. Voici Janet Parker, présenta Lorraine en désignant sa plus proche voisine.

Brune au teint mat, Janet avait des yeux noisette sans éclat, un buste opulent, et aussi deux vilaines cicatrices de variole sur le front. Le contraste entre elle et Lorraine était saisissant.

— Bonjour, dit-elle à son tour.

Et presque aussitôt, une troisième arrivante s'insinua entre les deux autres.

— Betty Hargate.

C'était la plus petite des trois. Des cheveux blond cendré, coupés à la garçonne, et coiffés d'une casquette assortie à son ensemble ultra-chic. Betty avait les yeux bouffis, un pli dédaigneux au coin de la bouche, et son petit nez en boule semblait avoir été posé à la dernière minute entre ses joues boursouflées. Elle était la seule à porter des boucles d'oreilles. Et, en plus de son collier en or, elle arborait une bague à chaque doigt.

— Alors c'est toi, la cousine de Grandpa ?

— Cary Logan, expliqua Lorraine tandis que nous avancions avec la file. Nous l'appelons Grandpa.

Je masquai ma perplexité sous un sourire.

— Cary ? Et pourquoi ?

— Parce qu'il se conduit comme un vieux grand-père, pouffa Betty. Tu ne connais pas ton propre cousin ?

— Nous venons juste de faire connaissance, à vrai dire.

Quelque chose dans sa voix m'avait déplu, et je répondis assez sèchement, puis je m'occupai de garnir mon plateau. Le trio me suivit, et Lorraine m'invita à m'asseoir à leur table. J'aurais préféré choisir celle de Cary, même si lui ne m'avait pas invitée, mais l'occasion s'offrait de me faire de nouvelles amies et je ne tenais pas à la manquer. J'acceptai donc.

— Comment se fait-il que tu n'aies jamais vu ton cousin jusqu'ici ? s'informa Janet, avant d'engouffrer la moitié d'un hot-dog.

— Nous vivions trop loin les uns des autres, nos familles s'étaient perdues de vue.

L'explication sembla les satisfaire.

— Donc, tu ne savais rien de ses manies, conclut Betty.

— Ses manies ? Qu'entends-tu par là ?

— Il ne pense qu'à travailler avec son père et à dire ses prières. Il ne boit pas, ne fume pas, ne va jamais à une soirée. Il parle de nous comme si nous étions toutes des...

Betty s'interrompit et ce fut moi qui insistai :

— Des quoi ?

— Des Jézabels, acheva-t-elle en gloussant. Il ne t'a jamais parlé de Jézabel ?

— Non.

— C'était la femme d'Ahab et elle adorait les dieux païens.

— Ce qui veut dire que c'était une femme perdue, expliqua Lorraine.

Et Betty reprit, penchée vers moi :

— Si tu ne connais pas ta Bible et que tu vis avec Grandpa, tu es bonne pour tous les tourments de l'Enfer !

— Je connais ma Bible, ripostai-je. Simplement, je ne comprenais pas pourquoi Cary vous appelait comme ça.

— Tu comprendras quand tu le connaîtras mieux, et qu'il commencera à t'appeler comme ça, toi aussi.

Je regardai Cary et je vis qu'il nous observait d'un air concentré, sans sourire. Mais quand nos yeux se rencontrèrent, il parut se radoucir et hocha légèrement la tête.

Je continuai mon déjeuner, tout en répondant aux questions dont m'assaillaient les trois filles. Sur ma vie à Sewell, mes goûts, les films que je voyais là-bas et les émissions que je regardais... bref, on aurait dit que je débarquais d'un pays étranger.

— Tu peux dire adieu à la télévision si tu restes chez les Logan, fit observer Janet.

— Pourquoi ?

— Tu as vu un poste de télévision, chez eux ?

Je réfléchis un moment avant de répondre, tout étonnée de n'avoir pas remarqué ce détail plus tôt :

— En effet, ils n'en ont pas. Je me demande pourquoi.

— Grandpa ne sait même pas que les Beatles étaient des chanteurs, railla Lorraine. Il doit toujours les prendre pour une équipe de catcheurs !

L'éclat de rire qui suivit fit se retourner les têtes autour de nous, et je me sentis coupable. Ce n'était pas bien de les écouter s'amuser aux dépens de Cary.

— Vous ne devriez pas vous moquer de lui, protestai-je. Ils ont subi une telle épreuve, sa famille et lui !

Les rires s'arrêtèrent net, les sourires s'éteignirent.

— Tu veux parler de Laura, murmura Betty.

— Oui. Vous la connaissiez bien ?

Ce fut Lorraine qui répondit :

— Bien sûr que nous la connaissions. Quelle question !

Puis il y eut un bref échange de regards et tout le monde se remit à manger en silence. Aux tables voisines, ceux qui nous avaient écoutées, l'air amusé, se retournèrent et reprirent leurs conversations interrompues.

— Ma tante est toujours très affectée, poursuivis-je, blessée par cette apparente indifférence. C'était un tragique accident, non ?

À nouveau, les trois filles se regardèrent. Janet s'essuya les lèvres et vida son verre de jus de pomme. Les yeux de Lorraine évitèrent les miens, mais Betty se redressa sur sa chaise.

— Pose donc la question à Grandpa, lança-t-elle abruptement.

Ce qui parut mettre les deux autres assez mal à l'aise.

— Que veux-tu dire ?

— Interroge-le sur Laura et Robert, c'est tout. Ils étaient dans le doris de Grandpa quand ils ont été surpris par le grain, précisa Betty, comme si cela expliquait tout.

— Son doris ?

— Une petite embarcation à laquelle on peut fixer une voile, me renseigna Lorraine.

Et Betty ajouta aussitôt :

— Pas le genre de bateau pour sortir par gros temps, Grandpa le savait mieux que personne. Il a su nager avant de marcher, celui-là !

Ce dernier trait déclencha de nouveaux rires, mais ne m'apprit pas grand-chose.

— Je ne comprends pas. Qu'essayez-vous de me dire ?

— Rien du tout, répliqua promptement Betty, et ne va pas raconter que nous l'avons fait.

La sonnerie retentit. Je restai un moment figée, dévisageant les trois filles, puis je me levai.

— Où doit-on déposer les plateaux ?

— Tu n'as qu'à suivre Theresa, me conseilla Janet. Le nettoyage des tables, c'est son rayon.

J'en avais plus qu'assez de leurs moqueries, leurs gloussements m'échauffaient les oreilles. Je suivis les autres jusqu'à une ouverture pratiquée dans le mur et où l'on déposait vaisselle et plateaux. Theresa m'y attendait.

— Tu te fais de nouvelles amies ? s'enquit-elle avec sécheresse.

— Plutôt de nouvelles ennemies, j'ai l'impression.

Elle arqua un sourcil et je crus voir l'ombre d'un sourire errer sur ses lèvres.

— Le prochain cours c'est l'anglais, m'informa-t-elle. Nous lisons « Huckleberry Finn ».

— Je l'ai déjà lu.

— C'est vrai ? Alors tu pourras peut-être m'aider, pour une fois.

— J'en serais ravie, rétorquai-je, sur le même ton pincé.

Elle s'arrêta, me dévisagea un moment, et pour la première fois je la vis sourire avec chaleur. Ses yeux noirs pétillèrent et quand elle rit ouvertement, je joignis mon rire au sien. Betty, Janet et Lorraine, qui passaient à notre hauteur, nous regardèrent avec effarement.

— Les sorcières de Macbeth ont cours d'anglais, elles aussi ? plaisantai-je.

— Les sorcières ? Oh, ces trois-là ! Oui.

— Tant mieux, décrétai-je. Allons-y.

Et nous reprîmes notre chemin en bavardant, sans contrainte cette fois, des professeurs, de l'ambiance et de tout ce que je devais savoir sur le lycée.

À la fin de la journée, je trouvai Cary qui m'attendait dehors et, dès qu'il m'aperçut, il se hâta d'expliquer :

— Maman veut que tu rentres avec May et moi, mais si tu n'en as pas envie, ne te force pas.

— Je t'accompagne, acquiesçai-je.

Il se mit aussitôt en route, d'un pas si vif que je me risquai à demander :

— Nous marchons ou nous courons ?

— Je ne veux pas faire attendre May.

— Elle ne sait pas rentrer toute seule ?

Cary s'arrêta net et me jeta un regard noir.

— Elle est sourde, tu te souviens ? Elle n'entendrait pas venir les voitures en traversant la rue.

— Je suis certaine qu'elle ferait attention, c'est une fille intelligente. Et en plus, elle a besoin de sentir qu'elle peut se débrouiller seule.

— Elle n'a que dix ans, elle a tout le temps pour ça, me rabroua Cary. Et si nous restons plantés là à nous chamailler, nous allons être en retard.

— Nous ne nous chamaillons pas, nous parlons !

Cary grogna, tout à fait comme l'oncle Jacob, et repartit à grandes enjambées, le nez baissé sur ses chaussures. Je dus allonger le pas pour me maintenir à sa hauteur.

— Je vois que tu t'es déjà liée avec les filles les plus populaires du lycée, dit-il au bout d'un moment.

— Liée... si on veut. Comme amie, j'aimerais mieux Theresa Patterson.

Mon cousin ne cacha pas sa surprise.

— C'est une brava !

— Et après ?

— Si tu fréquentes ces gens-là, les autres te tourneront le dos. Tu seras exclue de leurs petits commérages et tu ne seras jamais invitée à leurs fabuleuses surboums.

— Je cours le risque, annonçai-je tranquillement.

Et bien qu'il ne tournât pas la tête de mon côté, je crus voir qu'il souriait.

May nous accueillit d'un grand sourire bien franc, elle, et parut enchantée que je sois venue aussi, surtout quand je formai le signe « bonjour ». Elle courut vers nous, mais Cary lui adressa une rapide série de signaux et elle se suspendit sagement à sa main pour marcher à ses côtés. C'était un grand désavantage pour moi de ne pas connaître le langage des sourds. Je me promis d'en apprendre la plus grande partie possible, aussi vite que je le pourrais.

Tante Sarah nous guettait devant la maison et courut à notre rencontre. J'eus la nette impression que la façon dont elle nous regardait, pendant que nous remontions l'allée, mettait Cary très mal à l'aise. Je l'entendis marmonner quelque chose et il pressa le pas, remorquant la petite May.

— Alors, mes enfants, comment s'est passée la journée ?

— Comme d'habitude, bougonna Cary en passant devant sa mère.

May fit halte pour lui raconter les menus faits du jour. Ses mains s'agitaient si vite que je me demandai comment tante Sarah pouvait suivre, mais je crois qu'elle n'essayait pas vraiment. Elle hochait la tête et souriait, de temps à autre, mais ses yeux restaient fixés sur moi.

— C'est bon de vous voir rentrer à trois, mes enfants. Eh bien Melody, comment cela s'est-il passé pour toi ? T'es-tu fait de nouvelles amies ?

— Le premier jour, c'est difficile, me contentai-je de répondre.

— Oui, bien sûr. Veux-tu boire quelque chose ? Laura et moi aimions prendre un thé glacé à cette heure-ci.

— Volontiers. Ma mère a-t-elle appelé ? demandai-je, pleine d'espoir.

— Non, ma chérie. Pas encore.

J'essayai de ne pas montrer ma déception.

— Donnez-moi une minute pour monter me changer, ma tante. J'aimerais aller voir le pré aux airelles.

— Bonne idée, approuva-t-elle, c'est juste en haut de la colline. Peut-être que ton cousin t'y conduira.

Quand j'arrivai au premier, Cary sortait de sa chambre, vêtu d'un pantalon déchiré, d'une vieille chemise et chaussé de tennis plus que douteuses.

— Je vais aider mon père à décharger sa pêche, dit-il en passant devant moi. Je n'ai pas le temps de faire du tourisme.

— Est-ce que je peux t'aider ?

Je n'obtins pas de réponse : Cary dévalait déjà les marches et ne se retourna pas.

Pourquoi m'évitait-il ainsi ? En rentrant du lycée, il avait paru gêné de marcher à côté de moi, et quand je lui parlais il regardait toujours ailleurs. D'où venait ce ressentiment à mon égard ? J'étais sûre que c'était lié au fait que j'occupais la chambre de Laura et me servais de ses affaires. J'attendais impatiemment un coup de fil de maman, ne fût-ce que pour lui rappeler d'envoyer les miennes au plus vite.

Je me changeai pour passer un jean et un chemisier bien à moi, libérai mes cheveux et enfilai ma vieille paire de mocassins. May s'était déjà changée, elle aussi, et m'attendait. Elle m'adressa des signaux, que je ne compris pas. Je m'emparai du manuel de langage des signes et le lui mis sous les yeux.

— Nous allons pratiquer un peu, toi et moi, d'accord ?

Elle hocha la tête, fourra sa main dans la mienne et m'entraîna dans l'escalier. Nous étions presque arrivées en bas quand ma tante appela de la cuisine :

— C'est toi, ma chérie ?

— C'est nous deux, répondis-je. May et moi.

Tante Sarah se montra, un unique verre de thé à la main.

— Viens t'asseoir un instant sur le porche, me dit-elle en me le tendant.

Je le pris et, d'un mouvement de tête, désignai le petit visage souriant de May.

— Merci, ma tante. Et May ? Elle ne boit rien ?

— Elle a du travail, répliqua sévèrement tante Sarah, doublant ses paroles d'une rapide série de signes.

Le sourire de May s'éteignit. Un instant, son regard s'attacha sur moi, puis elle partit en courant vers le fond de la maison.

— Ou va-t-elle comme ça ? m'étonnai-je.

— Elle aide à décrocher et plier le linge, c'est son travail. Nous avons tous notre liste de tâches.

— Et où est la mienne ?

— Oh, tu as tout le temps, ma chérie. Je tiens d'abord à ce que tu t'habitues, c'est le plus important.

— Ce n'est pas juste, déclarai-je en regardant du côté où la fillette était partie. Je pourrais peut-être aider May ?

Tante Sarah m'entraîna résolument vers le porche.

— Non, ma chérie, elle se débrouillera. Parle-moi plutôt de ta journée. Laura le faisait si bien que j'avais l'impression d'avoir vécu tout ce qu'elle racontait, dit-elle avec un petit rire attendri.

Elle s'assit dans un rocking-chair et je pris place sur le petit banc de bois. De minces nuages s'interposaient entre le soleil et nous, un souffle de vent frais me fit frissonner. Je regardai du côté de la plage où le soleil brillait toujours et me lançai dans le récit de ma journée.

Je fis part à tante Sarah de mes impressions sur mes professeurs ; j'expliquai que, loin d'être en retard sur les autres, j'avais même, en certaines matières, un peu d'avance. Elle m'écouta avec attention, mais parut déçue, comme si je n'avais pas abordé le sujet qui lui tenait le plus à cœur.

— Tu ne t'es pas encore fait d'amies, alors ?

— J'ai trouvé Theresa Patterson sympathique, déclarai-je, ce qui lui fit faire la grimace.

— Tu devrais plutôt te lier avec les filles des meilleures familles de la ville, ma chérie. C'est le bon moyen de rencontrer des jeunes gens intéressants et respectables.

Tante Sarah s'interrompit, le temps d'un sourire.

— Je suis certaine que tu y arriveras, Melody, tu es trop jolie pour ne pas réussir. C'est ce que je disais toujours à Laura, et il n'y a aucun doute... aucun doute...

Elle hésita, comme si elle ne savait plus ce qu'elle avait eu l'intention de dire, et se tourna brusquement vers l'océan.

— Nous allons avoir une marée de morte-eau, ce soir, d'après Jacob.

— Une marée de morte-eau ? Qu'est-ce que c'est ?

— C'est quand la lune est à son premier quartier ou à son dernier, comme ce soir. Les brisants seront à découvert jusqu'à au moins deux mètres. Ne t'approche pas de l'eau, ce soir.

Tante Sarah se tut et libéra un profond soupir.

— Laura est sortie pendant la morte-eau, et elle n'est jamais revenue. Je n'ai jamais revu son visage. On n'a retrouvé que le corps de Robert, acheva-t-elle en secouant la tête.

— Mais elle a une tombe, pourtant ?

— Oui. J'ai voulu qu'elle ait un monument, un lieu de repos pour son esprit. Je peux aller là-bas quand je veux et lui parler, tu sais ? (Ma tante eut son étrange et doux sourire.) Je lui ai dit de veiller sur toi. C'est pourquoi je sais qu'elle aurait voulu que je te donne ceci, ajouta-t-elle en fouillant dans sa poche. Tends ta main gauche.

Je lui obéis et, avant que j'aie pu esquisser un geste pour résister, elle avait passé à mon poignet un bracelet porte-bonheur et fait jouer le fermoir.

— Là, voilà. Il te va parfaitement.

— Mais je ne peux pas le prendre, me récriai-je. Ce n'est pas bien !

— Mais si, voyons, sans ça Laura n'aurait pas voulu que tu l'aies. Il te portera chance. Tu sais pourquoi, je suppose ?

Je fis signe que non, n'osant pas deviner.

— Tu es née le 12 juin, c'est ça ?

— Oui, murmurai-je en retenant mon souffle.

Le sourire de tante Sarah s'épanouit.

— Alors, tu ne sais pas ?

— Qu'est-ce que je devrais savoir ?

— Laura est née le 20, vous êtes Gémeaux toutes les deux. Tu vois, maintenant ?

Je ne voyais rien du tout, et j'attendis la suite.

— Gémeaux... les jumeaux. C'était le signe de Laura, c'est celui de Cary et le tien. N'est-ce pas merveilleux ?

— Je ne connais rien à l'astrologie, marmonnai-je.

— Je te montrerai ta constellation, un soir, quand le ciel sera clair. Nous adorions contempler la nuit, Laura et moi.

Tante Sarah leva les yeux au ciel, comme s'il grouillait d'étoiles, et au même instant la petite May se montra timidement dans l'embrasure de la porte. Ma tante lui demanda si elle avait terminé sa tâche, et elle fit signe que oui.

J'en profitai pour suggérer :

— Nous pourrions aller voir le champ d'airelles, toutes les deux ?

Tante Sarah hocha la tête, déçue que je n'aie pas envie de m'attarder davantage, et traduisit rapidement sa décision à May. Rayonnante, la fillette se suspendit à ma main et la tirailla pour m'inviter à la suivre.

— Ne rentrez pas tard ! lança tante Sarah du porche.

— Promis.

— J'ai préparé un bon flétan pour le dîner, cria-t-elle encore. C'était un des plats favoris de Laura.

May me conduisit au sommet de la colline où nous fîmes halte pour contempler le champ. Il était en pleine floraison, déployé à nos pieds comme un autre océan, mais rose clair. May se mit à gesticuler frénétiquement, et je devinai qu'elle m'expliquait comment on cultivait et cueillait les airelles. C'était frustrant de ne pas comprendre.

Je la fis asseoir près de moi, ouvris le livre et nous commençâmes à étudier ensemble. C'était le meilleur moyen pour moi de progresser rapidement, me semblait-il. Nous étions toujours en train de pratiquer les exercices quand l'oncle Jacob et Cary revinrent du débarcadère.

— Hé ! vocifèra Cary, ramène-la à la maison !

Il adressa quelques signes à May, qui se leva aussitôt. Utilisant mes connaissances toutes fraîches, je lui transmis : « Merci », et elle se jeta à mon cou. Cary nous fusilla du regard. Baissant le nez d'un air bougon, il repartit d'un pas saccadé dans le sillage de son père et je pris la main de May pour redescendre la colline.

Quand nous arrivâmes à la maison, Cary était dans la salle de séjour avec l'oncle Jacob.

— May m'a montré le champ d'airelles, lui expliquai-je. C'est vraiment magnifique.

Il émit un petit ricanement méprisant.

— Attends le moment de la récolte, tu trouveras peut-être ça moins magnifique.

Là-dessus, il passa devant moi pour monter à l'étage.

— Si je suis encore là ! criai-je derrière son dos.

Ne pourrais-je donc jamais rien dire sans qu'il me rabroue ? Je n'eus pas le temps de ruminer la question, l'oncle Jacob m'ordonna rudement :

— Va voir si tu peux aider ta tante pour le dîner.

Il ne m'avait même pas dit bonsoir, n'avait pas posé une seule question sur ma première journée de classe. Il se carra dans son fauteuil et déploya son journal.

May ne m'avait pas quittée des yeux, s'interrogeant visiblement sur la signification de ces mines renfrognées. Je la rassurai d'un sourire, et au même instant le téléphone sonna.

Mon Dieu, implorai-je en silence, faites que ce soit maman !

Elle avait des torts envers moi et m'avait bien des fois déçue, mais qu'importait ? Jamais je n'avais eu autant besoin d'entendre sa voix.

L'oncle Jacob alla décrocher d'un air maussade et grogna un « allô » revêche, les yeux fixés sur moi.

— Je t'ai dit d'aller aider ta tante, aboya-t-il.

Je quittai la pièce mais m'arrêtai à un pas de la porte, l'oreille tendue.

« Oui, grogna Jacob, elle est là. Elle ressemble beaucoup à Hellie, vous le verrez bien assez tôt vous-mêmes. Ça va réveiller de vieux souvenirs, forcément.

Brusquement, j'eus la sensation qu'un regard pesait sur moi et me retournai. Du milieu de l'escalier, Cary m'observait d'un œil noir.

— Les jeunes filles bien élevées n'écoutent pas aux portes, jeta-t-il d'un ton cinglant.

Et il reprit son ascension, me laissant glacée de malaise. J'en aurais pleuré, mais je ravalai mes larmes. Et je me dirigeai vers la cuisine où, j'en étais sûre, tante Sarah m'attendait pour m'apprendre à préparer le plat favori de Laura.

8

Vent d'orage

COMME la veille, le dîner fut précédé d'une prière et d'un passage de la Bible. L'oncle jeta un coup d'œil à Cary, un autre à May, puis il se tourna vers moi.

— Autant commencer tout de suite, annonça-t-il. C'est ton tour.

J'interrogeai tante Sarah du regard.

— Il veut que tu lises un passage du Livre Saint, m'expliqua-t-elle. Laura lisait toujours après Cary.

— Je peux lire à sa place, si elle ne veut pas, proposa mon cousin d'un ton narquois.

— Cela ne m'ennuie pas du tout, m'empressai-je de répondre. Que dois-je lire ?

L'oncle Jacob me tendit le livre ouvert, désignant du pouce le verset choisi. Je commençai.

— « Qui trouvera une femme vaillante ? Son prix surpasse de beaucoup celui des rubis.

« Le cœur de son mari se confie en elle, et les profits ne lui manquent pas.

« Elle lui fait du bien tous les jours de sa vie, et jamais de mal.

« Elle cherche de la laine et du lin, et elle fait de ses mains ce qu'elle veut. »

— Bien, approuva l'oncle Jacob, manifestement satisfait de ma diction.

Et quand j'eus achevé ma lecture, il répéta, les yeux fixés sur moi :

« Bien. Souvenons-nous de ces paroles. Amen.

Je savais ce qu'il pensait de ma mère. Avait-il choisi ce chapitre parce qu'il me croyait en tout point semblable à elle ? Je n'osai pas lui poser la question.

Sitôt le repas commencé, Cary et lui se lancèrent dans une discussion sur la pêche au homard, et de mon côté j'essayai de communiquer avec May. Je vis bien que Cary m'observait du coin de l'œil, et quelque chose que je fis lui arracha un sourire. Mais subitement, l'oncle Jacob se fâcha.

— Dis à ta fille de manger au lieu de bavarder, ordonna-t-il à tante Sarah. Elle nous dérange.

— Oui, Jacob.

Tante Sarah transmit l'ordre à May, qui baissa le nez sur son assiette et cessa toute tentative de contact avec moi. Je m'avisai alors que je n'avais jamais vu l'oncle Jacob s'adresser directement à elle. Jusqu'ici, c'était toujours Cary, tante Sarah ou moi qui nous en chargions.

— Je suis désolée, m'excusai-je. C'était de ma faute. J'essaie d'apprendre le langage des signes.

— Eh bien fais-le après le dîner ! aboya l'oncle en réponse.

Et là-dessus, il se tourna vers Cary pour lui parler de la fabrication de nouveaux casiers à homards.

Le dîner fini, j'aidai tante Sarah à débarrasser la table et naturellement, elle en revint aux qualités de Laura.

— Ses filets de bar auraient mérité un prix, affirmait-elle, et ses tourtes au poisson étaient un régal. Cette fille avait de l'intelligence au bout des doigts.

— J'ai souvent fait la cuisine pour papa, observai-je.

— Ah oui ? Ça ne m'étonne pas. Hellie n'avait rien d'un cordon-bleu, elle avait autre chose en tête.

— Comme quoi, par exemple ?

— Rien du tout, riposta précipitamment tante Sarah. Il vaut mieux ne pas parler de ces choses-là. Le fait est que...

Elle coula un regard vers la porte et baissa la voix jusqu'au soupir.

— Jacob n'aime pas que je fasse allusion à elle, ni à cette époque-là.

— Eh bien moi, j'aimerais bien entendre parler d'elle, justement.

— Non, ma chérie. Tu n'aimerais pas, déclara ma tante.

Et, changeant brusquement de sujet, elle enchaîna :

— T'ai-je dit que Laura était très douée pour les travaux d'aiguille ? Il faut que je te montre ses broderies. Elles sont toutes dans ma chambre, accrochées aux murs, sauf une qu'elle n'a jamais terminée. As-tu déjà brodé, Melody ?

— Non, répliquai-je d'un ton boudeur.

— Il faudra que tu essaies, alors. Je suis sûre que tu y arriveras très bien.

— Ça m'étonnerait, bougonnai-je. Y a-t-il autre chose que je puisse faire pour vous aider, ma tante ?

— Non, ça ira. Tu as du travail de classe, je suppose ?

— Oui.

— Alors monte vite, ma chérie. J'irai te voir avant d'aller me coucher.

Je me précipitai dans l'escalier. Mais en arrivant en haut, je vis qu'une échelle articulée descendait du plafond et je levai les yeux : elle conduisait à une trappe dont le panneau était ouvert. Un peu de lumière filtrait du grenier. Je m'approchai, grimpai lentement aux barreaux et risquai un coup d'œil dans la pièce. À la lueur de deux lampes à pétrole, je distinguai une table et une chaise, des cartons, des coffres, des vieux tableaux et toutes sortes d'antiquités. Mais ce qui m'intéressa le plus furent les maquettes de bateaux, construites en balsa. Il y en avait une sur la table, en voie d'achèvement. Les autres, peintes avec minutie, s'alignaient sur des étagères et certaines avaient même de minuscules équipages qui manœuvraient les voiles.

Sur ma droite, près d'un divan fatigué, un télescope était pointé vers l'unique fenêtre.

— Qu'est-ce que tu fais là ?

Je me retournai à la voix de Cary et l'aperçus qui m'observait d'en bas.

— Je me demandais ce qu'il y avait là-haut, c'est tout. C'est toi qui as fait les bateaux ?

— D'abord ce ne sont pas des bateaux, mais des vaisseaux. En plus, le grenier est un endroit privé, figure-toi.

— Désolée, murmurai-je en redescendant les échelons.

Mais sur l'avant-dernier, mon pied glissa et je tombai dans les bras de Cary, le visage à quelques centimètres du sien. À la seconde même où il se rendit compte qu'il me serrait sur sa poitrine, il me lâcha et j'atterris rudement sur les talons. Cary était écarlate.

— Voilà pourquoi je n'aime pas qu'on monte là-haut, commenta-t-il en escaladant les barreaux. C'est dangereux.

— Désolée, m'excusai-je encore avant qu'il n'eût atteint le haut de l'échelle. Les maquettes, c'est ton hobby ?

Un « oui » bref me parvint d'en haut, et mon cousin remonta l'échelle derrière lui.

— Je n'ai pas la rougeole, tu sais ! lui renvoyai-je avec humeur.

Il hésita un court instant, puis referma la trappe.

— Bon débarras, grommelai-je en me hâtant vers ma chambre.

Je me plongeai dans mon travail de classe. Mais de temps en temps, j'entendais Cary marcher au-dessus de moi et je levais les yeux, guettant son pas jusqu'à ce que le bruit cesse. Puis un autre bruit me parvint, d'en bas cette fois : la sonnerie du téléphone. J'attendis, retenant mon souffle, et j'entendis enfin la voix de tante Sarah :

— Le téléphone, ma chérie. Dépêche-toi, c'est Hellie. Un appel longue distance.

— Maman ! m'écriai-je en me ruant vers l'escalier.

J'entrai en coup de vent dans la salle de séjour. L'oncle Jacob fumait sa pipe dans son fauteuil, en feuilletant du pouce un catalogue de vente par correspondance. Il me jeta un rapide coup d'œil et se remit à tourner les pages, mais ne fit pas mine de se lever. Tante Sarah, elle, se tenait sur le seuil de la pièce : il ne fallait pas compter sur la moindre intimité. Résignée, je m'emparai du combiné.

— Maman ?

— Bonsoir, ma chérie ! Tu vois, je t'appelle à la première occasion, comme promis. Sarah m'a dit que tu as déjà repris la classe et que tu t'en tires très bien.

— C'est vrai, maman. Où es-tu ?

— Nous sommes en route pour New York, répondit-elle avec enthousiasme. Les gens que nous devions voir à Boston n'étaient pas disponibles, contrairement à ce qu'ils avaient promis à Richard. Mais il doit me présenter à des gens de New York et de Chicago, et de là nous irons à Los Angeles.

— Los Angeles ? Mais maman, quand pourrais-je... quand nous reverrons-nous ? demandai-je le plus calmement possible.

— Bientôt, mon chou. Très bientôt, je te le promets.

— Je pourrais au moins te rencontrer quelque part, maman. Je pourrais prendre un autobus et...

— Ne me rends pas les choses plus difficiles qu'elle ne le sont, ma chérie. Je viens déjà d'avoir une grosse déception. Montre-toi coopérative, je t'en prie.

— Mais j'ai besoin de mes affaires, insistai-je. Tu ne m'as pas laissé d'argent, maman. Je ne peux pas appeler mes amies ni Mama Arlène.

— J'appellerai Mama Arlène dès que j'arriverai à New York, je te le promets.

À l'autre bout du fil, un coup de klaxon retentit et j'entendis quelqu'un crier.

— J'arrive ! glapit maman à son tour. Bon, il faut que j'y aille, mon chou, je suis déjà en retard. Je t'appelle dès que je peux, sois bien sage. Au revoir !

— Mais, maman...

La ligne fut coupée. Des cris silencieux s'étranglaient dans ma gorge, des larmes figées m'embuaient les yeux. Je crispais les doigts sur le combiné.

— Raccroche correctement, m'ordonna l'oncle Jacob. J'attends un appel important.

J'obéis et, sans un regard pour lui ni pour tante Sarah, je quittai précipitamment la pièce.

— Une minute, jeune fille ! me rappela-t-il d'un ton grondeur. Reviens ici tout de suite.

J'inspirai longuement et revins sur mes pas, le cœur près d'éclater tant il cognait contre mes côtes.

— Oui, monsieur ?

— On remercie les gens quand on se sert de leurs affaires. Sarah n'est pas ta secrétaire.

— Excusez-moi. Merci, tante Sarah.

— Il n'y a pas de quoi, ma chérie. Est-ce que tout va bien pour Hellie ? s'enquit-elle avec douceur.

— Oui.

— Tant mieux. Je te monterai un verre de lait chaud tout à l'heure, si tu veux ?

— Ce n'est pas la peine, tante Sarah, je vous assure.

— Je le faisais toujours pour Laura, précisa-t-elle. Et j'en apporterai à May aussi.

Elle me fixait, les yeux agrandis d'angoisse douloureuse, et je finis par regarder l'oncle Jacob. Il semblait prêt à bondir.

— Dans ce cas, j'en prendrai volontiers, tante Sarah. Je vous remercie.

Son visage s'éclaira, l'ombre quitta son regard. Je réussis à lui sourire et m'élançai dans l'escalier. Sitôt arrivée dans ma chambre, je tirai la porte derrière moi et me jetai à plat ventre sur le lit, étouffant mes sanglots dans l'oreiller.

J'aurais voulu être ailleurs. Je détestais cet endroit. Je ne m'étonnais plus que papa ait rompu avec cette famille ! Et je pensais, sincèrement, que j'aurais été plus heureuse si maman m'avait confiée à un orphelinat.

Soudain, je sentis qu'on me touchait l'épaule et je me retournai, pour croiser le regard craintif et plein de compassion de la petite May. Elle s'était approchée si doucement que je ne l'avais pas entendue venir. Ses mains s'agitèrent vivement, et je compris qu'elle voulait savoir pourquoi je pleurais.

— Ma mère me manque, articulai-je.

Et comme elle demeurait perplexe, je pris le manuel de langage des signes sur la table de nuit, cherchai les figures nécessaires et les exécutai. May inclina la tête, répondit qu'elle avait de la peine pour moi et me serra dans ses bras.

Quelle enfant délicieuse, pensai-je avec émotion. Et comme c'était triste que la seule personne avec qui je me sentais à l'aise, dans cette maison, fût aussi la seule qui ne dût jamais entendre le son de ma voix.

Elle n'entendait pas davantage les piétinements qui provenaient de la pièce du dessus, mais elle suivit la direction de mon regard. Et elle comprit.

— Ca-ry, proféra-t-elle, avant d'esquisser du geste la construction d'une maquette.

Je m'appliquai à transmettre à mon tour :

— Oui. Vas-tu là-haut, toi aussi ? Cary te le permet ?

Elle réfléchit, secoua la tête et murmura : « seulement », puis désigna le portrait de Laura.

Seulement Laura, pensai-je tout haut, le regard au plafond. May confirma d'un grognement ma déduction, puis m'expliqua, en mots et en signes, que son frère était malheureux.

Cary souffrait, me dis-je, levant à nouveau les yeux vers le plafond. Et, pendant un instant au moins, j'en oubliai mon propre chagrin.

May retourna dans sa chambre pour finir ses devoirs et j'achevai les miens, moi aussi. Puis elle revint et nous nous exerçâmes à communiquer par signes, jusqu'à ce qu'il fût temps pour elle de se mettre au lit.

Je fis ma toilette, et je venais de me mettre en chemise de nuit quand tante Sarah m'apporta un verre de lait chaud. Elle tenait quelque chose sous le bras, une sorte de rouleau. Elle le déploya et me fit admirer la tapisserie que Laura n'avait jamais terminée. C'était le portrait d'une femme, debout sur un balcon de veuve, le visage tourné vers la mer.

— Le dessin aussi est de Laura, m'apprit tante Sarah. Il est beau, n'est-ce pas ?

— Oui.

— Tu crois que tu pourras le finir à sa place, ma chérie ? Moi, c'est au-dessus de mes forces, ajouta-t-elle avec un profond soupir.

— J'aurais peur de le gâcher, tante Sarah.

— Mais non, certainement pas. Je le laisse ici, d'accord ? Demain je t'apporterai les fils et je t'apprendrai le point.

— Je n'ai jamais fait ce genre de choses, protestai-je encore.

En pure perte. Tante Sarah ne parut pas, ou ne voulut pas m'entendre. Elle venait de remarquer le deuxième chat en peluche, presque identique au premier.

— Seigneur ! s'écria-t-elle, abasourdie. D'où sort-il, celui-là ?

— Il est à moi. C'est un cadeau de papa.

— C'est incroyable ! Cary a gagné l'autre pour Laura, dans une foire. Et l'ours, c'est toi qui l'as amené, lui aussi ?

— Oui.

— Les Gémeaux, murmura-t-elle. Votre signe à tous.

Son regard attristé fit le tour de la chambre, s'attarda sur moi, puis elle sourit et s'en alla, chuchotant un souhait de bonne nuit presque inaudible.

J'étais exténuée. J'avais eu une journée fertile en émotions. J'avais connu la peur, la colère, la curiosité, le chagrin. J'avais ressenti avec joie l'affection de May, apprécié la sincérité de son accueil. Pour moi, c'était bien le seul rayon de soleil dans cet océan de tristesse.

Impulsivement, je saisis mon violon et me mis à jouer un air mélancolique. Il exprimait parfaitement mon humeur, et jaillissait du plus profond de moi-même. Je fermai les yeux et me retrouvai dans notre caravane, jouant pour papa. Assis sur le canapé, il m'écoutait avec un léger sourire, les yeux brillants de fierté. Quand j'aurais fini, je le savais, il allait me prendre dans ses bras, me serrer contre lui avec sa force immense et douce, et couvrir mon front et mes joues de baisers...

Une série de coups rapides martela bruyamment le mur.

— Arrête ce tintamarre ! vociféra l'oncle Jacob. Tout le monde a besoin de dormir.

Telle une bulle qui crève, ma vision nostalgique s'évanouit. Je remis le violon dans son étui, me glissai sous la couette, éteignis la lampe à pétrole. Puis j'écoutai le rugissement de l'océan. Un calme absolu régna dans la maison, du moins pour quelque temps, puis je perçus ce que j'identifiai nettement comme des sanglots.

— Va te coucher ! tonna l'oncle Jacob, d'une voix qui semblait sortir des murs.

Les sanglots cessèrent. À nouveau, j'entendis gronder l'océan. Le même océan qui avait emporté Laura, loin de cette maison, loin de cet univers lugubre où j'avais maintenant pris sa place.

Le lendemain matin, selon les instructions de tante Sarah, je préparai le déjeuner pour Cary et moi. Laura s'en était toujours chargée, j'en conclus que cela faisait partie de mes tâches quotidiennes. Nous devions avoir un sandwich et une pomme chacun, plus un demi-dollar pour nous acheter une boisson. Le repas de May lui était toujours servi à son école.

En quittant la maison, ce fut ma main qu'elle prit ce matin-là, et non celle de Cary. Il s'arrêta un instant, manifestement froissé, mais ne fit aucune réflexion.

— En route, grommela-t-il en nous précédant, je ne tiens pas à arriver en retard.

Il marchait si rapidement que May dut pratiquement courir pour ne pas se laisser distancer. Quand nous l'eûmes déposée à son école, je risquai une tentative de conversation.

— Depuis combien de temps construis-tu des maquettes de voiliers ? commençai-je.

Il me regarda comme si j'avais posé une question inepte.

— Depuis longtemps, et ce ne sont pas des jouets.

— Je n'ai jamais dit que c'en était. Les adultes aussi ont des passe-temps favoris. Papa George taillait des flûtes dans des branches de noyer. C'est même lui qui a fabriqué mon violon.

— Pourquoi appelles-tu cette personne « Papa George » ? s'informa Cary avec dédain. Ce n'est pas ton grand-père. Dimanche, tu vas rencontrer ton vrai grand-père.

— Papa George est le seul grand-père que j'aie connu, répliquai-je avec assurance. Et en ce qui me concerne, Mama Arlène et lui sont mes véritables grands-parents.

— Ils n'ont pas d'enfants à eux ?

— Non.

Une lueur de malice pétilla dans les yeux de Cary.

— Alors pourquoi Hellie ne t'a-t-elle pas laissée chez eux, quand elle est partie pour devenir vedette de cinéma ?

— Papa George a une grave maladie pulmonaire.

— La bonne excuse ! marmonna mon cousin.

C'en était trop. Je l'empoignai par le coude et le fis pivoter vers moi, l'obligeant à s'arrêter. Il ouvrit des yeux ronds, surpris et choqué par cette brutale réaction de ma part. Je n'en revenais pas moi-même.

— Ce n'est pas une excuse, il est très malade. Je ne sais pas pourquoi tu me détestes, Cary Logan, et c'est le cadet de mes soucis. Si c'est comme ça que ça doit être, ça sera comme ça. Mais ne t'imagine pas que je vais te laisser me couvrir de ridicule, ou dire du mal des gens que j'aime !

Mon cousin passa de la surprise indignée à ce qui ressemblait à de l'approbation, puis il reprit sa contenance habituelle.

— Il ne faut pas que j'arrive en retard, déclara-t-il en repartant au pas de course. J'ai déjà deux blâmes.

Je courus pour le rattraper.

— Toi, tu as deux blâmes ? Et pourquoi ça ?

Quelle infraction au règlement avait donc bien pu commettre Grandpa Cary pour s'attirer pareille sanction ? La réponse se fit attendre.

— Pour une bagarre, finit par dire mon cousin.

Et je ne pus me retenir de riposter :

— Comment se fait-il que cela ne m'étonne pas vraiment ?

Si les regards avaient pu tuer, je crois que je serais morte sur place. Pendant quelques secondes, Cary me dévisagea d'un œil noir, puis il repartit au pas de charge. Et cette fois, il conserva son avance jusqu'au lycée.

Theresa Patterson m'accueillit amicalement, et nous échangeâmes quelques mots entre les cours. Mais comme elle n'était plus tenue de me piloter, elle resta en compagnie de ses propres amis. Elle n'eut pas à me le dire, mais je savais que si elle avait recherché la mienne, ils lui en auraient voulu. C'était la même chose à Sewell, et probablement dans toutes les écoles. Les élèves se groupaient par affinités, formaient des clans où ils se sentaient plus à l'aise et en sécurité qu'avec les autres, ceux qui n'en faisaient pas partie.

Au déjeuner, je me retrouvai seule jusqu'à ce que Lorraine, Janet et Betty viennent me rejoindre, ainsi que deux de leurs amies. La petite lueur qui jouait dans les yeux de Betty m'avertit tout de suite qu'il se tramait quelque chose.

— Eh bien, commença Lorraine d'un air innocent, après deux jours passés dans notre lycée, comment le trouves-tu ?

— Très bien. Les professeurs sont très sympathiques.

— Et les garçons ? plaça Janet. Tu les trouves plus beaux que ceux de Virginie ?

— Je n'ai pas vraiment eu le temps de les regarder, répondis-je sans réfléchir.

Et, devant leur mine sceptique, je m'empressai d'ajouter :

— C'est difficile d'arriver dans un nouveau lycée en plein troisième trimestre. Il faut que je me mette au niveau.

L'une des deux nouvelles venues parut comprendre ma situation, mais Betty eut une grimace railleuse.

— Tu ne m'as pas donné l'impression d'avoir des problèmes de ce côté-là, pourtant.

— Mais Grandpa risque d'en avoir, observa Janet. Il pourrait même ne pas décrocher son bac, à ce qu'on dit.

Lorraine hocha la tête d'un air entendu.

— D'après Billy Wilkins, Grandpa va louper ses épreuves d'anglais.

— Tu pourrais peut-être l'aider ? suggéra Betty.

— Ça c'est vrai, il faudrait lui montrer comment s'y prendre !

Un éclat de rire général accueillit cette réflexion de Janet. Je me sentis mystifiée.

— Je peux savoir ce que tu veux dire par là ?

Cette fois, je n'obtins pas de réponse. Les filles échangèrent des regards brefs et attaquèrent leur déjeuner. Mais au bout d'un moment, Betty me demanda :

— Est-ce que vous dormez dans la même chambre ?

— Dans la même chambre ? répétai-je, éberluée.

— Oui, Grandpa et toi ? Il paraît que Laura et lui partageaient la même chambre depuis leur naissance.

— Bien sûr que non ! Et ils ne le faisaient pas non plus.

— Ça, je n'en mettrais pas ma main au feu, rétorqua Lorraine.

J'entrepris de mettre les choses au point.

— Laura avait une très belle chambre, celle que j'occupe maintenant. Aucune de vous n'est jamais allée chez mon oncle et ma tante, alors ?

— Non, répondit Betty pour tout le monde.

Et Janet ajouta :

— Laura était une fille assez bizarre. Toute la famille est comme ça, d'ailleurs.

— Elle n'aimait pas s'amuser avec les filles de son âge, expliqua Lorraine. On aurait dit une vieille dame ; toujours en train de cuisiner, de nettoyer ou de faire des confitures avec sa mère.

Janet gémit, l'air navré :

— Je ne me souviens pas de l'avoir vue à l'une de nos soirées dansantes.

— Robert Royce était le seul amoureux qu'elle ait jamais eu, dit Lorraine.

— Malheureusement pour lui, commenta Betty.

Et Janet avança, mine de rien :

— Tandis que Grandpa n'a jamais eu la moindre amourette, lui. Du moins à notre connaissance.

— Mais maintenant, nous avons quelqu'un pour nous renseigner, se réjouit Lorraine. Allez, raconte, Melody.

— Que voulez-vous que je raconte ?

— Est-ce que Grandpa s'enferme dans la salle de bains pour regarder des magazines cochons ?

Une nouvelle gerbe de rires jaillit. Je devins pivoine.

— Et quand il va se coucher, minauda Betty, est-ce que tu entends grincer les ressorts de son lit ?

Cette fois, je n'y tins plus. J'explosai.

— Vous êtes vraiment dégoûtantes !

Du coup, les gloussements cessèrent, et Janet tenta de m'amadouer.

— Allons, Melody. Je suis sûre que tu es curieuse à son sujet, toi aussi ?

— J'avoue qu'il n'est pas mal, renchérit Lorraine en lorgnant Cary à travers la salle. Peut-être que tu arriverais à le décoincer, nous pourrions même t'aider.

— Mais de quoi parlez-vous ?

Un silence s'abattit sur le groupe : les filles avaient les yeux fixés sur le professeur qui assurait la surveillance. Puis Betty fit signe à Lorraine, qui avait posé son cartable entre nous deux, et elle y prit rapidement quelque chose qu'elle me fourra dans la main. On aurait dit une des cigarettes que Papa George se roulait lui-même.

— Je ne fume pas, déclarai-je, m'attirant un rictus méprisant de Betty.

— Ce n'est pas une cigarette, espèce d'idiote ! C'est un joint. Laisse-le sous la table, sinon M. Rotter pourrait le voir.

— Je n'en veux pas.

J'essayai de rendre à Lorraine son cadeau compromettant, mais elle repoussa ma main.

— Garde-le pour quand tu auras l'occasion de l'offrir à Grandpa, c'est bon pour ce qu'il a.

— Tu n'auras qu'à nous dire l'effet que ça lui aura fait, me recommanda Betty. C'est tout ce qu'on te demande. Vite, planque ça ! Voilà M. Rotter !

Je manquai défaillir de frayeur. Il me semblait que tous les yeux étaient fixés sur moi, guettant ma réaction. Le professeur nous adressa un sourire affable.

— Bonjour, jeunes filles. Alors, vous aidez votre nouvelle compagne à s'adapter ?

— Oui, monsieur Rotter, répondit Lorraine en battant des paupières.

— C'est bien vrai, Melody ?

Je crus que la voix allait me manquer, mais je réussis à proférer un timide :

— Oui, monsieur.

— Tant mieux, tant mieux, dit-il en s'éloignant entre les tables.

Et je pus enfin libérer le soupir qui m'étouffait.

— Bravo, me félicita Betty. Tu t'en es bien tirée. Au fait, nous organisons une petite fête nocturne sur la plage, samedi. On se retrouve vers huit heures chez Janet. On fera des grillades, et ce sera une occasion pour toi de rencontrer des garçons normaux.

— Je ne sais pas si je peux. Je demanderai à ma tante.

— Tu n'as pas besoin de lui donner de détails, intervint Janet, sinon elle ne te laissera pas venir. Tu n'auras qu'à dire que tu viens réviser avec moi pour un contrôle. Ça marche toujours.

— C'est que... je n'aime pas mentir.

Janet eut un sourire apitoyé.

— On voit que tu n'habites pas depuis longtemps chez les Logan. Tu t'y feras, va, et tu finiras par aimer ça.

La sonnerie annonçant la fin de la pause me dispensa de répondre. Tout le monde se leva, moi la dernière, et à ce moment seulement je repris conscience d'un détail que j'avais totalement oublié. Je tenais toujours le joint dans ma main. Je le laissai tomber dans le sac de mon sandwich et, en quittant la cafétéria, jetai le tout dans la poubelle.

Au moment où je sortais, quelqu'un me heurta brutalement et je me retournai, pour me trouver face à face avec le plus beau garçon que j'eusse jamais vu. Des yeux bleus tout simplement éblouissants, un sourire ensorceleur, des lèvres au dessin ferme découvrant des dents parfaites, et avec cela une crinière brune tombant en vague souple en travers du front. Large d'épaules, étroit de hanches, cet adonis avait le teint aussi hâlé que Cary, mais en plus éclatant ; on l'aurait facilement pris pour un jeune premier de cinéma.

— Désolé, s'excusa-t-il. Je t'ai fait mal ?

— Non, pas du tout.

— Je crains d'être un peu obnubilé par mon examen d'histoire européenne, en ce moment. D'habitude, je ne suis pas si balourd. Alors c'est toi, la nouvelle ?

— En effet, acquiesçai-je en souriant.

— Je m'appelle Adam Jackson.

— Melody Logan, annonçai-je à mon tour.

— Bienvenue à Provincetown, Melody. Je vois que tu t'es déjà fait des amies. Tu vas à leur soirée-grillades, samedi soir ?

— Je ne sais pas encore... je réfléchirai.

— J'espère t'y voir ! sourit Adam le magnifique en allant rejoindre ses amis.

Au nombre desquels, remarquai-je, se trouvait une ravissante brunette. Elle me jeta un regard de défi et, passant le bras sous celui d'Adam, l'entraîna rapidement dans le couloir. Je le suivis des yeux, toute songeuse, jusqu'au moment où Lorraine me poussa du coude. Elle était avec le groupe, qui avait suivi toute la scène.

— Attention, m'avertit-elle, c'est Adam Jackson.

— Je sais. Il me l'a dit.

— Est-ce qu'il t'a dit aussi qu'il fait une encoche à la proue de son bateau pour chacune de ses conquêtes ?

— Quoi !

— Encore une entaille et son bateau pourrait bien couler, ajouta Betty.

Nous étions en route pour gagner la classe avant que j'aie repris mon souffle, mais je n'avais pas encore tout entendu.

— À moins que ça ne la dérange pas de mériter une encoche de plus, railla Janet. Ça te plairait, Melody ?

— Quoi ?

Une fois de plus, les rires éclatèrent autour de moi. Je commençais à me sentir aussi perdue et impuissante qu'un ballon pris dans une rafale, tiraillée de-ci, de-là, au gré du vent. Et il y avait à peine deux jours que j'étais là !

M. Malamud, le professeur de chimie, me retint après la classe pour vérifier si j'étais bien au niveau. C'était mon dernier cours de l'après-midi, et quand je quittai le lycée, Cary ne m'attendait pas. Supposant qu'il était allé chercher May, je pris le chemin le plus court pour rentrer.

— Melody ! Je commençais à m'inquiéter, s'écria tante Sarah quand j'arrivai à la maison. Cary et May sont là depuis un bon moment.

Je lui expliquai rapidement la raison de mon retard.

— Tu aurais dû prévenir Cary, ma chérie.

— Je ne le vois pratiquement pas au lycée, ma tante. Nous nous parlons à peine, et ce n'est certainement pas ma faute, ajoutai-je.

Puis je montai dans ma chambre pour échanger ma tenue de classe contre des jeans. Je trouvai le canevas étalé sur le lit, à côté d'une boîte contenant un assortiment de fils. Un moment plus tard, tante Sarah se montra sur le seuil.

— Je t'apprendrai le point qui convient, proposa-t-elle.

— C'est que je ne suis pas du tout douée pour ça, tante Sarah.

— Mais si. Une fois que tu auras commencé tu t'en tireras très bien, j'en suis sûre.

J'allais lui renouveler mes protestations lorsque Cary apparut derrière elle, dans le couloir.

— Si elle n'a pas envie, ne la force pas, mère ! cracha-t-il d'un ton féroce.

Tante Sarah porta la main à sa gorge.

— Mais... je n'avais pas l'intention de...

Son désarroi vint à bout de ma résistance.

— C'est entendu, ma tante. J'apprendrai, si vous y tenez.

Cary afficha une mine amusée on ne peut plus exaspérante, puis il descendit l'escalier quatre à quatre et sortit. Rassurée, tante Sarah entreprit aussitôt de m'enseigner le fameux point. Et non seulement j'appris très vite mais, à mon vif étonnement, j'y pris plaisir.

— Dès que cet ouvrage sera fini, je l'encadrerai pour le mettre avec les autres, me promit tante Sarah. Mais tu n'es pas obligée de continuer ce soir. Tu as eu une rude journée, va plutôt prendre l'air. Laura aimait beaucoup ramasser des coquillages.

May n'avait pas terminé ses tâches, je sortis donc seule. Le ciel montrait toujours de grandes plages de bleu, mais de gros nuages arrivaient rapidement de l'horizon et s'amassaient, annonçant l'orage. L'océan aussi s'agitait. Le bateau-vivier, où se tenaient Cary et Rob, dansait sur les vagues à côté du ponton. Comme je marchais vers les dunes, je vis Cary quitter l'embarcation et s'avancer dans ma direction.

— Il va y avoir un grain, annonça-t-il en s'approchant. Le vent est au nord-est.

Et comme, après qu'il m'eut croisée, je continuais de marcher vers l'océan, il me rappela rudement :

— Tu as entendu ce que je t'ai dit ?

Je me retournai, cette fois, et il reprit d'un ton bourru :

— Regarde le ciel. Même une terrienne à la manque peut se rendre compte que la pluie menace.

— Ne me traite pas de terrienne à la manque !

Mon cousin daigna sourire.

— Ah bon ? Qu'est-ce que tu es, alors ?

— Une personne, tout comme toi, sauf que j'ai grandi dans un endroit différent. Dans une mine de charbon, je suis bien certaine que tu te perdrais. Mais moi, je ne te lancerais pas des noms idiots à la tête pour me donner de l'importance.

— Je ne cherche pas à me donner de l'importance !

Je le laissai dire et poursuivis ma route, mais il me rejoignit à une rapidité surprenante.

— Continue par là et tu vas te faire tremper. Tu vois les brisants ? C'est un signe, l'océan nous avertit. Regarde comme les mouettes se dépêchent de chercher un abri.

Après un coup d'œil du côté de la jetée, je demandai :

— Où est l'oncle Jacob ?

— Il est allé livrer notre pêche en ville. Pas grand-chose, je dois dire. Seulement quatre homards de la bonne taille.

— Comment vous y prenez-vous pour les piéger ?

— On les appâte avec du poisson mort et on dépose les nasses au fond. L'odeur attire les homards et ils entrent dans le living-room.

— Le living-room ? m'étonnai-je.

— C'est le nom de cette partie du casier. Après, on relève les pièges et si les homards ont la taille requise, on les prépare pour le marché.

Je commençai à être sérieusement intéressée.

— Et comment les préparez-vous ?

— D'abord, on met de l'adhésif sur leurs pinces. Ils en ont une grosse qui sert à saisir, et une autre qui est coupante et rapide, comme des ciseaux.

— Je ne savais pas qu'ils étaient si dangereux !

— Ils ne le sont pas tant que ça, si on fait attention. Je me suis déjà fait un peu pincer, comme tu vois... (Cary me montra sa main droite, dont l'index portait une légère cicatrice.) Mais ça n'a presque pas saigné, conclut-il.

— Est-ce que Laura pêchait avec toi ?

Il battit des cils et son regard dériva vers l'océan.

— Non. Pas beaucoup.

— Elle ne connaissait pas la mer aussi bien que toi ?

Éludant la question, Cary pointa le menton vers un homme de couleur, grand et vigoureux, qui remontait rapidement de la jetée.

— Nous ferions mieux de rentrer, maintenant. Voilà Rob Roy.

— Où habitent les Patterson ? demandai-je encore.

— Dans un lotissement, de l'autre côté de la ville.

— Et qu'est-il arrivé à la mère de Theresa ?

Un pli moqueur se dessina au coin de la lèvre de Cary.

— Tu es une vraie mine de questions, toi !

— Tu n'en ferais pas autant, à ma place ? Si c'était toi qui venais d'arriver dans un endroit inconnu ?

La petite grimace amusée reparut, et cette fois mon cousin se permit de me dévisager un peu plus longtemps.

— Je suppose que oui, finit-il par admettre. La mère de Theresa est morte dans un accident de la route, en revenant du travail. Elle était femme de chambre dans un hôtel de North Truro. Il pleuvait.

Le chauffeur d'un camion-remorque a dérapé, traversé la route et envoyé Mme Patterson directement dans l'autre monde. Papa dit que cela devait arriver.

— Pourquoi une chose aussi terrible devait-elle arriver ?

— C'est ce que mon père croit, répondit simplement Cary.

— Et la mort de ta sœur, insistai-je, devait-elle arriver, elle aussi ?

Il leva sur moi des yeux brillants de larmes.

— Je n'aime pas parler de la... de la disparition de Laura.

— Quand on garde sa peine à l'intérieur, elle vous fait gonfler le cœur jusqu'à ce qu'il éclate, observai-je avec douceur. C'est ce que disait toujours Mama Arlène.

— Ah oui ? Eh bien je n'ai jamais eu le plaisir de rencontrer cette dame, et je rentre à la maison, riposta Cary. Toi, tu fais ce que tu veux !

Je ne me laissai pas décourager par sa rebuffade : j'avais encore des questions à lui poser.

— Pourquoi ton père et le mien ont-ils cessé de se parler ? Oncle Jacob m'a dit que papa avait défié ses parents. Qu'est-ce qu'il entendait par là ?

— Aucune idée.

— Mais oncle Jacob et tante Sarah ont dû en parler souvent ?

— Je n'écoute pas aux portes, riposta Cary, et ce qui est fait est fait. À quoi bon y revenir maintenant ?

— Je vois. Il faut suivre le flot, c'est ça ?

Cary haussa un sourcil intrigué.

— Eh bien, poursuivis-je, ce n'est pas mon avis. Quelquefois il faut nager à contre-courant, et être assez fort pour remonter le flot. Il ne faut pas toujours abandonner.

— Vraiment ? releva Cary, amusé par mon ton de défi.

— Oui, vraiment.

— Bien. Alors à la première occasion, je t'emmène à mon bord et je te laisse remonter le flot.

— Parfait, répliquai-je.

Et cette fois, mon cousin sourit sans contrainte.

— Les filles de l'école m'ont dit que Laura était sortie en mer avec ce voilier, c'est vrai ?

Le beau sourire franc s'évapora.

— J'en ai un autre, maintenant, grogna Cary en se détournant.

Et je n'aime pas parler de la disparition de Laura, je te l'ai déjà dit. Surtout avec des étrangers.

Je le regardai s'éloigner, les épaules affaissées, la tête basse et les poings serrés.

Le vent avait forci, une rafale secoua mes cheveux. Des grains de sable accourant de la plage me picotèrent la figure. Il n'y avait plus la moindre trace de bleu dans le ciel, à présent. Il était entièrement bouché par de lourdes nuées sombres et menaçantes. Même à cette distance, je pouvais sentir l'humidité des embruns et je commençai à avoir peur. Comment le temps pouvait-il changer aussi vite ?

Je rebroussai chemin à contre-vent, chaque pas me coûtant plus d'effort que le précédent. Le sable cédait sous mes pieds, je glissais sans arrêt, c'était plus pénible que de marcher sur la glace. Bientôt, la violence des rafales m'arracha des larmes. Je fermai les yeux et redoublai d'efforts.

J'étais presque arrivée quand la première vague de pluie m'atteignit, me trempant de la tête aux pieds. Je criai, pris mon élan et courus d'une traite jusqu'à la maison.

Quand je m'y précipitai, Cary se tenait dans le hall et je rencontrai son regard pétillant de malice. Il n'ouvrit pas la bouche, mais ce ne fut pas nécessaire. Le pli narquois de ses lèvres proclamait : « Je te l'avais bien dit. »

— Je déteste cet endroit ! criai-je à son intention.

Et je m'élançai au pas de charge dans l'escalier.

Le vent hurlait autour de la maison, la traversait de part en part avec des sifflements rageurs. J'avais l'impression qu'il allait emporter le toit, mais cela m'était bien égal. Que le ciel s'écroule, que l'océan déborde et se déverse sur cet endroit, pensai-je avec colère. Les bras enserrant mes épaules, je regardai par la fenêtre les arbres se plier sous la bourrasque comme s'ils allaient se briser. La pluie tombait à seaux, inondant les rues. Je me débarrassai en frissonnant de mon chemisier mouillé, puis je courus à la salle de bains chercher une serviette éponge pour mes cheveux.

Quand j'en sortis, Cary était dans le couloir. Son regard se posa sur moi et, me rappelant brusquement ma tenue, je m'enroulai vivement dans la serviette.

— Désolée, murmura Cary, la mine repentante. Je n'aurais pas dû te laisser seule dehors.

— C'est ma faute, je n'avais qu'à t'écouter. Sais-tu où est May, par hasard ?

— Dans sa chambre. Quelquefois, je me dis qu'elle a de la chance d'être sourde, soupira-t-il. Au moins, elle n'entend pas ce vacarme.

Je profitai de l'occasion pour lui demander :

— Comment dit-on « il pleut » en langage des signes ?

Il me l'indiqua, puis me montra un autre geste et expliqua :

— Ça, c'est pour dire qu'il pleut très fort. Il fait meilleur ici que dehors, non ? ajouta-t-il avec un sourire.

— C'est vrai.

J'avais souri, moi aussi. L'atmosphère se détendait.

— Peut-être que tu n'es pas une terrienne à la manque, après tout ! reconnut-il avant de s'éloigner, le feu aux joues.

Ce n'était pas encore un compliment, mais c'était bien la première parole presque aimable qu'il m'adressait.

« Sois reconnaissante pour les moindres bienfaits », aurait dit papa. Et je l'étais.

Je regagnai ma chambre et me remis à mes travaux d'aiguille, en attendant l'heure d'aller aider ma tante à servir le dîner. Il me restait encore un peu de temps lorsque j'entendis frapper à ma porte.

— Oui ? dis-je en piquant mon aiguille dans le canevas.

Cary avança la tête à l'intérieur.

— Je voulais juste que tu saches ce qu'il faut faire quand il tombe des cordes, au cas où il pleuvrait toujours demain matin.

— Et que faut-il faire ?

— Marcher plus vite, répliqua-t-il.

Et, pour la première fois depuis mon arrivée à Provincetown, je m'entendis éclater de rire.

9

Quelque chose de spécial

IL plut presque toute la nuit. À deux reprises, je fus réveillée par le crépitement des gouttes sur les vitres, et la deuxième fois j'entendis tante Sarah ouvrir ma porte. Elle resta sur le seuil, les yeux fixés sur moi, sa tête se découpant en ombre chinoise sur le mur du couloir faiblement éclairé. Et comme je ne disais rien, elle se retira sans bruit. La pluie cessa juste avant l'aube.

Je fus très étonnée en descendant, le lendemain matin, de trouver presque toutes les vitres encroûtées de sel. Pendant le petit déjeuner, j'en fis la remarque et tante Sarah me dit que ce n'était pas rare, après une tempête.

— Le sel ronge même la peinture des cadres de fenêtres, figure-toi. Le temps est rigoureux, chez nous, mais nous le supportons.

— Le temps est dur à supporter partout, déclara l'oncle Jacob, mais il est également bienfaisant et nous devrions en remercier le ciel. Tâchez de vous en souvenir, ajouta-t-il en nous menaçant de l'index, à la manière d'un prophète biblique.

Je me retournai vers tante Sarah.

— Je pourrais t'aider à nettoyer les vitres, en revenant du lycée, si tu veux ?

— Comme c'est gentil de le proposer, ma chérie. Merci.

— Gentil ? releva sévèrement l'oncle Jacob. Elle ne pouvait pas faire moins. Les jeunes d'aujourd'hui ne savent plus ce que signifient le travail et les responsabilités. Ils croient que tout leur est dû parce qu'ils ont pris la peine de naître.

Je faillis riposter que ce n'était pas mon cas ; que je n'avais pas été élevée en enfant gâtée, que j'avais toujours fait ma part d'ouvrage à la maison, et même souvent aidé Mama Arlène et Papa George. Je n'avais jamais rien exigé en échange, sinon un peu d'amour. De quel droit l'oncle Jacob décrétait-il, tel un potentat du haut de son trône, que j'étais pareille aux jeunes gens dont il parlait ? Il ne savait rien de moi. C'est à peine s'il m'avait parlé dix minutes dans toute ma vie.

Cary dut sentir que j'étais prête à me rebiffer car il ne me laissa pas le temps d'ouvrir la bouche. D'un regard significatif, il m'avertit que je ferais mieux de me taire. Et, comme je le dévisageais, il secoua la tête avec une expression bienveillante, mais ferme. Je baissai le nez sur mon bol de céréales, ravalant ma colère, mais les mots que je n'avais pas prononcés me restaient coincés dans le gosier.

— Ton père est un monstre ! dis-je à Cary quand nous partîmes pour le lycée.

Il resta quelques instants pensif avant de répondre :

— Mais non. Il a peur, c'est tout.

— Peur, lui ? (Pour un peu, j'en aurais ri.) Peur de quoi ?

— De perdre l'un de nous, répondit brièvement Cary.

Et jusqu'à notre arrivée au lycée, il ne desserra plus les dents. Il avait pris la défense de son père, et pourtant... j'aurais pu jurer qu'il avait honte de sa conduite.

On était vendredi, et à la fin de la journée, Lorraine, Betty et Janet me rappelèrent leur invitation pour le lendemain. À mon tour, je leur rappelai que, malgré mon désir de venir, je ne pourrais pas le faire sans permission.

— Alors tu ne viendras pas, prédit Betty. Tu ne sais pas ce que tu perds !

Et Lorraine me renouvela ses conseils.

— Ce ne serait qu'un petit mensonge sans conséquence, voyons ! Nous en faisons toutes.

— Cela ne me paraît pas sans conséquence. Et si mon oncle Jacob découvrait que j'ai menti...

— Il n'en saura rien, affirma Betty. Nous ne sommes pas des mouchardes. Mais bien sûr, si tu le dis à Grandpa, il vendra la mèche.

— Arrête de l'appeler Grandpa, tu veux ? Il n'a rien d'un vieux grand-père, que je sache.

— Ah non ? rétorqua-t-elle précipitamment. Saurais-tu quelque chose que nous ignorons, par hasard ?

Le trio souriait, attendant une révélation croustillante.

— Non, dis-je pour toute réponse.

— Est-ce que tu lui as fait fumer le joint ?

— Non.

— Il ne l'a pas vu et n'est pas allé cafarder à ton oncle, au moins ? s'inquiéta Lorraine.

— Si mon oncle soupçonnait que j'ai quelque chose de ce genre sur moi...

— Il te dénoncerait à la police, sois-en sûre. Il dénoncerait sa propre mère ! Alors, ce joint ? Tu l'as toujours ou tu l'as fumé toi même ?

Je n'osai pas dire que je l'avais jeté. Je m'en tirai par une dérobade :

— Non, je ne l'ai pas fumé.

— Tu pourras le fumer sur la plage, suggéra Janet. Allons, en route, les filles ! Rendez-vous chez moi demain soir à huit heures. Tâche d'y être, Melody.

Là-dessus, le trio s'éloigna, et Lorraine lança par-dessus son épaule :

— Tu ne le regretteras pas, je te le promets. Adam Jackson aussi sera là !

Je les suivis des yeux un instant, puis me hâtai d'aller rejoindre Cary dehors. J'aurais aimé lui parler de la soirée prévue et lui demander son avis, mais je n'osai pas y faire allusion. Je savais qu'il n'aimait pas ces filles. Et pourtant j'avais bonne envie d'être au rendez-vous de Janet, moi aussi. Je n'avais jamais assisté à ce genre de réjouissances, et il fallait bien admettre qu'Adam Jackson ne me laissait pas indifférente. Toute la nuit, ses yeux avaient hanté mes rêves.

Je décidai d'attendre jusqu'après le dîner, quand tante Sarah et moi serions seules à la cuisine. Elle avait nettoyé toutes les fenêtres elle-même, y compris celles du premier.

— J'aurais voulu vous aider, lui rappelai-je avec regret.

— Je le sais, ma chérie, mais ne t'inquiète pas pour ça. Le travail meuble ma journée. Jacob dit toujours que la paresse est mère de tous les vices.

Je secouai la tête, indignée. Quels méfaits aurait bien pu commettre cette brave tante ? Et pourquoi permettait-elle à son mari de la traiter en enfant irresponsable, et non comme sa femme et son égale ? Elle lui obéissait en tout, et — du moins à ma connaissance — ne se plaignait jamais. Il aurait dû baiser la trace de ses pas, et se réserver les plus dures besognes. Papa l'aurait fait pour maman, j'en étais sûre. Et plus j'en apprenais sur cette famille, plus elle m'apparaissait comme une énigme.

— Tante Sarah, me décidai-je à annoncer, je suis invitée à une soirée, samedi.

— Ah bon, déjà ? Quelle sorte de soirée ? Un anniversaire ? Une fête entre étudiants ?

— Non, ma tante. Quelques filles de ma classe projettent un de ces pique-niques sur la plage où l'on fait rôtir des hot-dogs, expliquai-je. Ça commence à huit heures.

— Quelles filles ?

Je déclinai leurs noms, et ma tante réfléchit un instant.

— Ce sont des filles de bonne famille, dit-elle enfin, mais il faut que tu demandes la permission à ton oncle.

— Pourquoi ne pouvez-vous pas me la donner vous-même ?

— Pour ce genre de choses, il faut toujours demander la permission à ton oncle, répliqua-t-elle en remuant bruyamment sa vaisselle.

La seule idée de donner une permission elle-même la terrifiait, c'était visible. Conclusion : si je voulais me rendre à cette soirée, je devais m'adresser à l'oncle Jacob.

Comme chaque soir après le dîner, il lisait son journal dans la salle de séjour.

— Excusez-moi, mon oncle, dis-je du seuil de la pièce.

Il abaissa lentement son journal et fronça les sourcils. Papa, lui, m'avait toujours accueillie avec le sourire, ou un regard de tendresse.

— Eh bien ?

— Quelques-unes des filles de ma classe organisent un pique-nique sur la plage, demain soir. Elles m'ont invitée, mais tante Sarah m'a dit de vous demander la permission d'y aller. C'est le moyen le plus rapide de connaître des gens, avançai-je en guise d'argument sérieux.

Il hocha la tête d'un air sagace.

— Le genre de soirée où il n'y a pas d'adultes pour surveiller, bien sûr. Je ne suis pas surpris que tu tiennes à y aller.

— Pardon ? Que voulez-vous dire ?

— Tu crois sans doute que j'ignore ce qui se passe, dans ce genre de réunions ? Comment les jeunes boivent, fument de la drogue et se livrent à la débauche ?

— Se livrent à... à quoi ?

— À la perversion, pontifia l'oncle Jacob, dressant à nouveau son insupportable index comme l'étendard de la vertu. Les jeunes filles s'exhibent en tenue provocante, se roulent sur des couvertures avec des jeunes gens et perdent leur innocence. C'est du paganisme ! Tant que tu seras sous mon toit, tu vivras, te vêtiras et te conduiras décemment. Même si tu dois mortifier tes instincts ! aboya-t-il en froissant son journal. Et maintenant, plus un mot là-dessus.

Il avait déjà relevé les pages devant lui quand je protestai :

— Quels instincts ? Je me conduis avec décence. Je n'ai jamais fait honte à mes parents.

— Il en aurait fallu beaucoup pour leur faire honte, j'imagine, ricana mon oncle en levant les yeux. Mais je sais quel feu se déchaîne dans le sang et le brûle. Si tu lui lâches la bride, il te mènera tout droit en Enfer !

— Je ne comprends pas. De quel feu parlez-vous ?

— Ça suffit ! glapit l'oncle Jacob. Plus un mot.

Je tressaillis comme s'il m'avait giflée, mon cœur se mit à battre à grands coups. Une ligne blanche cernait les lèvres étroitement serrées de l'oncle Jacob, tranchant sur le reste de son visage enflammé de colère. Et tout ça, parce que j'avais demandé la permission d'assister à une petite fête entre amis !

Je tournai les talons et me dirigeai vers l'escalier. Les filles avaient raison, ruminai-je en montant les marches. J'aurais dû mentir, prétendre que j'allais travailler chez Janet. Il n'y avait aucun mal à mentir à un homme pareil. C'était tout ce qu'il méritait.

En arrivant sur le palier, je trouvai Cary au pied de l'échelle. Apparemment, il m'attendait.

— Qu'est-ce que c'étaient que ces cris ? questionna-t-il.

Je lui expliquai ma démarche.

— Tu aurais dû me demander mon avis, je t'aurais évité cette peine.

— Mais pourquoi ton père est-il si méchant ?

— Je te l'ai déjà dit. Ce n'est pas de la méchanceté, c'est de la peur.

— Je ne comprends toujours pas, m'obstinai-je. Pourquoi devrait-il avoir peur ?

— Parce qu'il croit que tout est sa faute et qu'il doit être puni, voilà pourquoi.

Là-dessus, mon cousin s'élança sur l'échelle, mais je m'en rapprochai aussitôt. Je voulais comprendre.

— Qu'est-ce qu'est sa faute ? La mort de Laura ? Pourquoi serait-il coupable ? Parce qu'il lui a permis de sortir en mer ce jour-là ?

— Non, lança Cary sans se retourner, grimpant toujours.

— Alors je n'y comprends rien. Explique-toi !

Cette fois, mon ton décidé le fit se retourner. Il abaissa sur moi un regard où se mêlaient la colère et la peine.

— Mon père ne croit pas aux accidents. Il croit que, sur cette terre, nous sommes punis pour le mal que nous faisons, comme nous sommes récompensés pour nos bonnes actions. C'est ce qu'on lui a appris à croire et c'est ce qu'il nous enseigne.

— Et tu le crois, toi aussi ?

— Oui, répondit-il, mais sans grande conviction.

— Mon père était un homme droit et bon, lui. Alors pourquoi est-il mort dans un accident ?

— Tu ne connais pas ses péchés, marmonna Cary en reprenant son ascension.

— Il n'a commis aucun péché. Ou en tout cas, aucun qui méritait la mort. Tu m'entends, Cary Logan ? m'écriai-je en secouant l'échelle. Cary !

Déjà dans le grenier, mon cousin se pencha vers moi.

— Nul ne connaît la noirceur qui règne dans le cœur de son prochain, proféra-t-il d'un ton sentencieux.

Exactement le ton qu'aurait pris l'oncle Jacob.

— C'est stupide ! C'est de la pure superstition religieuse ! ripostai-je, mais mon cousin m'ignora.

Et comme il remontait l'échelle, j'empoignai le dernier barreau et la retins, avec une force qui me surprit moi-même.

— Lâche ça ! gronda Cary, aussi étonné que moi.

— D'accord, mais ne t'imagine pas que j'ignore ce que tu fais là-haut tous les soirs, en tout cas. (Même dans le faible éclairage du palier, je vis les joues de Cary virer au cramoisi.) Tu essaies de fuir le malheur, mais tu ne peux pas fuir ce qui fait partie de toi.

Cary tira l'échelle avec une telle force qu'il faillit m'arracher du sol, m'obligeant à la lâcher. Il la remonta en un éclair et, dans la même seconde, claqua la trappe.

— Bon débarras ! criai-je avec colère.

May, enfermée dans son univers de silence, émergea de sa chambre en souriant. Et je ne pus m'empêcher de penser que, dans cette maison de malheur, c'était encore elle qui avait la meilleure part.

Par gestes, elle me demanda si elle pouvait venir dans ma chambre et, quand j'eus répondu que oui, elle m'y suivit. Puis elle me regarda piquer et repiquer rageusement mon aiguille dans le canevas qu'avait dessiné sa sœur Laura, si peu de temps avant de mourir. Tout en brodant, je levais de temps en temps les yeux vers le plafond, puis vers le plancher, sous lequel mon oncle au cœur de pierre lisait son journal. Mon travail acquérait un rythme régulier, machinal, apaisant, et je commençais à comprendre pourquoi Laura y prenait tellement plaisir. Tout le monde cherchait un moyen d'évasion, dans cette maison.

May resta près de moi jusqu'à l'heure du coucher. Nous pratiquâmes activement le langage des signes et elle me posa mille questions sur moi, ma famille, la vie que nous menions en Virginie de l'ouest. Elle était remplie de curiosité, autant que de douceur, et comme épargnée par les tourments qui rongeaient le cœur des siens. Peut-être son monde n'était-il pas totalement silencieux, après tout. Peut-être entendait-elle une autre musique, des sons différents, issus de son imagination innocente et libre. Quand ses paupières commencèrent à s'alourdir, je lui dis d'aller se coucher. J'étais fatiguée, moi aussi. J'avais l'impression d'avoir été ballottée, comme du linge dans une machine, dans un tourbillon émotionnel, et brassée au séchoir jusqu'à ce que mes larmes s'évaporent.

Cary passa presque toute la nuit dans sa retraite du grenier. Je fus réveillée, juste avant le matin, par le bruit de ses pas sur l'échelle. Il s'arrêta un instant devant ma porte, puis regagna sa chambre.

Il se leva en même temps que le soleil, à peine une heure plus tard, et il était parti avec l'oncle Jacob lorsque je descendis pour le petit déjeuner. Tante Sarah m'apprit qu'ils devaient pêcher toute la journée en mer. Nous descendîmes faire un tour en ville, May et moi, et nous passâmes presque toute la matinée à regarder les pittoresques boutiques de la rue du Commerce. Puis nous allâmes au débarcadère pour observer les pêcheurs. Ce n'était pas encore la pleine saison, mais la chaleur printanière attirait déjà de nombreux visiteurs de Boston et des environs. Il y avait beaucoup de circulation.

Tante Sarah nous avait donné un peu d'argent de poche, pour nous acheter de quoi déjeuner. Cela ne l'ennuyait pas de me confier May. Elle voyait bien que la fillette aimait ma compagnie, et que je progressais très vite en langage des signes. Ce jour-là, elle m'en avait félicitée, puis avait soupiré :

— C'était Laura qui le pratiquait le mieux, parmi nous. Encore mieux que Cary.

— Et l'oncle Jacob ? Il ne le connaît pas ?

— Un peu. Il a tellement de travail, tu comprends ? avait tenté d'expliquer ma tante.

Mais je trouvais l'excuse bien faible. Si j'avais été sourde, m'étais-je dit, papa aurait appris à communiquer avec moi, rien n'aurait eu plus d'importance à ses yeux. Même pas son travail.

Quand nous eûmes assez déambulé, je comptai la monnaie qui me restait et entrai dans une cabine téléphonique. Je n'avais pas de quoi payer une communication longue distance, mais je pris le risque d'appeler Sewell et, par chance, je tombai sur Alice. Elle accepta le PCV.

— Je suis désolée, m'excusai-je, mais je n'ai pas assez d'argent.

— Aucune importance. Où es-tu ?

— À Provincetown, au Cap Cod. Je vis chez mon oncle et ma tante.

La voix d'Alice trahit une stupéfaction sans bornes.

— Tu vis avec eux ? Mais pourquoi ?

— Maman est partie à New York pour tenter sa chance dans la mode ou le cinéma, expliquai-je. Si elle ne trouve rien là-bas, elle ira à Chicago ou à Los Angeles, alors j'ai dû rester ici et m'inscrire au lycée.

— Pour de bon ? Et comment ça se passe ?

Je racontai rapidement l'essentiel sur le lycée, ma vie à la maison, la mort de Laura, et la surdité de May. Ce qui me valut ce commentaire d'Alice :

— Ça ne paraît pas très gai, dis donc !

— C'est dur de vivre avec eux, c'est vrai, surtout avec mon cousin. Il est si amer, à propos de tout et de rien ! Mais je m'accroche à l'idée que je ne resterai pas longtemps.

— Et les filles du lycée ? s'enquit Alice. Comment sont-elles ?

— Assez différentes de chez nous. Elles savent plus de choses, semble-t-il, et elles en font plus.

— Quel genre de choses ?

Je relatai, à titre d'exemple, l'incident du joint à la cafétéria.

— Et qu'en as-tu fait ? s'émut Alice. Tu ne l'as pas fumé ?

— Non, j'étais morte de peur, surtout quand un professeur s'est approché de notre table. Après, quand les filles ne regardaient pas, j'ai jeté ce truc dans la poubelle.

— J'aurais fait pareil, approuva mon amie. Peut-être que tu ne devrais pas les fréquenter.

— Elles m'ont invitée à une petite fête sur la plage, ce soir, mais mon oncle m'a interdit d'y aller.

— Une soirée sur la plage ! (Je crus détecter chez Alice une pointe d'envie.) Peut-être que tu vas te plaire là-bas, finalement.

— Ça m'étonnerait. Je voudrais déjà être revenue chez nous.

— Au fait, il faut que je dise... Hier, en passant près du cimetière, je suis entrée dire une petite prière de ta part sur la tombe de ton père.

Cette attention m'alla droit au cœur.

— Tu as fait ça ? Merci, Alice. Tu me manques.

— Peut-être que je pourrai venir te voir cet été, si tu es toujours là-bas ?

— Ce serait super, mais j'espère être partie avant. Dès que maman est installée quelque part, elle revient me chercher. À propos, ajoutai-je, as-tu vu Mama Arlène, ces jours-ci ? Maman était censée prendre contact avec elle pour qu'elle me fasse suivre mes affaires.

— Je l'ai vue, oui, mais George est très malade. Il est question de l'hospitaliser.

— Oh, non ! Tu voudras bien dire à Mama Arlène que j'ai appelé ?

— Je vais aller la voir tout de suite, promit Alice.

Je lui donnai les coordonnées de mon oncle, et elle promit également de m'appeler à la fin de la semaine suivante.

— Je n'ai plus d'amie depuis que tu es partie, avoua-t-elle quand notre conversation prit fin.

J'en eus les larmes aux yeux et, quand j'eus raccroché, May voulut savoir pourquoi je pleurais. Je tentai de le lui expliquer, mais je ne maîtrisais pas assez le langage des signes pour lui faire comprendre la cause de mon chagrin. Je décidai qu'il était temps de rentrer.

Dès notre arrivée, tante Sarah nous apprit qu'il y avait un changement de prévu pour le dîner. Oncle Jacob avait invité les Dimarcos, un pêcheur de homard et sa femme. May, Cary et moi dînerions plus tôt que d'habitude, afin d'avoir terminé quand les adultes passeraient à table. Je n'en fus pas fâchée. Quelle bénédiction de manger sans que l'oncle Jacob ne me fusille du regard, comme si j'étais l'une de ces Jézabels qu'il voyait dans tous les coins !

Pourtant, quand ils rentrèrent en fin d'après-midi, oncle Jacob et Cary étaient d'excellente humeur. La pêche avait été bonne, ils ramenaient quinze homards et une douzaine de bars de bonne taille. Pour fêter l'événement, Cary décida que May, lui et moi nous offririons un véritable festin dans la tradition de la Nouvelle-Angleterre : soupe aux palourdes, fruits de mer à l'étouffée, bar grillé, pommes de terre et légumes. Cary annonça qu'il ferait cuire le poisson lui-même, dehors, sur le barbecue.

— Maman sera trop occupée, nous aurons notre pique-nique personnel, décréta-t-il.

Et comme j'approuvai avec enthousiasme, il ajouta :

— Ce ne sera pas aussi excitant que la fiesta sur la plage, j'en ai peur.

— Et moi je te dis que ce sera très bien.

Il transmit la nouvelle à May, qui s'en montra enchantée, puis il suggéra :

— Vous pouvez vous occuper de la table du pique-nique, si vous voulez.

J'acquiesçai d'un signe bref, mais j'étais ravie.

Cary se montra bien plus habile cuisinier que je ne l'aurais cru. Aucun des garçons que j'avais connus en Virginie n'aurait su comment préparer du poisson ou des légumes. Et en plus, quand nous eûmes dressé la table, May et moi, il nous remercia. Je décidai de faire un effort de conversation.

— Je ne comprends toujours pas comment vous attrapez les homards, commençai-je en le regardant griller son poisson. Vous n'avez pas besoin de canne à pêche ?

Cary pouffa de rire.

— Il ne s'agit pas exactement de pêche. Nous déposons les

nasses au fond de l'eau et nous y attachons des bouées qui flottent en surface.

— Et comment un pêcheur distingue-t-il ses nasses de celles des autres ?

— Aux couleurs des bouées. Chaque famille a les siennes, et les nôtres servaient déjà à mon arrière-grand-père. C'est notre marque de famille, un peu comme des armoiries. Tu comprends ?

Je fis signe que oui et Cary poursuivit :

— Quand nous relevons un casier, s'il y a un homard, nous le mesurons avec une jauge de l'orbite au bas du dos. Un homard pèse en moyenne entre deux et cinq livres. Mais une fois, mon père en a ramené un qui faisait près de trente livres.

— Trente livres !

— Je t'assure, et on en a vu de plus gros. Mais ceux qui portent des œufs doivent être rejetés à l'eau, nous faisons tout pour préserver les ressources. Il faut environ sept ans et demi à un homard pour atteindre une taille convenable.

Ma mine effarée fit sourire mon cousin.

— Maintenant, tu comprends pourquoi nous cultivons aussi les airelles !

— Et c'est ce que tu comptes faire toute ta vie ?

Cary fit signe que oui.

— Tu n'as pas envie d'aller à l'université, alors ?

— Mon université, la voilà, répondit-il en pointant sa fourchette vers l'océan.

— Mais on ne peut pas passer sa vie à pêcher en mer ! Il y a des endroits magnifiques à visiter, sur terre, des choses merveilleuses à voir.

— J'en vois assez comme ça ici.

— Et moi, je n'ai jamais vu quelqu'un d'aussi jeune agir de manière aussi... (J'hésitai, cherchant le mot le moins blessant.) Aussi adulte, achevai-je.

— Vas-y, continue. Si tu veux m'appeler Grandpa, toi aussi, ne te gêne pas. Ça m'est complètement égal.

— Tu n'as rien d'un grand-père, Cary. Simplement... tu as des idées un peu trop arrêtées, pour ton âge. À mon avis, tu devrais avoir l'esprit plus ouvert.

Il m'observa quelques instants d'un air pensif.

— Autrement dit, je devrais fumer de l'herbe, boire et perdre mon temps comme tous ces bons à rien du lycée ? Je vois.

— Ils ne sont pas tous aussi nuls que ça, quand même !

— Tous, peut-être pas, m'accorda-t-il, mais presque.

— Toi, alors ! Ce que tu peux être horripilant, quand tu t'y mets !

— Aucune importance, déclara-t-il en haussant les épaules. Je ne me m'occupe pas des autres et tout ce que je leur demande, c'est de me laisser tranquille. Allez, mangeons.

Là-dessus, il servit le poisson en commençant par May, veillant avec une gentillesse désarmante à ce qu'elle ne manque de rien. Il se montrait toujours si prévenant envers elle, si soucieux de son bien-être et de son bonheur !

— Elle a dû beaucoup souffrir à la mort de Laura ? m'enquis-je avec sympathie.

— Beaucoup.

— Pauvre petite May... Comme si elle n'avait pas assez à supporter avec son handicap.

— Elle vit très bien comme elle est, rétorqua mon cousin avec colère.

— Personne ne dit le contraire, Cary, ce n'est pas la peine de t'énerver. C'est bien de la protéger, mais trop c'est trop.

— On n'est jamais trop protecteur, crois-moi. Quand tu iras en mer, tu comprendras ça.

— Et quand est-ce que j'irai ? demandai-je avidement. Je n'ai jamais fait de voile. Papa nous emmenait souvent à la plage, mais seulement pour nous baigner ou bronzer. Maman détestait les bateaux.

Cary eut une grimace ironique.

— Quelle bande de touristes !

— Ne te moque pas des touristes, ripostai-je. Ils achètent vos homards et dépensent beaucoup d'argent dans les boutiques.

— Et ils abîment tout, jettent leurs ordures sur la plage, polluent l'eau et se moquent de nous.

— Au fond, tu as une vocation d'ermite, raillai-je, ce qui ne le vexa pas le moins du monde.

Il se contenta de hausser les épaules, et nous attaquâmes le poisson. Il était si bon qu'après quelques bouchées, je fus bien obligée de féliciter Cary, ce que je fis sans enthousiasme excessif.

— Merci, laissa-t-il tomber du bout des lèvres.

— Il n'y a pas de quoi, renvoyai-je sur le même ton.

Et nous mangeâmes notre poisson en nous dévisageant comme des chiens de faïence, jusqu'au moment où nous surprîmes l'expression de May. Elle semblait nous trouver si drôles qu'il nous fut impossible de garder notre sérieux. Je louchai vers Cary, qui me rendit brièvement mon coup d'œil, et son rire éclata en même temps que le mien.

La glace était rompue, l'atmosphère changea. Notre conversation s'anima et j'admirai sans contrainte la radieuse couleur abricot du coucher de soleil sur l'océan. Je ne m'étais jamais rendu compte que la mer pouvait être aussi belle. Cary fut heureux de me l'entendre dire, et me raconta que lorsqu'ils étaient petits, Laura et lui aimaient beaucoup cette heure, eux aussi. Et qu'ils s'allongeaient souvent au fond de la barque de leur père, pour contempler les couleurs changeantes du couchant.

— Cela nous paraissait magique, dit-il avec une chaleur inattendue.

Il était vraiment beau en parlant ainsi, et je me dis que les filles du lycée n'avaient pas tort : mon cousin était très séduisant quand il voulait s'en donner la peine.

Le charme de dura pas. Brusquement gêné, d'être l'objet de mon attention, Cary reprit sa mine sévère et renfrognée. Mais après le dîner, alors que je l'aidais à faire place nette, il me surprit en proposant que nous allions nous promener en ville avec May pour manger une glace.

— Et aussi pour voir les dégâts que font les touristes, ajouta-t-il.

— Et les fortunes qu'ils dépensent dans les boutiques, rétorquai-je.

Et Cary se retint à grand-peine de sourire.

Pour la première fois, il accepta que May nous donne la main à tous les deux. Et au lieu d'emprunter le chemin habituel, il en prit un qui coupait à travers l'herbe haute, les broussailles et les buissons.

— Theresa et sa famille habitent par là, m'annonça-t-il après un détour du sentier, le bras tendu vers l'est.

Je suivis la direction qu'il m'indiquait et découvris un entassement de petites maisons basses, d'aspect peu engageant. La rue étroite serpentait entre des courettes, où une herbe maigre poussait en plaques. Plus près de la ville, les habitations étaient plus pimpantes, avec de vraies pelouses où fleurissaient en abondance les stellaires, les roses, les iris pourpres et les hydrangéas.

Le Cap était vraiment un endroit surprenant. Du côté de l'océan, le sable se déroulait à l'infini, en dunes presque désertiques. Et à quelque distance de là poussaient des chênes, des érables, des buissons de myrtilles. Les maisons s'entouraient de pelouses, où foisonnaient les crocus, les tulipes et les lilas. On aurait dit deux mondes différents, et Cary m'apprit que le temps n'était pas toujours le même d'une zone à l'autre. La côte est pouvait essuyer un orage alors que le soleil brillait à l'ouest.

C'était tout à fait comme les gens, au fond, et peut-être leur différence venait-elle simplement de leur lieu d'origine. Certains étaient durs, ascétiques, avec des principes religieux inébranlables. D'autres insouciants, impulsifs, aimables et attachés aux plaisirs de la vie. Les uns ne vivaient que pour le travail, et les autres ne travaillaient que juste assez pour vivre... J'en étais là de mes méditations quand nous arrivâmes en ville.

Elle était très animée le soir, et très excitante aussi. La musique sortait à flots des bars et des restaurants, les touristes débarqués par cars entiers s'interpellaient dans les rues, d'autres descendaient vers la jetée. Je regardais de tous les côtés à la fois. Cary acheta une glace pour May, me demanda si j'en voulais une (c'était le cas) et finalement en prit une pour lui aussi.

May souhaitait aller au débarcadère, pour voir les patrons pêcheurs proposer aux amateurs éventuels des parties de pêche en haute mer. C'était la première fois que je voyais une vraie ville touristique le soir, et tout m'enchantait. Les lumières, le bagout des commerçants pour attirer le chaland, et surtout les annonceurs de visites guidées qui ne savaient qu'inventer pour racoler des clients. C'était tout juste s'ils ne les imploraient pas à deux genoux d'accepter leurs services.

— Je déteste ces promenades organisées, ronchonna Cary au passage d'une Jeep, chargée de son contingent de badauds. Un jour, deux ou trois de ces Jeep se sont garées devant la maison et le guide à montré du doigt ma mère et Laura, en les désignant comme d'authentiques femmes de pêcheurs.

Je ne pus m'empêcher de sourire.

— C'est bien ce qu'est tante Sarah, non ?

— Mais pas une bête curieuse pour touristes, quand même ! Qu'est-ce qu'ils diraient, eux, si un car de visiteurs débarquait dans leur cour et venait regarder leur famille par la fenêtre, comme dans une vitrine ?

— Tu as raison, admis-je, comprenant sa fureur. Ce ne sont pas des choses à faire.

Il se détendit, et il allait répondre à mon sourire, mais son regard tomba sur May. Il reprit aussitôt son air sévère.

— Elle a sommeil, constata-t-il. Nous ferions mieux de rentrer.

L'oncle Jacob était dans le séjour avec son ami quand nous arrivâmes à la maison, et les deux femmes bavardaient dans la cuisine. Nous montâmes directement à l'étage, et May alla se coucher tout de suite.

— Merci pour la glace et pour la promenade, dis-je à Cary dans le couloir.

Il me fixa quelques instants, comme s'il réfléchissait.

— Est-ce que tu es très fatiguée ? demanda-t-il enfin.

— Non, pas vraiment.

— Tu aimerais voir quelque chose de spécial ?

— Bien sûr !

— Alors, viens, dit-il en prenant le chemin de l'escalier.

Une fois en bas, nous marchâmes le plus doucement possible mais l'oncle Jacob nous entendit et surgit à la porte du séjour.

— Où allez-vous comme ça, mon garçon ?

— Je veux juste jeter un coup d'œil au champ, répondit Cary.

L'oncle Jacob me dévisagea, l'œil sévère, puis hocha la tête en silence et rentra dans le séjour.

Cary ne dit rien. Il se dépêcha de sortir et m'entraîna rapidement à travers champs vers la colline. Nous ne nous arrêtâmes qu'une fois arrivés en haut, pour contempler le champ qui s'étendait à nos pieds. La lune prêtait aux fleurs un éclat surprenant, elles brillaient comme des joyaux dans la nuit. C'était merveilleux à voir.

— Qu'en penses-tu ? chuchota Cary.

— C'est magnifique !

— J'étais certain que tu aimerais.

Sur notre droite, l'océan grondait dans les ténèbres. J'étreignis mes épaules en frissonnant.

— Tu as froid ?

— Un peu, avouai-je.

— Je parie que tu aurais aimé aller t'amuser avec tes amis, sur la plage. Ce n'est pas vrai ?

— Je n'ai jamais assisté à ce genre de soirée, en fait.

— Tu n'as rien perdu, marmonna mon cousin. On ne fait que boire et fumer autour du feu. Et quelques personnes disparaissent dans l'obscurité, naturellement.

Cette réflexion m'incita à lui demander :

— Tu n'aimerais pas avoir une petite amie, un jour ?

— Si je trouve une fille qui ait un grain de bon sens, on verra, répliqua-t-il.

— Et tu n'en trouves aucune de raisonnable ?

— J'aimerais aussi qu'elle soit jolie, reconnut-il.

Les mains enfoncées dans les poches, il donnait des coups de pied dans le sable et me jetait de temps en temps un coup d'œil furtif, puis ramenait vivement le regard vers la mer.

Il se passa quelques longues secondes avant qu'il ne demande :

— Et toi ?

— Moi, quoi ?

— Tu avais un petit ami, à Sewell ?

— Pendant un moment, oui, répondis-je après une infime hésitation. Mais après la mort de papa... j'ai cessé d'aller aux bals d'étudiants, et dans ce genre d'endroits.

— C'est comme moi, après la mort de Laura. Je n'avais plus envie de travailler, je ne voulais même plus aller au lycée.

— C'est le seul bon côté que je trouve à mon départ de Sewell, avouai-je. Au moins, je ne suis plus obligée d'aller où nous allions toujours ensemble, papa et moi. Ni de guetter les mineurs en attendant qu'il rentre à la maison.

Cette remarque rendit mon cousin tout songeur.

— Moi, je ne pourrais jamais partir d'ici.

— Tiens ! La plupart des jeunes gens que j'ai connus ne pensaient qu'à partir de chez eux, au contraire.

— Pas moi. Ma place est ici, et je m'y sens chez moi. J'ai de l'eau de mer dans le sang, tu sais ça ? Et je ne décrocherai sans doute jamais mon diplôme, conclut brusquement Cary.

— Et pourquoi pas ?

— Je suis trop inférieur en anglais.

— Trop faible, rectifiai-je machinalement.

— Tu vois bien ! C'est sans espoir.

— Mais non, je pourrais peut-être t'aider. C'est ma matière préférée, justement.

— C'est sûrement trop tard. Et si je loupe l'examen...

— Tu le réussiras, décrétai-je avec assurance. Je t'aiderai tous les soirs, d'accord ?

— Je ne sais pas. Je ne sais même pas si j'en ai envie.

— Mais il faut que tu en aies envie ! protestai-je. D'ailleurs une fois que tu auras essayé, je suis sûre que ça ira tout seul.

Comme il souriait, je poursuivis :

— Laura était très bonne élève, si j'ai bien compris. Est-ce qu'elle t'aidait ?

Je n'obtins pas de réponse. Cary évita mon regard, puis fit brusquement volte-face.

— Rentrons, décida-t-il en rebroussant chemin. Il est grand temps.

Je le suivis, et dès notre arrivée à la maison l'oncle Jacob lui demanda de venir les rejoindre, son ami et lui, pour discuter métier. Je souhaitai le bonsoir à tout le monde et montai lire dans ma chambre.

Un peu plus tard, j'entendis Cary grimper dans sa retraite. Pendant un certain temps, je l'écoutai aller et venir en traînant les pieds, puis le calme se fit. À part le bruit de voix étouffées qui montait du séjour, la maison devint silencieuse.

Mes paupières s'alourdissaient, je somnolais sur mon livre. Je me levai, allai faire ma toilette et revins me changer pour la nuit, puis j'éteignis. Assise dans mon lit, je pouvais voir la lune tracer un sillon de lumière sur l'océan : c'était magnifique. Laura aussi avait dû souvent contempler ce spectacle. Éprouvait-elle la même émotion que moi ? Qui était-elle vraiment ? Malgré toutes les descriptions et comparaisons de tante Sarah, une voix me soufflait qu'elle ne connaissait pas entièrement sa fille. J'étais sûre qu'il y avait en Laura des secrets qu'elle ignorait.

Cary, lui, devait savoir : elle avait été sa jumelle. Mais il avait peur de parler d'elle, ou bien il ne le voulait pas. Il faudrait du temps pour cela, et surtout de la confiance. Et je me demandais si je saurais lui en inspirer assez pour qu'il m'ouvre son cœur. Je savais qu'il avait ses secrets lui aussi, profondément enfouis.

Je me renversai sur l'oreiller, fermai les yeux et pensai à maman. Où était-elle, en ce moment même ? Je refoulai mes larmes et conjurai l'image de maman, souhaitant que le sommeil vienne vite et m'arrache à ma tristesse.

Était-ce le même vœu que faisait Cary, chaque soir ?

10

Un tissu de mensonges

Le lendemain matin, dimanche, nous allâmes à l'église en famille. Dès notre retour à la maison, tante Sarah se lança dans une véritable leçon de maintien. Il s'agissait de se préparer à la visite chez les grands-parents, mais à l'entendre c'était comme si nous nous rendions à une audience royale. Et, bien sûr, je fus tout particulièrement l'objet de ses recommandations.

— Olivia n'aime pas les femmes qui laissent leurs cheveux libres, me sermonna-t-elle en arpentant la chambre. Tire bien les tiens sur les côtés avec des peignes. Et pas de maquillage, surtout, même pas de rouge à lèvres. Tu peux mettre le bracelet porte-bonheur de Laura, mais pas de bagues, ni de collier ni de boucles d'oreilles. Surtout pas de boucles d'oreilles : Olivia dit que c'est très mauvais genre.

— Est-ce aussi votre avis, tante Sarah ?

— Mon avis ne compte pas chez Samuel et Olivia, répliqua-t-elle. Ce qui leur plaît fait plaisir à Jacob.

— Et vous, ma tante, qu'est-ce qui vous fait plaisir ?

Tante Sarah me dévisagea comme si j'avais posé une question absurde.

— Je suis contente quand mon mari est satisfait, ainsi que toute femme devrait l'être.

— Eh bien moi, j'espère que mon mari voudra me voir heureuse, et qu'il se souciera plus de mes sentiments que des siens. Papa était comme ça.

Tante Sarah fronça les sourcils.

— Ne dis jamais cela devant Jacob, ma chérie. Surtout pas aujourd'hui.

— Il vaudrait peut-être mieux que je ne vous accompagne pas, qu'en pensez-vous ?

La peur que je lus dans ses yeux était déjà une réponse.

— Tu dois y aller ! se récria-t-elle. C'est dimanche, et ils préparent toujours un déjeuner froid. Nous n'en avons jamais manqué un, ils sont d'ailleurs délicieux. Laura aimait beaucoup les petits fours au sucre glace, et Samuel lui donnait toujours un billet de cinq dollars tout neuf en partant. Il l'adorait. Elle était...

Ma tante s'interrompit, soupira, et pendant un moment parut s'évader dans une sorte de rêve éveillé. Puis, sur un battement de paupières, elle émergea brusquement de sa transe.

— Tiens-toi droite et la tête haute, surtout. Olivia déteste le laisser-aller des jeunes gens d'aujourd'hui.

— On ne m'a jamais dit que je me tenais mal.

— Et ce n'est pas le cas, reconnut tante Sarah, mais veille quand même à ton maintien. Bon, il est temps d'aller m'occuper de May, conclut-elle en marchant vers la porte.

Restée seule, je mis la dernière main à ma toilette. J'étais plus nerveuse que je ne l'avais jamais été depuis mon arrivée dans la maison. Quand je crus enfin avoir atteint le résultat souhaité par ma tante, je descendis et trouvai la famille réunie dans la salle de séjour.

Tout le monde avait gardé ses habits du dimanche. L'oncle Jacob était en costume bleu marine, Cary en veste sport d'un bleu plus clair, tous deux arborant une cravate bien nette et des souliers impeccablement cirés. May était charmante dans sa robe rose, avec ses cheveux noués en catogan et ses vernis noirs à barrette. Tante Sarah, guindée dans une robe bleu sombre à haut collet, ne portait ni maquillage ni bijou, à part son médaillon. Un peigne d'ivoire, sans le moindre ornement, retenait son chignon sévère.

À mon entrée, tous les regards convergèrent sur moi et j'attendis, figée sur place, le résultat de l'inspection. Cary se rembrunit puis détourna les yeux, et je crus comprendre pourquoi. Je portais encore une des robes de Laura, en jolie cotonnade écrue, celle-ci. Plus que jamais, je souhaitai que mes effets personnels arrivent. J'accueillis avec soulagement la remarque aimable de ma tante.

— Eh bien, elle me semble tout à fait correcte. N'est-ce pas, Jacob ?

— Oui, grogna-t-il d'un ton bourru. Tu lui as parlé de sa conduite ?

— Pas encore.

— Qu'est-ce que j'ai encore fait ? me hérissai-je.

— Il ne s'agit pas de ce que tu as fait, mais de ce que tu pourrais faire, grommela mon oncle en se levant. Parle-lui, Sarah, et dépêchez-vous de nous rejoindre.

Sur ce, il jeta un coup d'œil significatif à Cary, qui sauta sur ses pieds. Puis il prit sa petite sœur par la main et tous deux sortirent derrière leur père.

Tante Sarah me désigna le canapé.

— Assieds-toi un moment, tu veux bien ? Il y a encore quelques petites choses que tu ne dois surtout pas oublier.

— Quelles choses ? demandai-je en prenant la place qu'elle m'indiquait.

— Olivia, ta grand-mère, est... très intransigeante sur la façon dont les enfants doivent se conduire dans sa maison.

— Je ne suis pas une enfant ! J'ai presque seize ans.

— Je sais, mais tant qu'une fille n'est pas mariée, Olivia la considère comme une enfant, expliqua ma tante.

Et j'eus le sentiment très net qu'elle parlait par expérience. Campée devant moi, elle reprit sur un ton professoral :

— Tu ne dois pas parler avant qu'on t'adresse la parole, c'est très important. Olivia trouve grossier qu'une jeune personne pose des questions, ou exprime son opinion sans y avoir été invitée. Et surtout, ne coupe jamais la parole à quelqu'un.

— Mais je ne le fais jamais.

— Bien. N'oublie jamais de dire s'il vous plaît ou merci. Assieds-toi toujours les genoux serrés et les mains croisées. À table, porte proprement ta cuiller ou ta fourchette à la bouche au lieu de te pencher sur ton assiette. Ne pose pas les coudes sur la table, tiens-toi droite, n'oublie pas de t'essuyer la bouche après avoir mangé ou avant de boire, et ne dévisage pas les gens.

Je hochai la tête mais n'en ronchonnai pas moins :

— Ça promet d'être amusant, comme visite !

Tante Sarah devint livide.

— Pour l'amour du ciel ! Ne répète jamais ça, surtout.

— Ne vous inquiétez pas, tante Sarah. Je n'ai jamais fait honte à mes parents, et je ne vous mettrai pas dans l'embarras, déclarai-je en me levant.

Et, bien à contrecœur, j'allai rejoindre Cary et May à l'arrière de la voiture. Je pris place à côté de ma cousine et chuchotai à l'intention de Cary :

— Ils habitent loin d'ici ?

— Vingt minutes, environ.

Rien qu'à imaginer la désapprobation de grand-mère Olivia, je claquais des dents. Elle me rejetait d'avance, mais pourquoi ? J'allais rencontrer mes grands-parents pour la première fois, j'aurais dû être enthousiaste, au contraire. Tous les grands-parents dont on m'avait parlé chérissaient leurs petits-enfants.

Sauf chez nous, je ne devais pas l'oublier. Nous n'étions pas une famille comme les autres.

De l'extérieur, la maison n'avait rien de froid ni de banal. De dimensions imposantes, elle était entièrement construite en bardeaux, et apparemment très ancienne. D'après tante Sarah, le bâtiment d'origine remontait aux environs de 1780. Cary leva les yeux au ciel quand sa mère se lança dans l'historique de la demeure, et j'en conclus que tout le monde connaissait le sujet par cœur. Olivia devait l'avoir rabâché maintes et maintes fois.

En tout cas, le parc était magnifique, en particulier les pelouses. Je n'en avais jamais vu d'aussi belles au Cap Cod. Les massifs de fleurs offraient une composition raffinée de pensées violettes et jaunes, de roses et de géraniums. Sur la droite, j'eus le temps d'apercevoir une petite mare où barbotaient des canards et, un peu plus loin, une balancelle ombragée d'un dais. Puis l'oncle Jacob se gara dans l'allée.

À peine étions-nous descendus que tante Sarah releva une mèche sur mon front, avant de redresser fébrilement les épaulettes de ma robe.

— Laisse-là donc tranquille, marmonna Cary.

Ma tante alla se placer aux côtés de son époux, qui appuyait déjà sur le bouton de la sonnette, et nous nous rangeâmes derrière eux. Un instant plus tard, la porte s'ouvrit. Et pour la première fois de ma vie, je vis mon grand-père en chair et en os.

Grandpa Samuel était un homme de haute taille, vigoureux et

de belle prestance. Je détectai instantanément sa ressemblance avec papa. Il avait les mêmes yeux verts, tout comme Cary ; et si ses cheveux grisonnaient beaucoup ils étaient encore très abondants, et légèrement ondulés. Il les portait rejetés en arrière, le front bien dégagé.

Son nez ferme et droit était bien celui qu'avait eu papa, mais ses lèvres étaient plus minces et son menton moins charnu. Il avait les longs bras et les grandes mains de papa, et je lui trouvai les épaules singulièrement larges et solides pour un homme de son âge.

— Bonjour, Jacob et Sarah, dit-il d'une voix affable.

Mais son regard ne fit que les effleurer, pour se fixer aussitôt sur moi, et je crus voir un soupçon de sourire au coin de ses lèvres. Le même petit sourire tendre qu'avait si souvent papa.

Pour Cary et pour May, il eut un bref regard et murmura :

— Bienvenue, les enfants...

— Bonjour, Grandpa, répondit Cary.

— Bon-jour, articula May.

Tante Sarah fit un pas de côté.

— Voici Melody, annonça-t-elle en me poussant légèrement en avant.

— Jolie fille. Elle tient beaucoup de Hellie, pas vrai, Jacob ?

— Mm-oui, bougonna vaguement mon oncle.

Et mon grand-père, enfin, m'adressa la parole.

— Bonjour, Melody.

Ignorant si je devais lui tendre la main, faire la révérence ou incliner simplement la tête, je me contentai de répondre :

— Bonjour. Très heureuse de vous connaître.

Je faillis ajouter « enfin », mais n'en fis rien. Et mon grand-père eut à nouveau son petit sourire attendri.

— Eh bien, entrez, dit-il en s'effaçant devant nous. Olivia supervise les préparatifs, vous vous en doutez.

Nous pénétrâmes dans un vestibule dallé de marbre, dont les deux murs latéraux s'ornaient de tableaux, principalement des marines. Toute la maison embaumait les fleurs fraîches.

Grandpa Samuel nous introduisit dans la pièce de droite, un salon spacieux au mobilier cossu, dont le plancher de chêne reluisait comme un miroir. Toute une collection de verrerie précieuse trônait sur les meubles et les étagères. Parmi les vases et les bibelots, je vis quelques photographies encadrées d'argent, que je parcourus rapidement du regard. J'identifiai surtout des portraits de mes grands-parents quand ils étaient jeunes, quelques photographies d'oncle Jacob, de tante Sarah et de leurs enfants. Il n'y en avait pas une seule de papa.

— Va t'asseoir avec Cary et May, m'ordonna tante Sarah en désignant deux canapés qui se faisaient face.

Nous prîmes place sur celui de droite, oncle Jacob et ma tante sur celui de gauche et Grandpa Samuel dans un fauteuil. Il ne m'avait pas quittée des yeux, mais ce fut à son fils qu'il s'adressa.

— Eh bien, Jacob, comment s'est passée ta semaine ?

— L'un dans l'autre, assez bien, père. La journée d'hier a été bonne, n'est-ce pas, Cary ?

Mon cousin marmonna un assentiment, Grandpa Samuel hocha la tête puis il se retourna vers moi.

— Ainsi, tu es Melody. Quel âge as-tu ?

— Quinze ans, presque seize.

— Déjà ! soupira Grandpa Samuel, puis je vis reparaître son sourire. Alors tu joues du violon, paraît-il ? Mon grand-père jouait de l'accordéon. Je ne vous l'ai jamais dit, Sarah ?

— Non, père. Je l'ignorais.

— Depuis le temps que je te le répète ! jeta son époux d'un ton rogue.

Ma tante ouvrit des yeux ronds.

— Vraiment, Jacob ? Je ne me rappelle pas t'avoir entendu mentionner que ton arrière-grand-père jouait de l'accordéon.

— Et même très bien, confirma Grandpa Samuel. J'entends encore ses petits airs entraînants.

— À quoi bon évoquer un pêcheur paresseux ? fit derrière nous une voix à la fois frêle et cassante.

Nous nous retournâmes d'un bloc, pour voir une petite femme en robe jaune paille s'encadrer sur le seuil.

De stature fluette, Grandma Olivia mesurait à peine un mètre cinquante-cinq, mais son maintien altier en imposait. Ses cheveux de neige étaient tirés en chignon serré, comme ceux de tante Sarah, ce qui faisait paraître ses yeux encore plus grands et son front encore plus haut. Quelques taches de vieillesse marquaient son teint d'ivoire, ses lèvres sans maquillage étaient d'un rose décoloré. Mais sa façon de se tenir droite la faisait paraître plus grande qu'elle n'était, et à mon avis plus vigoureuse qu'elle ne devait l'être.

— Vous arrivez de bonne heure, constata-t-elle sur un ton de reproche.

Et son regard accusateur s'attarda sur moi, avant de s'arrêter sur Sarah.

— Eh bien, qu'attends-tu pour faire les présentations ?

— Tout de suite, Olivia, dit tante Sarah en se retournant vers moi. Voici Melody. La fille de Hellie.

La fille de Hellie, notai-je, un peu choquée. Pourquoi pas celle de Hellie et de Chester ? Était-il interdit de prononcer même le nom de mon père, dans cette maison ?

Sur un signe discret de ma tante, je me levai, et Grandma Olivia se rapprocha de moi. Elle me toisa d'un coup d'œil bref et hocha la tête, comme pour confirmer une opinion qu'elle s'était faite.

— Elle semble en bonne santé, constata-t-elle. Elle est grande et se tient bien.

Grande ? Je n'étais pas si grande que ça, m'étonnai-je. Puis je compris que, pour cette petite femme, n'importe qui devait paraître grand.

— Alors ? m'interpella-t-elle. Tu ne dis rien ?

J'articulai un timide :

— Bonjour, Grandma Olivia.

Ces quelques mots parurent la piquer au vif. Elle se raidit et rejeta les épaules en arrière.

— Nous allons manger, bien qu'il soit un peu tôt, décida-t-elle. Tu me parleras de toi à table. Samuel ?

Comme si elle lui avait donné un ordre, son mari se leva, imité du reste d'entre nous. Puis, tel un groupe de soldats derrière le général, nous suivîmes Grandma Olivia jusqu'à la salle à manger.

C'était une grande pièce entièrement lambrissée de chêne, dont une longue table en merisier verni occupait le centre. Tout y semblait somptueux. Les chaises en tapisserie à haut dossier droit, la porcelaine fine et les couverts d'argent massif. Chaque convive avait son napperon et sa serviette en lin brodé.

May, Cary et moi fûmes placés d'un côté de la table, tante Sarah et oncle Jacob de l'autre, Grandpa Samuel et Grandma Olivia s'assirent aux deux extrémités. Puis une femme de chambre entra pour servir le repas froid.

Il commença par une salade mélangée, avec des cœurs de laitue craquants à souhait. De longues tranches de pain bis furent déposées devant chacun sur un petit plat d'argent, et l'on remplit les grands verres d'eau fraîche. Puis on apporta successivement une marinade aux crevettes, des pommes de terre nouvelles, des pointes d'asperges et deux beaux canards rôtis tout découpés.

Grandma Olivia prenait de très petites quantités de chaque chose, mais Grandpa, oncle Jacob et Cary faisaient honneur à tous les plats. Grandma ne me quittait pas des yeux, je sentais son regard fixé sur moi. Et, durant tout le repas, je me récitai mentalement les instructions de ma tante.

Subitement, comme si elle reprenait le fil d'une conversation laissée en cours, Grandma Olivia demanda :

— Ainsi, Hellie a appelé ?

— Oui, répondit ma tante. Avant-hier soir, elle a parlé à Melody.

Le regard froid de Grandma s'attacha de nouveau sur moi.

— Où se trouve ta mère ?

— Elle était entre Boston et New York, quand elle m'a téléphoné.

— Et combien de temps compte-t-elle continuer comme ça ?

Je fronçai les sourcils, sans comprendre.

— Continuer ?

— À prétendre qu'elle va faire quelque chose de sa vie minable, daigna expliquer Grandma.

Je sentis le rouge me monter aux joues.

— Elle a des auditions, des entretiens, des rendez-vous, ripostai-je. Elle a l'intention de devenir...

— Quoi donc ? coupa ma grand-mère avec un petit rire acerbe. Mannequin, actrice ? Actrice, elle l'est déjà et l'a toujours été, ajouta-t-elle en dévisageant Grandpa Samuel.

Et comme il évitait son regard, elle se retourna vers moi.

— Ton père ne t'a pas laissé le moindre argent, après tant d'années de prétendu honnête labeur ?

— Nous en avions un peu, mais maman a eu besoin de beaucoup de choses et...

— Inutile d'en dire plus, grommela-t-elle. Je vois que rien n'a changé. De quoi a-t-elle l'air ? reprit-elle à l'intention de tante Sarah.

— Elle est toujours très jolie, Olivia. Elle a peut-être même des chances de devenir mannequin.

— C'est grotesque ! rétorqua Grandma, sardonique.

Et, pressée de changer de victime, elle s'en prit à Cary.

— Que devient ton travail de classe, mon garçon ?

Mon cousin répondit avec franchise :

— Toujours aussi peu brillant, Grandma, j'en ai peur.

— Et que comptes-tu faire à ce sujet ? Il ne te reste plus beaucoup de temps, il me semble.

— J'ai peut-être trouvé quelqu'un qui pourra me servir de tuteur, hasarda Cary en me décochant son petit sourire en coin.

Je lui souris à mon tour, et Grandma Olivia surprit notre manège. Son attention se reporta sur moi.

— Tu es bonne élève, si j'ai bien compris ?

— Oui, Grandma. J'ai toujours été la première de ma classe.

Elle arqua un sourcil étonné.

— Hmm ! Et dire que ta mère n'a même pas été capable de terminer le lycée !

— Bien sûr que si, répliquai-je instantanément.

Tante Sarah émit un hoquet d'angoisse et porta sa serviette à ses lèvres. Elle chercha mon regard et secoua légèrement la tête. Que voulait-elle me faire comprendre ? Que je devais laisser Grandma Olivia raconter des mensonges ?

— Alors c'est ce qu'elle t'a dit ? reprit-elle.

— Oui.

Le sourire glacé de Grandma Olivia reparut, plus mince que jamais.

— Cette fille n'a jamais su distinguer l'illusion de la réalité. Je ne suis pas surprise qu'elle coure le pays dans l'espoir de faire une carrière d'actrice ou de mannequin.

Que savez-vous vraiment de ma mère, vous qui avez renié mon père pour l'avoir épousée ? faillis-je demander. Mais je me contins et baissai le nez sur mon assiette. Puis je regardai May, qui mangeait sagement, le visage éclairé d'un sourire. Mes grands-parents savaient-ils communiquer avec elle, au moins ? Tout ce que j'avais pu observer, c'était quelques signes de tête et sourires de Grandpa Samuel. Grandma Olivia, pour sa part, ignorait purement et simplement la fillette.

Le repas s'acheva en silence, et Grandpa Samuel fut le premier à reprendre la parole.

— D'après ce qu'on dit, commença-t-il en s'adressant à son fils, la saison touristique s'annonce bien. Les prix des voyages à l'étranger jouent en notre faveur.

Oncle Jacob en convint.

— Oui, les hôteliers sont contents, les locations marchent bien. Ça va faire beaucoup d'ordures à ramasser à l'automne sur les plages, ronchonna-t-il.

Et je compris — mais je m'en doutais déjà — d'où Cary tenait son attitude hostile envers les étrangers à la région.

— Et les airelles ? reprit Grandpa Samuel.

— On ne peut pas se plaindre. La récolte devrait être bonne.

— Est-ce qu'elle compte te laisser ici tout l'été ?

Cette question-là s'adressait à moi, posée brusquement par ma grand-mère.

— Je n'en sais rien, Grandma. J'espère que non.

— Voyez-vous ça ! Et pourquoi, s'il te plaît ? N'es-tu pas bien traitée chez mon fils ? On t'a donné la chambre de Laura et tu portes ses vêtements, si je ne me trompe ?

— Je suis bien traitée, c'est vrai, me hâtai-je de répondre. Je voulais dire que maman me manque, c'est tout.

Grandma Olivia eut une grimace dédaigneuse.

— Une fille de ton âge devrait avoir un vrai foyer, au lieu de courir les routes à la poursuite du rêve de quelqu'un d'autre.

— Nous avions un foyer, ripostai-je, et nous en aurons un autre.

Mon accent de défi n'intimida pas ma grand-mère.

— Et quel genre de foyer aviez-vous, en Virginie ?

— Nous habitions dans une caravane. Papa travaillait dur à la mine. Je n'ai jamais eu faim.

— Et ta mère, que faisait-elle ?

— Elle était employée dans un salon de coiffure.

— Logique, persifla Grandma. Cette femme aurait fini par user les miroirs, à force de s'y regarder.

Cette fois, je n'eus pas le temps de lui répondre. Elle appela sa femme de chambre et lui donna ses ordres.

— Les adultes prendront le café au salon, Loretta. Vous servirez des glaces et des petits fours aux enfants.

Aux enfants ? Je louchai du côté de Cary, curieuse de savoir s'il appréciait l'appellation. Il mordilla le coin de sa lèvre et regarda fixement le mur. Je faillis pouffer, mais une nouvelle réflexion de Grandma m'ôta toute envie de rire.

— Tu as de la chance que ta tante Sarah ait conservé les vêtements de Laura. Elle a toujours été si bien habillée !

— Maman s'occupe de me faire envoyer mes bagages, rétorquai-je avec sécheresse.

Et, devant l'expression désolée de ma tante, je m'empressai d'ajouter :

— Mais je suis très reconnaissante à tante Sarah de me prêter les affaires de Laura. Je regrette que ce soit dans de telles circonstances, c'est tout.

Grandpa Samuel, qui avait pris une mine sévère, inclina la tête en signe d'approbation mais Grandma haussa les sourcils.

— Et que sais-tu des circonstances ?

— Eh bien... on m'a dit que...

— Olivia, intervint doucement Grandpa Samuel. Faut-il vraiment revenir sur tout cela ?

Grandma Olivia grommela quelques mots indistincts, mais elle n'en avait pas encore fini avec moi.

— Tu sais jouer du violon, si j'en crois Jacob ? Tu pourrais peut-être venir donner un récital, un de ces jours.

J'en restai sans voix. Oncle Jacob avait-il vraiment dit quelque chose de bien sur mon compte ? Et Grandma était-elle sérieuse en m'invitant ?

Elle se leva et, tournée vers son mari, laissa tomber comme un ordre :

— Passons au salon, Samuel.

— Tout de suite, ma chère.

La femme de chambre apporta trois coupes de glace à la vanille, et un plat des fameux petits gâteaux glacés qu'aimait Laura. Grandma la regarda nous servir et se tourna vers Cary :

— Tu pourras faire visiter la propriété à ta cousine, mon garçon. Promenez-vous, mais ne vous salissez surtout pas. Et assure-toi que May a bien compris.

— Tout de suite, Grandma.

Il s'exécuta, sous le regard apitoyé de grand-mère, et elle attendit qu'il eût terminé pour quitter la pièce.

— On devrait appeler cette maison le palais de glace ! marmonnai-je quand elle fut sortie.

Mon cousin eut un de ses rares sourires.

— Elle n'est pas si dure qu'elle veut bien le paraître, tu sais. Elle aboie, mais elle ne mord pas.

Nous nous attaquâmes au dessert, et j'appréciai les gâteaux, moi aussi. Et pour être franche, j'avais trouvé la collation délicieuse.

— Je dois admettre que la maison elle-même est agréable, observai-je. Encore plus que celle d'Alice Morgan.

— Qui est-ce ?

— Ma meilleure amie, à Sewell, répondis-je en parcourant du regard le décor luxueux de la pièce. Mais qu'a donc fait Grandpa pour gagner tant d'argent ?

— Grandma s'est retrouvée à la tête d'une petite fortune, quand ses parents sont morts. Grandpa possédait une flottille de pêche, dont cinq bateaux-viviers, mais il en a perdu plusieurs dans des circonstances malheureuses. Par chance, mon père avait déjà le sien, à cette époque-là, m'expliqua patiemment mon cousin. Et maintenant, viens, ajouta-t-il en se levant. Je t'emmène voir le reste.

Il fit signe à May, qui engloutit une dernière cuillerée de glace avant de quitter la table, puis vint spontanément glisser sa main dans la mienne. Et la visite commença.

Derrière Cary, nous remontâmes le couloir vers le fond de la maison, dépassâmes la cuisine, puis une réserve, pour arriver à une dernière porte. Mon cousin l'ouvrit, et nous nous retrouvâmes sur un petit porche, qui donnait sur l'autre côté de la propriété.

Il y avait un grand belvédère, des bancs de bois, une rocaille avec une petite fontaine. Le terrain gazonné rejoignait la plage, et, près du débarcadère, un grand voilier se balançait sur l'eau, relié par un filin à un petit canot à moteur.

— Quel endroit magnifique ! m'exclamai-je.

— Oui. C'est une petite crique, en fait, et la mer est bien moins dure ici que sur le reste de cette portion de côte.

Nous descendîmes jusqu'au ponton pour contempler l'océan. Les vagues se soulevaient à peine, de longues écharpes de nuages blancs rayaient le bleu du ciel. Sur notre droite, de gros rochers s'élevaient le long du rivage. Des mouettes arpentaient la plage, à la recherche de palourdes. J'en vis une planer au-dessus d'un rocher, laisser tomber quelque chose de son bec et, à peine cette chose avait-elle touché le roc, plonger aussitôt pour aller la rechercher. Intriguée, je questionnai Cary.

— Mais qu'est-ce qu'elle fabrique ?

— Les mouettes jettent les coquillages sur les rochers pour qu'ils se brisent, c'est leur façon de les ouvrir. Pas bêtes, ces oiseaux, non ?

J'étais abasourdie, non seulement par ce spectacle mais par l'étendue des connaissances de mon cousin, et la beauté de tout ce qui nous entourait.

— Je comprends pourquoi papa voulait si souvent aller au bord de la mer, murmurai-je. Tout cela devait lui manquer.

Cary attacha sur moi un long regard pensif, puis, soudain, se pencha pour vérifier l'amarre du canot. Ce fut l'instant que choisit May pour nous faire signe qu'elle voulait aller chercher des coquillages.

— Pas trop loin, lui recommanda Cary.

Et bien qu'elle ne pût pas nous entendre, j'attendis qu'elle se fût éloignée de quelques pas pour observer :

— Notre grand-mère n'a pas l'air d'aimer beaucoup maman, on dirait ?

— J'en ai bien l'impression, admit Cary, sans quitter des yeux sa petite sœur.

— Est-ce qu'ils parlent beaucoup de mes parents, elle et Grandpa ?

— Pas vraiment, fit Cary en prenant le chemin de la plage.

Et il ne me resta plus qu'à le suivre : j'avais des choses à tirer au clair.

— Je ne comprends toujours pas ce qu'a bien pu faire papa pour qu'ils soient si fâchés contre lui. Un homme a le droit d'épouser la femme qu'il aime, non ? Pourquoi l'ont-ils renié ? Grand-mère est très cruelle, et tu ne vas pas me dire que c'est parce qu'elle a peur, elle aussi ?

Cary pivota sur lui-même, et cette fois il eut l'air plus peiné que furieux.

— Grandma a la dent dure mais elle n'est pas méchante, je te l'ai dit, et tu t'en apercevras quand tu la connaîtras mieux. Il lui faut du temps pour s'accoutumer aux étrangers.

— Je ne suis pas une étrangère. Je suis sa petite-fille, que cela lui plaise ou non.

Cary évita mon regard et se remit à surveiller May. Elle s'était approchée si près de l'eau que l'écume léchait le bout de ses souliers.

— Bon sang ! s'écria-t-il en s'élançant vers elle.

Et, l'empoignant par l'épaule, il la ramena brutalement en arrière. Je pris la main de la fillette, lui annonçai que nous allions chercher des coquillages et Cary nous suivit, tout penaud. Je n'avais pas pu m'empêcher de lui reprocher sa brusquerie.

— Elle ne sait pas nager, tu comprends, allégua-t-il pour sa défense. Et même si elle savait, le courant de jusant est très fort. Même un bon nageur peut se noyer pendant le reflux.

Je mis une distance respectable entre moi et le bord de l'eau, me retrouvant ainsi aux côtés de Cary.

— Je comprends pourquoi tu la protèges, dis-je avec douceur, et je trouve cela très fraternel. Mais tu devrais la laisser un peu respirer, tu ne crois pas ?

Il s'arrêta et plongea son regard dans le mien, si longuement que j'en oubliai ma question. Le vent faisait voler ses cheveux sur son front, les embruns nous fouettaient le visage. Sur nos têtes, les mouettes tournoyaient en criant.

— Je sais pourquoi la famille a renié ton père, annonça-t-il abruptement, et pourquoi ta mère et lui se sont sauvés.

— Tu le sais !

Cary s'agenouilla dans le sable, ramassa un coquillage et le tendit à May.

— Oui. Personne ne me l'a dit, avoua-t-il. Je l'ai découvert tout seul, en glanant des bribes de conversation par-ci, par-là. Quand mon père s'est aperçu que je savais, il m'a pris à part et m'a formellement interdit de parler de ça, surtout en présence de mes grands-parents.

— Raconte-moi, chuchotai-je.

— C'est ta mère qui aurait dû t'en parler, ou ton père. Mais ils devaient avoir trop honte pour le faire, à mon avis.

Mon cœur manqua un battement.

— Honte de quoi ? Qu'est-ce qu'ils avaient fait ?

— Ils s'étaient mariés, murmura mon cousin avec gêne.

— Et alors ? Tes parents et tes grands-parents sont-ils arrogants au point de mépriser une femme, une orpheline, simplement parce qu'elle n'appartient pas à ce qu'ils appellent une bonne famille ? Pour qui se prennent...

— Ta mère était orpheline, c'est vrai, m'interrompit Cary. Mais elle ne t'a jamais dit qui étaient ses parents adoptifs.

Je retins ma respiration.

— Que veux-tu dire ? Qui étaient-ils ?

— Grandma et Grandpa, souffla Cary. Ton père et ta mère ont été élevés comme frère et sœur, et cela n'a rendu les choses que plus horribles quand ils ont découvert qu'elle était enceinte.

Je secouai la tête, totalement incrédule.

— Quelle absurdité ! C'est un mensonge ridicule, forgé par ton père pour justifier la façon indigne dont la famille a traité le mien.

— C'est la vérité, pourtant.

— Non ! Je refuse d'écouter une seule de ces horribles inventions.

J'avais plaqué les mains sur les oreilles, et May leva sur moi un visage inquiet. Je lui adressai un signe rassurant.

— Je pensais qu'il valait mieux que tu saches, reprit Cary, que cela t'aiderait à comprendre la réaction des gens vis-à-vis de tes parents. Et qu'ainsi, peut-être, tu en voudrais moins à la famille.

— Je leur en veux d'autant plus, au contraire. Parce qu'ils mentent !

— Ils ne mentent pas, me reprit gentiment Cary, et je m'étonne que les commères du lycée ne t'aient pas déjà mise au courant. Mais c'est une vieille histoire, peut-être ne la connaissent-elles pas, ou alors elles n'ont pas vraiment compris qui tu étais.

Je m'écartai légèrement de lui, refusant toujours de le croire.

— Tu essaies simplement de te venger parce que je t'ai fait une réflexion à propos de May, voilà ! C'est méchant et je te déteste, lui criai-je avec colère. Je te déteste !

Et je m'élançai en avant, les joues ruisselantes de larmes.

Je courus aussi vite et aussi loin que je le pus, glissant et trébuchant dans le sable, traversant des flaques d'eau en soulevant des gerbes d'éclaboussures. Finalement, hors d'haleine et les poumons en feu, je me laissai tomber sur la plage. Cary mentait, me répétais-je en m'efforçant de retrouver mon souffle. Ou alors on lui avait menti, forcément. Pourquoi mes parents ne m'auraient-ils jamais parlé de rien ?

Quelques instants plus tard, il apparut à mes côtés, tenant May par la main. Je l'entendis soupirer.

— Je savais que je n'aurais rien dû te dire !

— Tu n'aurais jamais dû dire quelque chose d'aussi bête, en tout cas ! ripostai-je en levant les yeux.

Et, voyant les traits bouleversés de May, je me levai en hâte et secouai le sable de ma jupe. Aussitôt, May lâcha la main de son frère et prit la mienne.

— Rentrons, décida Cary en tournant les talons. En passant, je te montrerai quelque chose.

Nous le suivîmes en silence, et nous n'empruntâmes pas exactement le même chemin qu'à l'aller. Parvenus derrière la maison, il nous fit contourner le côté nord, jusqu'à une porte basse en métal, qu'il tira vers lui. Elle donnait sur un petit escalier de cave en ciment, conduisant à une seconde porte.

— C'est l'entrée des sous-sols, annonça Cary en descendant les marches.

Je le suivis, non sans hésitation, et il ouvrit la seconde porte. Puis il tira un cordon, allumant une ampoule nue qui pendait au bout de son fil, et nous entrâmes l'un derrière l'autre dans une petite pièce humide où régnait une odeur de moisi. Des étagères métalliques s'appuyaient aux murs de pierre brute, et le sol était en terre battue.

— Nous sommes sous la partie la plus ancienne de la maison, m'expliqua mon cousin. Autrefois, ce devait être une espèce de cellier, où on gardait les légumes et les fruits. Laura et moi nous en servions comme refuge, nous aimions bien l'idée de pouvoir nous y retrouver tranquillement. Cela nous était bien égal que ça sente le moisi, et qu'il y ait des toiles d'araignées ou des souris.

— Des souris ?

— Elles ont filé se cacher dans leur trou, me rassura Cary en souriant.

Et, s'approchant d'une étagère, il y prit un carton tout ramolli par l'humidité qu'il déposa sur le sol, avant de l'ouvrir avec précaution.

— Et voilà, dit-il en relevant la tête, attendant que je m'approche.

Le cœur étreint d'une subite angoisse, je serrai la main de May dans la mienne et fis quelques pas prudents vers la boîte. Elle était remplie d'albums de photos. Cary prit le premier sur la pile et l'ouvrit.

— Tes parents étaient partis depuis longtemps quand nous avons découvert tout ça, commença-t-il. Quand nous avons questionné Grandma Olivia sur ces photos, elle nous a formellement interdit de remettre les pieds ici. Nous avons attendu très longtemps avant de revenir.

Je baissai les yeux sur l'album. Il contenait de vieilles photographies d'enfants, deux garçons et une fille. Mon cousin se mit à tourner les pages.

— Voilà ton père et ta mère, indiqua-t-il. Et ici, c'est mon père.

À chaque page tournée, la ressemblance était plus manifeste. Papa, maman et oncle Jacob grandissaient sous mes yeux.

— Ton père a toujours été beau, pas vrai ? constata Cary. Et ta mère, quelle jolie fille c'était, depuis toute petite !

Incrédule, je voyais lentement défiler des images prises sur la plage, dans le parc, sur une balancelle, à bord d'un voilier, au cours d'une partie de pêche... et je ne cherchais pas à retenir mes larmes.

— Je suis désolé, s'excusa Cary. Je regrette qu'on ne t'ait pas dit la vérité.

Je me mordis la lèvre, respirai un grand coup, et mon cousin alla remettre soigneusement album et carton à leur place.

— Il y a beaucoup d'autres photos, annonça-t-il, mais c'est assez pour une seule fois.

Je me détournai, libérant la main de ma cousine, et ce fut comme si je venais de lâcher une corde de sécurité. J'eus l'impression d'avoir perdu toute attache et de flotter en plein ciel. Tout étourdie, je remontai lentement vers la lumière, et c'est à travers une brume que j'entendis mon cousin éteindre et refermer derrière nous. Les yeux au loin, je fixai l'océan d'un regard ébloui, comme hypnotisée.

On m'avait entourée d'un tissu de mensonges, et Cary venait de le déchirer. Je voyais désormais le monde avec d'autres yeux.

Mais il me restait davantage à découvrir, j'en avais le pressentiment, et l'angoisse que j'en éprouvais me broyait le cœur. Pourtant, il fallait que je sache.

Et, si redoutable que dût être la vérité, je me jurai de la connaître.

11

Il me trouve jolie

Cary me rejoignit dehors. Nous restâmes un long moment debout côte à côte, sans mot dire. Deux mouettes passèrent à tire-d'aile, et leurs appels aigus retentirent lugubrement à mes oreilles. Mais sans doute n'étaient-ils que l'écho d'autres cris, ceux qui montaient au plus profond de moi et que j'étais seule à entendre. Mon univers venait de basculer d'un seul coup, le ciel bleu me paraissait gris, l'océan glacé. Rien n'était plus comme avant.

— Mes parents ne se doutaient pas que tu ne savais rien au sujet de Hellie, j'en suis certain, affirma Cary. Et en fait, j'aimerais mieux qu'ils ne sachent pas comment tu l'as appris.

Je pivotai si brusquement qu'il tressaillit, comme s'il s'attendait à recevoir une gifle.

— Mais comment donc ! Je pourrais leur raconter que c'est maman qui m'a tout dit, par exemple. Ou bien une élève, au lycée. Ou encore prétendre que j'ai tout découvert toute seule, pourquoi pas ? On cultive le mensonge comme les airelles, chez vous. Je n'ai que l'embarras du choix !

— Je sais ce que tu ressens, Melody.

— Ah tu crois ça ? renvoyai-je, les joues en feu.

Les yeux vert d'eau de mon cousin s'assombrirent, mais leur expression de sincérité me toucha.

— Oui. Quand j'ai compris que tu ne connaissais pas la vérité sur tes parents, j'ai éprouvé un choc. J'avais déjà pensé à t'en parler. J'en avais assez de tes reproches sur la façon dont mon père avait traité le tien, mais...

— Mais quoi, Cary Logan ?

Il avala sa salive, mal à l'aise.

— Je voulais éviter... ce qui arrive, justement.

— Et qu'arrive-t-il ? insistai-je, les poings aux hanches.

Du coin de l'œil, je vis que May nous observait avec inquiétude, mais j'évitai son regard.

— Eh bien, Cary ?

— Je ne voulais pas que tu me détestes, avoua-t-il. Tu sais ce qu'on dit... on en veut toujours au messager qui apporte de mauvaises nouvelles.

La tension qui raidissait ma nuque et mes épaules s'atténua sensiblement. Je me détendis.

— Je ne t'en veux pas pour m'avoir dit la vérité, Cary. Mais je suis furieuse, surtout contre ma mère. Elle aurait dû tout m'expliquer avant de venir me déposer comme un paquet, sans crier gare, dans une famille qui ne peut même pas supporter ma vue !

— Ne crois pas ça, voyons ! me reprocha doucement Cary. Qui pourrait t'en vouloir ? Tu n'es pas coupable. Tes parents auraient dû te faire confiance et tout te dire. Mais tel que je le connais, mon père ne leur a pas facilité les choses. Ils ont dû avoir tellement honte d'eux-mêmes, après leur mariage à la sauvette, qu'ils se sont enfuis au fin fond de la Virginie.

Je secouai la tête, toujours aussi perplexe.

— C'est quand même bizarre... Si Grandpa Samuel et Grandma Olivia méprisaient tellement les origines de maman, pourquoi l'ont-ils adoptée, alors ? Et même si papa et maman ont été élevés comme frère et sœur, ils ne l'étaient pas. Ce qu'ils ont fait méritait-il que les parents de papa le renient et le haïssent, au point que personne de la famille ne pleure sa mort ?

— Écoute, je ne connais pas tous les détails et, comme tu le sais déjà, nous n'aimons pas trop en parler. Mais peut-être que ta mère voudra bien te raconter tout ça, maintenant, conclut Cary. Tu n'auras qu'à lui demander.

— Si jamais elle m'appelle, oui ! Ou si elle daigne venir me voir.

— Je suis navré pour toi, Melody. Toute cette histoire pue comme du poisson pourri !

Nos regards se nouèrent et, dans le sien, je lus toute la compassion qu'il éprouvait pour moi.

— Merci, Cary. Merci de comprendre, murmurai-je avec reconnaissance.

Et je vis ses yeux d'émeraude s'illuminer.

May me dévisageait toujours, attendant une explication, et j'eus honte de l'avoir effrayée par mon éclat. Pourquoi ce petit être innocent devrait-il être atteint par mes problèmes personnels ? En quelques signes hâtifs, je lui fis savoir que tout allait bien et je la vis sourire d'une oreille à l'autre.

— Nous ferions mieux de rentrer, sinon les parents vont s'inquiéter, déclara Cary.

Et il s'assura que May n'avait pas sali ses chaussures avant de regagner la maison.

— Ah vous voilà, les enfants ! s'exclama tante Sarah quand nous entrâmes au salon. Je m'apprêtais à vous appeler. Où avez-vous été, Cary ?

— Nous nous sommes promenés sur la plage, mère

— Avez-vous trouvé de jolis coquillages ? insista ma tante à mon intention. Laura en trouvait toujours de très curieux, n'est-ce pas, Jacob ?

Mon oncle émit un grognement bourru, décourageant tout effort de conversation, et sa femme y renonça. Il m'était pénible de me retrouver en face d'eux tous, maintenant que je savais certaines choses. Grandma Olivia, raide comme la justice dans son fauteuil à haut dossier, me jetait des regards noirs. Cary avait beau dire, je savais qu'elle me détestait. Je lui rappelle maman, devinai-je. Chaque fois qu'elle pose les yeux sur moi, c'est elle qu'elle voit. Et j'aurais donné n'importe quoi pour être ailleurs.

Mais Grandpa Samuel, heureusement, paraissait d'humeur bienveillante. Il s'informa en souriant :

— Tu n'as pas encore emmené ta cousine en mer, Cary ?

— Non, grand-père.

— Il a tout le temps ! intervint précipitamment tante Sarah.

Sa voix trahissait l'angoisse, mais Grandpa reprit sans me quitter des yeux :

— Il n'y a personne en qui j'aurais plus confiance que Cary pour barrer un voilier. C'est le meilleur marin qu'il y ait jamais eu dans cette famille, pas vrai, Jacob ?

— Sûr que oui, approuva l'oncle Jacob en abattant les mains sur ses cuisses. Le meilleur. Et maintenant, ajouta-t-il en se levant, je crois qu'il est temps d'y aller.

Sur un signe de lui, tante Sarah s'empressa de se lever à son tour, puis il regarda fixement Cary.

— Merci pour votre accueil, Grandma, énonça poliment mon cousin.

Et finalement, le regard de mon oncle se posa sur moi. Je balbutiai un bref « merci », retenant les sarcasmes qui me brûlaient les lèvres. « Merci d'avoir caché les photos de mes parents dans la cave, aurais-je aimé crier à mes grands-parents. Merci d'avoir haï votre propre fils au point de ne plus prononcer son nom, et encore moins pleurer sa mort. Merci de me reprocher tous leurs torts ! » Mais je me tus, ravalant mon amertume, et me tournai vers May pour la regarder remercier ses grands-parents. Ce fut à peine s'ils lui prêtèrent attention. C'était sans doute leur façon de nier son handicap, ironisai-je en aparté. Un mensonge de plus ou de moins, quelle différence pour la famille Logan ? Leurs précieux coffres et leurs vieilles armoires devaient en être pleins à craquer.

— Je vous appellerai cette semaine pour vous préciser la date du dîner, annonça Grandma.

Elle n'avait pas pris la peine de tourner la tête vers ma tante, à qui la remarque était destinée, et qui manifesta la gratitude convenable. Les yeux fixés sur son mari, elle attendit ses directives et quand il se leva pour sortir, elle le suivit. Je remarquai que, pas plus qu'à l'arrivée, personne n'embrassait personne au moment des adieux. Seul Grandpa Samuel nous accompagna jusqu'à la porte.

— Passe une bonne semaine, souhaita-t-il à son fils.

— Merci, papa.

Les deux hommes échangèrent une poignée de main et, Jacob en tête, nous nous dirigeâmes tous vers la voiture.

— J'ai hâte de t'entendre jouer, Melody ! lança Grandpa derrière moi. N'oublie pas d'apporter ton violon quand vous viendrez dîner.

Je tournai la tête et rencontrai son regard chaleureux où dansait un sourire. Nous n'avions passé que bien peu de temps ensemble, lui et moi, et à peine échangé quelques mots. Mais j'avais peine à croire qu'il ait pu déshériter son propre fils, et lui garder rancune aussi longtemps. Il me semblait bien trop bon, bien trop généreux pour cela.

— As-tu passé un bon après-midi, Melody ? s'informa tante Sarah quand nous fûmes tous installés dans la voiture.

Je surpris le regard inquiet de Cary et récitai sagement ma leçon :

— Oui, ma tante. Le repas était excellent et la propriété des grands-parents est magnifique.

— N'est-ce pas ? J'adore venir ici. Laura y venait souvent, et tu en prendras l'habitude, toi aussi. J'en suis sûre.

— Eh bien, pas moi, grommelai-je entre mes dents, si bas que Cary fut le seul à l'entendre.

Mais il n'en montra rien, et tante Sarah poursuivit :

— Nous avons tous été invités à dîner, n'est-ce pas merveilleux ?

Cette fois, pas un de nous ne répondit, même pas l'oncle Jacob. Plus personne n'ouvrit la bouche jusqu'à la maison.

Ce fut un soulagement pour moi d'ôter ma tenue endimanchée pour enfiler un jean, une chemise et des tennis. Tante Sarah traitait les toilettes de Laura comme des reliques, et je m'y sentais aussi à l'aise que dans des vêtements sacerdotaux. Je boutonnai mon chemisier jusqu'à mi-hauteur et nouai les pans autour de ma taille, comme maman aimait à le faire. J'avais encore la tête pleine de mes récentes découvertes sur mes parents, et toutes sortes de questions à leur sujet se bousculaient sous mon crâne.

Quand s'étaient-ils rendu compte qu'ils s'aimaient ? Était-ce vraiment la même chose que de tomber amoureux entre frère et sœur, puisqu'ils n'étaient pas du même sang ? Comment avaient-ils annoncé la nouvelle à Grandpa et Grandma Logan ?

Il y avait tant de choses que j'aurais voulu savoir sur ma famille ! Il me semblait que j'avais passé ma vie avec des inconnus.

Les autres étaient toujours en train de se changer quand je quittai ma chambre, et je descendis vivement l'escalier pour me faufiler dehors. Je savais que May souhaitait passer un moment avec moi, mais j'avais trop besoin de solitude. Troublée, inquiète et furieuse à la fois, je partis d'un pas décidé en direction de l'océan.

Le soleil avait disparu derrière un banc de gros nuages, le vent de mer agitait mes cheveux. Je frissonnai, regrettant d'être sortie si peu vêtue, mais je ne rebroussai pas chemin.

Le flot courait si vite sur le sable humide et dur que je dus sauter pour ne pas me faire mouiller les pieds. J'ôtai mes chaussures et mes chaussettes et, sans m'inquiéter du froid, continuai ma route en pataugeant dans l'eau. Tant pis si j'attrapais une pneumonie, ce serait la faute de maman ! Et qui s'en soucierait, de toute façon ? Personne, et surtout pas maman. Elle se moquait bien de ce qui pouvait m'arriver !

Comment avait-elle pu ne pas me dire la vérité ? Elle devait bien savoir qu'un jour viendrait où elle devrait tout m'avouer, dévoiler tous lcs mcnsonges. Papa m'aurait parlé, lui, j'en étais sûre. Il devait simplement attendre que je sois assez grande. Jamais il n'aurait voulu me causer un chagrin pareil. Maman devait bien savoir qu'ici j'apprendrais toute l'histoire, mais elle n'avait pensé qu'à elle. Tout ce qui l'intéressait, c'était de devenir célèbre.

— Ce n'est pas juste ! hurlai-je à l'océan.

Et mon cri se perdit dans le grondement des vagues.

Je ne mesurai pas la distance que j'avais parcourue avant de me retourner vers la maison. Et une fois de plus, je pus constater combien le temps changeait vite, au Cap Cod. Le vent soufflait toujours, mais le ciel s'était beaucoup éclairci. Je me laissai tomber contre un monticule de sable et m'y adossai, les bras enserrant mes épaules. Déjà, la brise de mer séchait mes larmes et je sentais à nouveau la chaleur du soleil. C'était exactement comme mes sentiments : du chaud au froid, d'un extrême à l'autre... Qu'est-ce que je devenais, moi, dans tout ça, ballottée comme un bouchon sur l'océan ?

Tous les chevaux du roi, tous les hommes du roi... La vieille complainte chanta dans ma mémoire et m'arracha un soupir. Tous les chevaux du roi, tous les hommes du roi ne pourraient jamais réconforter la pauvre Melody, désormais.

Subitement, un bruit de moteur domina celui des vagues et un canot surgit dans une gerbe d'écume. Je ne pouvais pas voir qui était le pilote, mais il se dirigeait droit sur moi. Intriguée, je le regardai s'approcher du rivage, jusqu'au moment où il me salua d'un grand geste du bras. Je reconnus Adam Jackson. Les mains en coupe autour des lèvres, il hurla dans ma direction :

— Salut, toi ! Qu'est-ce que tu fais ici toute seule ?

— Je me promenais, vociférai-je à mon tour.

— Je pensais bien que c'était toi. J'ai une bonne vue, non ?

Le canot dansait sur l'eau, de plus en plus proche du bord. Adam éclata de rire et brandit une paire de jumelles, dévoilant sa supercherie.

— Viens, je t'emmène faire un tour.

Je secouai la tête.

— Non, merci.

— Allons, viens, Melody. Ce sera très amusant, tu verras.

— Et comment ferai-je pour monter à bord ? Je serai trempée comme une soupe !

Adam rit de plus belle et sauta dans l'eau. Il portait un caleçon de bain blanc, et un polo bleu clair qui se mouillait rapidement, ce qui ne semblait pas le déranger. Il tira le canot vers la plage jusqu'à ce que sa quille racle le fond. Puis il ôta rapidement son polo, le jeta dans l'embarcation et me fit signe du doigt.

— Viens, je m'arrangerai pour que tu ne te mouilles pas.

— Alors là, ça m'étonnerait !

— Tu n'as pas l'air en forme, fit remarquer Adam. Un tour dans ce bolide te changera les idées, je te le garantis.

Je louchai vers la maison. Tante Sarah et oncle Jacob auraient une attaque s'ils me voyaient monter dans ce bateau. Mais les épaules athlétiques d'Adam luisaient de façon si tentante au soleil de l'après-midi... Je me levai, le cœur battant. Et pourquoi pas, finalement ? Je n'étais pas prisonnière, quand même !

— D'accord, acquiesçai-je sans plus réfléchir.

Adam sourit jusqu'aux oreilles.

— Super ! Dépêche-toi, alors. L'Atlantique n'est pas exactement un bain chaud.

Je roulai mon jean aussi haut que je le pus, ramassai mes tennis et mes chaussettes et entrai dans l'eau. La marée montait toujours, et je reculai en poussant un cri. Adam rit, s'approcha de moi et, sans me laisser le temps de protester, me souleva dans ses bras. Comme si je ne pesais pas plus qu'une plume, il me transporta jusqu'au canot et me déposa délicatement au fond. Puis il écarta le bateau de la rive, se hissa à la force des poignets sur le plat-bord et bascula à l'intérieur.

— Tu vois ? Tu n'as pas reçu une goutte !

— Je n'arrive pas à croire que je suis en train de faire ça, murmurai-je.

— Qu'est-ce que ça a de si terrible ? Les bateaux, la pêche, la mer... rien de plus naturel, quand on vit au Cap Cod. Et il va falloir t'y habituer, si tu veux t'intégrer, sinon tu seras traitée en étrangère et, alors, gare à toi.

Adam roula des yeux pour suggérer le sort épouvantable qui guettait les étrangers, puis il démarra dans un éclat de rire. Le canot bondit en avant, j'eus le plus grand mal à garder un semblant d'équilibre. L'embarcation montait et descendait si rudement avec les vagues que je ne pus m'empêcher de demander :

— Est-ce que le temps n'est pas trop mauvais, pour une balade en mer ?

Adam tapota le siège à côté de lui.

— Ça, du mauvais temps ? Tu plaisantes ! Assieds-toi là et profite de la vue. Je te laisserai piloter, si tu veux.

— Sérieusement ?

— Bien sûr. Allez, assieds-toi, insista-t-il, et je m'exécutai. Je n'ai pas beaucoup navigué cette année, je suis bien content d'être sorti aujourd'hui. Pour être franc... ce n'est pas tout à fait par hasard que je t'ai trouvée sur la plage, figure-toi !

— Ah bon ?

Les yeux bleus d'Adam pétillèrent.

— Disons que c'est le destin qui l'a voulu, conclut-il en accélérant d'un coup sec.

L'avant du canot se souleva et retomba, je me retins à l'épaule d'Adam et criai pour me faire entendre :

— Faut-il vraiment que tu ailles si vite ?

— Bien sûr. Tu veux des sensations fortes, n'est-ce pas ? C'est ce qu'il faut aux gens comme nous. Laissons la prudence aux autres.

Côté sensations fortes, j'étais servie. Les embruns nous giflaient la figure, mon chemisier claquait au vent, si violemment que je m'attendais presque à ce qu'il se déchire. Et j'avais les larmes aux yeux. À chaque fois que la proue retombait d'une crête, elle heurtait l'eau si rudement que je tremblais de voir la coque se fendre.

Finalement, Adam ralentit et me proposa de piloter moi-même. Il se dégagea pour me laisser sa place à la barre, se glissa derrière moi et, plaqué contre moi, m'entoura de ses bras pour guider mes mains sur le volant.

— Je vais t'apprendre... murmura-t-il, la joue contre ma joue.

L'odeur subtile et délicate de sa lotion après-rasage me picota les narines. L'océan, la brise et ces effluves pénétrants, tout cela me montait à la tête. Je me sentais un peu étourdie, mais c'était agréable, excitant, merveilleux. Et pendant un moment, au moins, cela me faisait oublier les secrets et les mensonges.

Adam accéléra et je tournai le volant, fascinée par l'impression de puissance que cela me procurait. J'étais tellement captivée par le pilotage du canot que je ne réagis pas quand les lèvres d'Adam frôlèrent mon oreille, d'abord, et puis ma joue.

— Tu es délicieuse, dit-il tout à coup.

Je me retournai vers lui, si brusquement que le bateau fit une embardée.

— Quoi ?

Adam me buvait des yeux, et je croyais sentir sur ma peau la caresse de son regard ensorcelant. Je reboutonnai hâtivement mon chemisier qui bâillait, mais cela ne changea pas grand-chose : mes vêtements me semblaient transparents sous ce regard insistant. Il me coupait le souffle. Je restai un moment ainsi, comme pétrifiée, puis un mouvement soudain du bateau nous jeta l'un contre l'autre. Je poussai un cri et Adam aussi, mais il se ressaisit très vite et, reprenant les commandes, réussit à ralentir et à redresser la direction. Le canot dansa mollement sur les vagues, déjà beaucoup moins agitées à cette distance de la côte.

— Tu dois toujours avoir les yeux sur ce que tu fais, observa gentiment Adam.

— Et toi, ne laisse pas traîner les tiens partout, ripostai-je. Surtout sur certains endroits de ma personne que je considère comme privés.

Il se redressa en riant et me serra d'un peu moins près.

— Tu as des expressions étonnantes, quelquefois, mais c'est assez rafraîchissant. Ça change des autres filles. Elles se ressemblent toutes, à force de vouloir se donner un genre. Au fait... Pourquoi tu n'es pas venue, hier soir ? Je t'ai cherchée partout.

— Je n'ai pas pu. J'aurais bien voulu, mais...

— Ton oncle et ta tante étaient contre.

— Quelque chose comme ça, dus-je admettre.

Adam secoua la tête.

— Je m'en doutais. Ça ne doit pas être drôle tous les jours, dis donc ! C'est un peu comme si tu étais en prison ou au couvent, non ?

Je ne répondis rien, et Adam poursuivit :

— Toutes les filles sont jalouses de toi, tu sais.

— Quoi ? Pourquoi ça ?

— Je les ai entendues parler de toi. Elles te trouvent un peu trop jolie.

— Je ne te crois pas.

Adam étendit la main devant lui.

— Je te le jure, c'est la vérité. Tu es une des plus jolies filles que j'aie vues de ma vie, et Dieu sait si j'en ai vu ! Je suis même sorti avec des étudiantes de fac, ajouta-t-il en se penchant vers moi. Mais tu as ce je-ne-sais-quoi de spécial qu'on ne rencontre qu'une fois sur un million, chez les mannequins ou les actrices.

J'ai entendu dire que ta mère était mannequin, d'ailleurs. Maintenant, je comprends.

J'en restai bouche bée. Chez nous, je n'avais jamais entendu un garçon parler comme ça, et encore moins à propos de moi. J'en étais encore à chercher une réponse quand Adam se leva, ouvrit un caisson et en tira un appareil photo.

— Une seconde, tu veux ? Laisse-moi prendre un ou deux clichés de toi telle que tu es, avec le vent dans les cheveux.

— Que dois-je faire ?

— Rien. Reste assise où tu es, tiens la barre et sois naturelle, c'est tout. Un jour, ajouta-t-il en actionnant à répétition le déclencheur, tu seras célèbre et ces photos vaudront de l'or !

J'éclatai de rire.

— Je ne suis pas si jolie que ça. J'ai des taches de rousseur et mes oreilles sont trop grandes.

— Tu es vraiment jolie, Melody, crois-en la parole d'un connaisseur.

Une sorte de jubilation faisait pétiller les yeux d'Adam, et je commençais à me sentir mal à l'aise.

— Puis-je accélérer à nouveau, maintenant ? demandai-je.

— J'étais sûr que tu en aurais envie ! Pousse lentement le levier vers l'avant, c'est tout.

J'obéis, et m'en tirai si bien que ma maîtrise me valut des félicitations.

— Tu commences à avoir le pied marin, Melody. Un très joli petit pied, d'ailleurs, et la jambe n'est pas mal non plus. Ne fais pas cette tête, voyons ! reprit Adam devant mon expression confuse. Il serait temps de t'habituer aux compliments, tu n'as pas fini d'en recevoir.

Je sentis mes joues s'enflammer. Était-ce une simple flatterie ou Adam pensait-il ce qu'il disait ? Il passa le bras autour de mon épaule, pour m'aider à piloter de l'autre main. Et il me serra bien fort, m'attirant contre lui jusqu'à ce que je sente à nouveau son souffle sur ma joue, puis la caresse de ses lèvres. Je murmurai, la voix défaillante :

— Tu ferais mieux de me ramener, maintenant. Ma tante doit déjà être en train de me chercher en retournant les cailloux.

— D'accord, acquiesça-t-il en riant, mais seulement si tu promets de me retrouver demain soir vers huit heures.

— Te retrouver ? Où ça ?

Adam réfléchit quelques instants.

— Rejoins-moi à l'endroit exact où tu étais assise, à moins que tu n'aies peur de sortir seule le soir, évidemment.

— Pas du tout, me défendis-je. C'est juste que...

— Tu n'auras peut-être pas la possibilité de sortir, c'est ça ? Ne les laisse pas te traiter comme une gamine, Melody.

— Ce n'est pas le cas, me rebiffai-je.

Mais au fond de moi, je savais bien qu'Adam avait raison.

— Alors c'est entendu, reprit-il. J'amènerai une radio, une couverture et quelque chose à boire.

— Quelque chose à boire ?

— Oui, pour nous tenir chaud. Tu as déjà fait ça, je suppose ?

— Bien sûr, affirmai-je, sans trop comprendre à quoi il faisait allusion. Se proposait-il d'amener du thé, du chocolat ou du café chaud, ou pensait-il à du whisky ?

— Je m'en doutais. Tu es émancipée, toi, au moins ! J'ai vu ça tout de suite. Les filles sont plus délurées dans les villes minières, à ce qu'on raconte. Celles d'ici se donnent des airs libérés, en paroles elles sont capables de tout, mais dès qu'il s'agit de passer à l'acte, il n'y a plus personne. Tu vois ce que je veux dire ?

— Non.

— Mais si, j'en suis certain.

Mon malaise augmentait de seconde en seconde.

— Bon, eh bien... je ferais mieux de rentrer.

— Bien, mon commandant ! (Adam se leva, fit le salut militaire et reprit la direction du canot.) Je te reconduis ou je te rapproche de la maison ?

— Il vaut mieux me laisser où j'étais, décidai-je. Ma tante deviendrait folle si elle me voyait revenir en bateau, et mon oncle me riverait un boulet au pied.

Adam secoua la tête.

— Les Logan sont de drôles de gens, je trouve, et pas seulement depuis la mort de Laura. Ils étaient déjà bizarres avant.

Que savait-il exactement ? Et que racontait-on dans le pays sur ma famille ? C'était le moment ou jamais de m'informer.

— C'est de mes parents que tu veux parler ?

— Non, je ne sais rien d'eux, à part ce que j'ai entendu dire au lycée. Je suis désolé pour ton père. Cela aussi a dû être un terrible accident.

— En effet.

— Tu as beaucoup de raisons d'être triste, Melody, mais tu es trop belle pour le rester longtemps, dit Adam, tout en manœuvrant pour approcher le canot du rivage.

Puis, quand il l'eut amené aussi près de la plage que la première fois, il sauta à terre et se retourna vers moi.

— Assieds-toi sur le bord, ordonna-t-il. Et n'aie pas peur, je ne te laisserai pas tomber à l'eau.

Je plaquai mes tennis et mes chaussettes contre moi et Adam me prit dans ses bras, en me serrant plus étroitement la taille, cette fois-ci. Nos visages se touchaient presque. Il n'eut qu'à se pencher légèrement pour m'embrasser sur les lèvres.

— Ce n'est pas juste, protestai-je sans conviction. Je suis piégée comme un chat en haut d'un arbre.

Adam éclata de rire.

— Effectivement. Et si tu ne me rends pas mon baiser, je te jette à l'eau.

Il fit semblant d'être prêt à me lâcher, et mon cri de frayeur parut beaucoup l'amuser.

— Eh bien ?

— D'accord, capitulai-je. Mais rien qu'un.

Cette fois, son baiser fut plus appuyé, plus long aussi, et je frissonnai quand il insinua sa langue dans ma bouche. Mais cette sensation ne me fut pas désagréable. Mon cœur battait si fort que, lorsque je voulus parler, ma voix s'étouffa dans ma gorge.

— Il faut que je rentre, chuchotai-je dans un souffle.

— Pas de problème.

Adam fit quelques pas dans l'eau peu profonde et me déposa doucement sur le sable sec.

— À demain, alors. Mais quand nous nous verrons au lycée... ne parlons pas de ce rendez-vous devant les autres, d'accord ? Je les connais, ils s'arrangeraient pour nous déranger. Et puis j'aime les secrets, pas toi ?

— Non, répliquai-je, si résolument qu'il haussa les sourcils.

— Même pas les secrets du cœur ?

Ces secrets-là, je n'en avais pratiquement jamais eu mais je n'osai pas le lui dire, et je me contentai de hausser les épaules. Il eut un sourire taquin.

— Je parie qu'on remplirait un coffre de marin avec tes petits secrets d'amour, je me trompe ?

— Oh oui ! ripostai-je en m'éloignant déjà, et tu as perdu ton pari. Bon, il faut que j'y aille. Merci pour la balade.

Adam me suivit des yeux quelques instants puis retourna à bord de son canot, et ce fut moi qui m'arrêtai pour le regarder foncer vers le large. Il me semblait que je venais de vivre une séquence de film. Mais Adam avait raison : la promenade avait dissipé mon humeur chagrine, et le vent de mer avait séché mes larmes. C'est avec une énergie nouvelle que je repris le chemin de la maison, en me demandant si j'aurais le courage d'aller rejoindre Adam Jackson le lendemain soir.

— Où étais-tu, ma chérie ? s'enquit tante Sarah dès que je franchis le seuil.

Elle se tenait à l'entrée du séjour, et son premier regard fut pour les chaussures que je tenais toujours à la main. Je n'avais même pas pensé à dérouler le bas de mon pantalon. Je répondis précipitamment :

— Je suis allée faire un petit tour sur la plage, c'est tout.

— Tu ne dois pas sortir sans avertir ta tante ou moi-même, cria l'oncle Jacob du fond de la pièce. Ta tante ne doit pas avoir à te chercher, c'est compris ?

— Oui, marmonnai-je. Excusez-moi.

Et je m'élançai vers l'escalier sans attendre une seconde réprimande. En m'entendant escalader les marches, Cary sortit de sa chambre.

— Tout va bien ? demanda-t-il comme je m'engageais dans le couloir.

— Oui.

Il s'avança, un manuel de classe à la main.

— Je t'ai entendue partir en courant, tout à l'heure. Mais le temps que j'enfile mes tennis, tu étais déjà de l'autre côté de la colline. J'ai pensé que tu avais envie d'être seule, pour tirer certaines choses au clair.

— Tirer certaines choses au clair ? répétai-je avec un rire amer. Autant vouloir démêler un écheveau de filasse !

Cary hocha la tête, compréhensif, et son regard trahit un soupçon de surprise.

— Tu as pris un coup de soleil, on dirait.

Je ne pus m'empêcher de détourner les yeux d'un air coupable. M'étais-je trahie en rougissant ? Mon cousin avait-il discerné mon excitation sur mes traits ? Papa disait toujours que j'étais transparente, et qu'on lisait en moi comme dans un livre.

— Tu as pris un bain de pieds ?

Cary fixait toujours mon jean roulé jusqu'aux genoux. J'avais des grains de sable entre les orteils.

— Je suis fatiguée, alléguai-je en me dirigeant vers ma chambre. Je vais me reposer avant le dîner.

— Melody ?

Cary brandit son manuel scolaire.

— Je me demandais si, après le dîner, tu pourrais...

— C'est ton livre d'anglais ?

— Oui. Nous avons un contrôle de grammaire, demain. Et j'avoue qu'en construction de phrases, je suis plutôt nul.

— Ce n'est pas très difficile. Je t'apprendrai une ou deux astuces que mon professeur m'a montrées, en Virginie.

— Merci.

— Et May, à quoi s'occupe-t-elle pour le moment ?

— Elle fait ses devoirs, elle aussi.

Je hochai la tête et me glissai dans ma chambre, en refermant doucement derrière moi. Pendant un moment je restai immobile, essayant de dominer les émotions qui s'agitaient en moi. Je venais de passer du chagrin et de l'amertume à l'excitation et à la joie, et je ne savais plus que penser de cet endroit ni de cette maison. Ma famille était dure et revêche, mais la petite May était douce, affamée d'affection ; et Cary... Cary était beaucoup plus sensible et compatissant qu'il n'en avait l'air. L'océan pouvait être gris et glacial, et je n'avais connu aucune tempête en Virginie qui ressemblât au terrifiant orage de l'avant-veille, le grain de nordet comme l'avait appelé Cary. Et pourtant, aujourd'hui, la mer était belle et le sable chaud, tout invitait au plaisir et à la joie.

Je détestais le Cap, je ne songeais qu'à partir d'ici, et pourtant...

Pourtant le visage radieux d'Adam Jackson flottait toujours

devant mes yeux, ses compliments tintaient encore à mes oreilles. Étais-je aussi jolie qu'il le disait ? Ou les propos envieux des autres filles à mon sujet, qu'il m'avait rapportés, n'étaient-ils qu'une invention de sa part ?

Je m'approchai du miroir. Je ne voulais pas devenir vaniteuse, surtout pas. Mais je ne voulais pas non plus me sous-estimer, ni me transformer en une créature effacée, manquant d'assurance et terrifiée devant la vie comme... comme tante Sarah terrée dans l'ombre sinistre de l'oncle Jacob.

Je m'assis sur le tabouret de la coiffeuse et restai là, pensive, puis mon regard tomba sur le paquet de lettres. C'étaient celles du petit ami de Laura, et je n'avais aucunement le droit de les lire, je le savais. Mais je ne pouvais pas m'empêcher de me demander quelles avaient été leurs relations, avant leur fin tragique. Je fis glisser la première enveloppe du ruban et l'ouvris.

L'écriture était élégante. La lettre était rédigée sur un papier bleu.

Ma très chère Laura,

J'ai passé de merveilleux moments, hier. J'ignore combien de fois j'ai déjà parcouru cette plage mais hier, avec toi, elle m'a soudain semblé beaucoup plus belle. Je n'avais pas l'intention de te détourner de ton travail. Je sais que Cary m'en a voulu d'être arrivé sans crier gare. Dès que j'en aurai l'occasion, je lui ferai mes excuses pour t'avoir enlevée comme ça, en le laissant se débrouiller tout seul avec les homards et le poisson.

Mais je ne m'excuserai jamais de t'emmener où que ce soit. Je suis heureux que tu partages les sentiments que j'éprouve pour toi. Il y a longtemps que je ressentais cela sans avoir le courage de te le dire, ne me demande pas pourquoi je l'ai maintenant. À cause de la façon dont tu m'as souri à la cafétéria ce jour-là, sans doute. Cela m'a donné l'audace qui me manquait.

Je n'ai pas l'habitude d'envoyer des lettres aux filles, ni à qui que ce soit, en fait. Pour tout dire, tu es la première fille à qui j'aie écrit, à part ma cousine Suzy. Je sais que tu ne peux pas parler longtemps au téléphone, et d'ailleurs je trouve passionnant de recevoir des lettres de toi. Je suis juste un peu inquiet au moment de poster les miennes, à l'idée que quelqu'un d'autre pourrait les lire. Tu sais à qui je pense. Il n'a jamais l'air très content de me voir dans les parages, même quand je ne t'empêche pas d'aider ton père dans son travail.

Quand il éprouvera pour une fille ce que j'éprouve pour toi, peut-être sera-t-il plus compréhensif ? Tu as dit que, parfois, tes sentiments pour moi te faisaient peur, et je sais ce que tu voulais dire. C'est assez terrifiant, mais je n'en ai pas honte et je n'en rougirai jamais. Toi non plus, j'espère. Je te le promets, j'essaierai de me contrôler, mais tu sais ce qu'il en est des promesses d'amoureux. Je plaisantais, mais je t'en prie, ne sois pas fâchée si je t'aime plus que je ne le devrais.

J'adore t'écrire, Laura. Je vois ton visage devant moi pendant que je te parle en pensée, cela me donne envie de continuer toute la nuit. Jusqu'à ce que je te revoie, garde-moi dans ton cœur.

Tendrement,

Robert.

J'avais les larmes aux yeux. Quelqu'un m'aimerait-il un jour autant que Robert Royce avait aimé Laura ? S'ils avaient connu quelque chose d'aussi beau, pourquoi avait-il fallu qu'ils meurent aussi jeunes et de cette façon tragique ? Je soupirai, songeant à lire une seconde lettre, quand un coup sec retentit à ma porte.

— Oui ? criai-je en remettant rapidement le feuillet dans l'enveloppe.

Cary entra. Son regard glissa sur moi, s'arrêta sur le paquet de lettres et revint se poser sur moi.

— Ma mère dit qu'on te demande au téléphone. Une fille de Sewell.

— Alice ! m'écriai-je en me levant d'un bond. Merci, Cary.

Je descendis quatre à quatre, oubliant que j'étais toujours pieds nus, mais cette fois l'oncle Jacob n'était pas assis près du téléphone. Tante Sarah tenait le récepteur à bout de bras, comme s'il risquait de la contaminer.

— Jacob n'approuve pas les bavardages, ne sois pas longue, chuchota-t-elle.

— Merci, dis-je en saisissant le combiné. Alice ?

— Salut ! Est-ce que ce n'est pas le bon moment pour t'appeler ou quoi ? Ta tante avait l'air ennuyé.

— Non, ça va. Je suis ravie que tu appelles si vite.

Sur un dernier regard d'avertissement, tante Sarah quitta la pièce et je m'empressai d'ajouter :

— Tu me manques, et Sewell aussi. Encore plus que je n'aurais cru.

— Ah oui ? C'est que... je n'ai pas de très bonnes nouvelles. Papa George est à l'hôpital, et quand j'ai questionné Mama Arlène à propos de tes affaires, elle m'a dit que ta mère n'avait pas donné signe de vie depuis votre départ.

J'avalai péniblement ma salive.

— Maman ne l'a jamais appelée ?

— Pas encore. J'ai pensé qu'il valait mieux te le dire.

— Et comment va Papa George ?

Selon son habitude, Alice n'y alla pas par quatre chemins.

— Il est en soins intensifs. Il va très mal, Melody. Je suis désolée.

— Je devrais être là-bas, me lamentai-je. Et tant que maman ne m'appelle pas, je ne peux rien faire.

— Tu détestes vraiment cet endroit, on dirait.

Je poussai un soupir à fendre l'âme.

— Si tu savais tout ce qui se passe, Alice !

— Raconte.

— Je ne peux pas, pas au téléphone. Je t'écrirai.

— Melody ? fit la voix de ma tante à travers le mur. Ne sois pas trop longue, ma chérie.

Elle avait dû rester derrière la porte pendant toute la conversation, l'oreille aux aguets, supposai-je. C'était le genre de la maison.

— Il faut que je raccroche, Alice. Merci d'avoir appelé.

— Écris-moi, et si j'entends dire que ta mère a appelé Mama Arlène, je te préviens tout de suite, expliqua-t-elle en hâte.

— Merci, Alice. Au revoir.

Je raccrochai à l'instant précis où l'oncle Jacob ouvrait la porte d'entrée. Il aperçut tante Sarah, debout dans le hall, et me jeta un coup d'œil sévère.

— C'était ta mère ?

— Non, mon oncle. Une amie de Sewell.

— Elle n'a pas parlé longtemps, Jacob, intervint tante Sarah.

Il émit un grognement bourru, puis aperçut mes pieds nus et bougonna :

— On ne se promène pas à moitié dévêtu, dans cette maison.

— C'est parce que je suis descendue très vite, m'excusai-je. C'était un appel longue distance et...

— Peu importe. Une fille honnête pense d'abord à ces détails-là.

— Mais je suis une fille honnête !

— Nous verrons bien, ronchonna mon oncle en s'engageant dans l'escalier.

Puis, à l'intention de ma tante, il ajouta sur le même ton :

— Bon, je monte m'habiller pour le dîner.

— Ne te tracasse pas, souffla-t-elle à mon oreille. Il s'apercevra bientôt que tu es aussi gentille que Laura et alors... tout ira bien mieux, tu verras. Monte vite t'habiller pour pouvoir dresser la table, ma chérie, me recommanda-t-elle, une lueur d'espoir dans les yeux.

Je la regardai s'éloigner, son fragile sourire aux lèvres. Elle s'était tissé un cocon d'illusions, mais les illusions n'étaient jamais que des mensonges déguisés, méditai-je. Un jour, la vérité s'abattrait sur son château de verre, réduisant ses rêves en poussière, et tout serait pire qu'avant.

Je ne voulais pas me trouver là quand cela se produirait. Je voulais être loin, bien loin. Dans un endroit où les gens n'auraient pas besoin de se mentir les uns aux autres pour vivre ensemble.

Un tel endroit existait-il ? Et s'il existait, pouvais-je espérer le trouver, moi l'enfant du mensonge et du faux-semblant ?

Papa était mort, maman était partie poursuivre un rêve. Je me sentais orpheline. J'étais pareille au vagabond qui va au hasard des routes, implorant l'aumône d'un peu d'amour. Il ne fallait pas s'étonner si mes yeux répondaient à ceux d'Adam Jackson, si mes oreilles étaient si réceptives à ses beaux discours.

Demain, j'irai le rejoindre, décidai-je dans un élan de défi. Et aucun orage soudain, grain de nordet ou autre bourrasque, ne m'empêchera d'y aller.

12

Leçon d'anglais

Tout le monde semblait d'humeur éteinte au dîner, même la petite May. Quand l'oncle Jacob eut lu sa citation de la Bible, nous mangeâmes quasiment en silence. L'atmosphère pesante devait être un effet du temps, supposai-je. Il ne pleuvait pas, mais une épaisse nappe de brouillard déroulait ses volutes sur le paysage, prêtant à toutes choses un aspect sinistre et froid. Décidément, le temps changeait vraiment très vite au Cap, m'étonnai-je une fois de plus. Et je me demandai s'il existait un moyen quelconque de prévoir celui qu'il ferait demain. Pleuvrait-il, et serais-je obligée de renoncer à mon rendez-vous avec Adam Jackson ?

La mine aussi candide que possible, j'abordai le sujet qui me préoccupait.

— Est-ce fréquent un brouillard comme celui de ce soir ?

Oncle Jacob haussa les sourcils. Tante Sarah sourit comme si j'avais posé une question stupide. Cary parut amusé.

— À cette époque de l'année, oui.

— Les gens de la météo feraient aussi bien de tirer leurs bulletins à pile ou face, grogna l'oncle Jacob. Ils se trompent une fois sur deux, autant se fier à ses os. Quand ils craquent, c'est signe d'humidité. Il n'y a pas de meilleur baromètre.

— Absolument, opina tante Sarah. Je te ressers des pommes de terre, Melody ?

— Non, merci, ma tante.

Comme si toute la région attendait sa décision, mon oncle annonça d'un ton solennel :

— Je ne prendrai pas de café, ce soir. Nous avons une rude journée en perspective. Il va falloir se lever de bonne heure pour aller faire réviser le moteur du bateau à North Truro.

— Je pourrais manquer la classe, suggéra Cary, en coulant vers moi une œillade anxieuse.

Je n'ignorais pas pourquoi il voulait manquer les cours du lendemain, et il le savait. Mais il n'avait pas besoin de se tracasser à mon sujet, ce n'est pas moi qui l'aurais trahi auprès de l'oncle Jacob. Je n'aurais pas fait ça à mon pire ennemi.

— Inutile, répliqua mon oncle en repoussant sa chaise. (Le visage de Cary s'allongea.) Roy et moi nous en sortirons très bien. Bon, je fume une pipe et je monte, ajouta-t-il en s'étirant. J'aimerais pouvoir dormir tranquille.

Ces derniers mots s'adressaient à moi, soulignés d'un regard éloquent. Apparemment, l'oncle me rangeait parmi les adolescents qui écoutent du rock jusqu'au milieu de la nuit.

Je me levai pour aller aider tante Sarah dans la cuisine. May aurait voulu que je monte dans sa chambre pour vérifier ses devoirs, mais je lui expliquai que j'aidais Cary à préparer un contrôle. Elle parut déçue, et ma tante lui offrit aussitôt son concours. Je vis bien qu'elle était toujours aussi déçue, mais elle accepta par égard pour sa mère. Elle était bien trop délicate pour risquer de la froisser.

Quand j'eus achevé ma tâche à la cuisine, je montai dans ma chambre pour attendre Cary. Il ne me restait que très peu de travail personnel, et il fut vite expédié. Je venais de terminer quand on frappa discrètement à ma porte, et Cary passa la tête à l'intérieur.

— Est-ce que c'est le bon moment, maintenant ?

— Oui, entre, dis-je en tirant une chaise à côté de la mienne. Assieds-toi là.

Il essaya de concentrer son attention sur moi, mais ne put s'empêcher de regarder un peu partout dans la pièce, et je devinai qu'il retrouvait des souvenirs douloureux. Son expression le trahit.

— Je ne viens pas souvent ici, s'excusa-t-il en voyant que je l'observais. Plus maintenant.

— Je comprends.

Cary plissa le front d'un air sceptique. Croyait-il que, parce que je n'avais ni frère ni sœur, j'ignorais ce qu'on éprouve en perdant un être aimé ?

— Moi aussi, après l'accident, j'avais du mal à supporter la vue des objets qui me faisaient penser à papa, expliquai-je. (Et cette fois, je vis à l'expression de Cary qu'il se savait compris.) J'étais plus proche de lui que de maman. Quand il est mort, j'ai cru que le monde finissait avec lui. Et il n'est plus pareil, depuis. Plus rien n'est comme avant.

Le regard de mon cousin s'adoucit.

— Je voudrais l'avoir connu, soupira-t-il.

— Moi aussi, je voudrais que tu l'aies connu. Que cette famille ne soit pas aussi vindicative.

— Vin... vindi-quoi ?

— Aussi dure, poursuivis-je. Pleine de rancœur. Quand on aime quelqu'un, on ne se met pas à le haïr à mort pour les fautes qu'il peut commettre. On essaie de le comprendre, de lui pardonner. Et si on n'y arrive pas, on regrette sa conduite, pour lui. Mais on ne le rejette pas comme s'il n'avait jamais existé.

Cary me dévisagea longuement et un sourire plein de douceur éclaira ses yeux tristes.

— C'est une chose que Laura aurait pu dire, ça. Elle cherchait toujours à voir le meilleur, chez les gens. Les filles du lycée se moquaient d'elle, la mettaient en quarantaine et la jalousaient, mais elle se montrait toujours bonne avec elles. C'était d'ailleurs notre seul sujet de dispute, précisa-t-il. À part ça, nous étions d'accord sur tout.

— Même sur Robert Royce ? lui demandai-je précipitamment.

Une ombre voila son regard.

— Ça, c'est complètement différent, répliqua-t-il avec amertume. Elle était aveuglée par ses mensonges, son charme d'hypocrite, sa beauté de jeune premier !

— Comment sais-tu que c'était un hypocrite ?

— Je le savais, c'est tout, s'obstina Cary. Avant, elle m'écoutait toujours. Nous étions très proches, et pas seulement parce que nous étions jumeaux. Nous avions les mêmes goûts, nous sentions les choses de la même façon, nous nous comprenions d'instinct. Il nous suffisait d'échanger un regard, un sourire, et cela suffisait.

« Mais après Robert...

Il s'interrompit, son regard dériva et s'assombrit soudain, quand il se fixa sur le portrait de Laura posé sur la commode.

— Qu'est-il arrivé, après que Robert est entré dans sa vie ?

— Elle a changé, répondit-il abruptement. J'ai essayé de lui ouvrir les yeux, de le lui montrer tel qu'il était, mais elle ne voulait rien savoir.

— Peut-être que ce qu'elle voyait lui plaisait, tout simplement ?

Mon cousin fit la grimace.

— Comment se fait-il que les filles, qui sont tellement plus futées que les garçons, deviennent si stupides quand il s'agit d'eux ?

— C'est une question d'opinion. Ou plutôt non, rectifiai-je : c'est plutôt une question de sentiments.

— Les sentiments, tu m'en diras tant ! Une belle excuse pour les idiots, oui !

— Cary Logan, ripostai-je sévèrement, es-tu en train de me dire que tu ne crois pas à l'amour ?

— Ce n'est pas exactement ce que j'ai voulu dire, mais... je trouve idiot de croire qu'on puisse tomber amoureux et cesser d'aimer d'un seul coup, comme on attrape un rhume !

— Il me semble que ce n'était pas tout à fait le cas de Laura, protestai-je. Elle n'avait pas tant d'amoureux que ça, d'après ce que j'ai compris.

— Là n'est pas la question. Elle croyait être amoureuse et se figurait que c'était réciproque, mais... disons que c'était une erreur et restons-en là, conclut mon cousin d'un ton boudeur.

Et, avec un regard noir pour son livre de classe, il ajouta :

— Je déteste l'anglais ! Qu'est-ce que ça peut bien avoir à faire avec les choses importantes, je me le demande ?

— Il est important de bien connaître notre propre langue afin de pouvoir nous exprimer, répondis-je avec sécheresse.

Et même avec un rien de dureté, mais ce fut plus fort que moi. Cary avait le don de me pousser à bout. Cette fois encore, il grimaça et haussa les sourcils, mais je ne me laissai pas intimider.

— Tu ne vas pas passer ta vie à pêcher ou à vendre des homards, Cary Logan. Il faudra aussi que tu saches parler à tes clients. Et si tu n'as pas l'air sûr de toi, si tu ne sais pas faire valoir ton travail, ils n'auront pas confiance en toi, même si tu es le meilleur pêcheur de la côte.

Mon cousin eut un sourire moqueur.

— Ce n'est pas la peine de t'énerver comme ça, voyons ! Il n'y a vraiment pas de quoi.

— Tu as raison. Et ce n'est pas non plus la peine d'essayer de t'apprendre quelque chose, j'imagine. Les gens du Cap Cod sont si parfaits, si bien éduqués, tellement au-dessus de tout ! Quelle prétention de vouloir leur enseigner quoi que ce soit !

Cette fois, Cary éclata de rire.

— D'accord, d'accord. Apprends-moi à parler à mes clients.

Je baissai les yeux sur le livre ouvert.

— Une proposition principale est facile à reconnaître, commençai-je. Tu prends chaque phrase l'une après l'autre, et celles qui ne contiennent pas de sujet ni de verbe, c'est simple ; tu les rejettes, comme des homards trop petits.

Le sourire de Cary s'élargit encore.

— Ça au moins, je peux comprendre. Ça me plaît bien.

Je passai au rôle du sujet, puis à celui du verbe, et mon cousin m'écouta, les yeux écarquillés par l'attention.

— Jusque-là, je te suis, annonça-t-il. Mais comment fais-tu la différence entre un adjectif et un adverbe ? Tous les deux servent à modifier le sens de quelque chose, non ? Alors pourquoi est-ce que l'un s'accorde et l'autre pas ?

— C'est une difficulté, acquiesçai-je, mais il y a une astuce pour ça aussi. Tu n'as qu'à retenir que l'adverbe est comme l'adjectif du verbe, c'est pour ça qu'il est invariable. L'adjectif, lui, modifie le nom et s'accorde avec lui, mais pas l'adverbe. En cas de doute, tu mets la phrase au féminin. C'est tout simple, non ?

— Euh...

L'air piteux du pauvre Cary me rendit toute ma patience.

— Mais si, voyons. Ad-verbe : qui s'applique au verbe. Par exemple : mon cousin est fort, mon oncle crie fort. Au féminin, tu dirais quoi ? Ma cousine est forte, ma tante crie fort.

— J'y suis ! s'exclama Cary, le regard brillant. Tu expliques rudement bien, tu devrais être professeur.

— Je le deviendrai peut-être un jour, qui sait ? En attendant, fais les exercices indiqués en fin de chapitre. Je te les corrigerai.

— Oui, madame.

Je me levai pour aller ouvrir le placard et préparer mes vêtements pour le lendemain. J'étais bien décidée à porter les miens, même si je n'avais pas grand choix. Pourquoi maman n'avait-elle pas encore appelé Mama Arlène, me demandais-je en faisant glisser les cintres sur leur tringle. Ne savait-elle pas que j'avais besoin de mes affaires ? Consciente d'être observée par Cary, je décrochai une robe en coton jaune.

— Laura était superbe avec ça, fit-il observer. C'est ce que tu comptes porter demain en classe ?

— Je ne sais pas. J'aimerais mieux mettre un jean et un chemisier à moi.

— Laura n'allait jamais au lycée en pantalon. Mon père ne trouvait pas ça correct.

— Eh bien il n'est pas mon père, me rebiffai-je, et je ne suis pas Laura !

Mon cousin haussa les épaules.

— Moi, ce que j'en disais...

— Tu as terminé tes exercices ?

— Non, je...

— Eh bien finis-les ! ordonnai-je sèchement.

Et Cary se pencha docilement sur son cahier.

Je souris toute seule et accordai un second coup d'œil à la robe jaune. Elle avait un décolleté carré, des manches à volants et une jupe froncée. Elle serait du plus bel effet sur moi, et je voulais être belle. Pour Adam.

— J'ai fini ! claironna Cary.

Je raccrochai la robe à sa place et revins vers le bureau. Il avait fait une erreur, mais excusable : j'aurais pu la faire aussi.

— Ce n'est pas trop mal, commentai-je.

— J'espère que je m'en tirerai demain, au contrôle.

— Tu t'en tireras, déclarai-je. Tu n'auras qu'à te souvenir des astuces et tout ira bien.

Il se leva, la mine radieuse.

— Merci, Melody. À charge de revanche. Si tu veux, on pourrait faire ce que m'a suggéré grand-père, ce week-end ?

— Et c'était quoi, déjà ?

— Que je t'emmène faire un tour en mer.

Je pensai aussitôt à Adam. Et s'il me proposait une promenade en canot, une fois de plus ?

— Ma foi...

Mon hésitation froissa mon cousin. Il se rembrunit.

— Mais si tu as autre chose à faire, n'en parlons plus, bougonna-t-il en marchant vers la porte.

— Pas du tout, c'est juste que... je n'ai jamais vraiment pratiqué la voile.

Cary se retourna, l'air un peu radouci.

— Aucune importance. Si ça te tente, nous irons.

— En attendant, pense à ton contrôle. Nous réviserons le sujet demain matin en partant au lycée, d'accord ?

— Je meurs d'impatience, gémit-il avec une grimace comique.

Et cette fois, il sortit pour de bon.

Un peu plus tard, je l'entendis se faufiler dans sa cachette du grenier. Je ne pouvais rien affirmer, bien sûr, mais j'aurais parié qu'il passait bien plus de temps là-haut depuis la mort de Laura qu'avant, lorsqu'elle était encore en vie.

Chacun de nous a son grenier secret, méditai-je. Nous avons tous besoin de nous y retirer, quand nous nous sentons malheureux. Moi, je n'avais pas encore trouvé le mien.

L'oncle Jacob était déjà parti quand nous descendîmes tous les trois pour le petit déjeuner, le lendemain. Je portais la robe jaune de Laura, et je savais qu'elle m'allait très bien. Cary venait de me le dire.

— Il ne risque pas de pleuvoir ? m'inquiétai-je.

— Non. La journée va être magnifique, et la nuit aussi.

C'était la réponse que j'espérais : je soupirai de soulagement.

En bas, nous trouvâmes tante Sarah dans un état d'agitation insensé. Grandma Olivia avait téléphoné la veille au soir pour prévenir que le dîner aurait lieu le lendemain. À entendre ma tante, ce fameux dîner n'était pas un simple repas mais un véritable événement. Il y devait y avoir d'autres invités, des gens importants de la communauté. On attendrait de nous une conduite exemplaire, une toilette impeccable, et une politesse digne de la cour d'Angleterre.

— N'oublie pas que Grandpa veut entendre Melody jouer du violon, rappela Cary à sa mère pour la taquiner.

Tante Sarah eut un hoquet d'angoisse et leva sur moi un regard terrifié.

— Oh, je ne crois pas qu'il pensait à ce dîner-là en particulier, proféra-t-elle d'une voix presque inaudible.

Cary n'en parla que plus haut et plus clair.

— Mais bien sûr que si. Nous l'avons tous entendu, Ma.

— Ne vous en faites pas, dis-je pour la rassurer. Je ne tiens pas à prendre mon violon, de toute façon.

— Grandpa va être déçu, m'avertit Cary. Lui qui était prêt à t'envoyer chercher ce violon... Tu devrais l'emmener et le laisser dans la voiture, au cas où.

May voulut savoir de quoi nous discutions avec une telle

intensité. Cary le lui expliqua, et elle hocha la tête en signe d'encouragement. Les yeux de son frère pétillèrent de malice.

— Tu vois, Ma ! May elle-même souhaite que Melody emporte son violon, et pourtant elle ne peut pas l'entendre.

— Doux Jésus ! gémit tante Sarah en se tordant les mains.

Je levai sur Cary un regard de reproche.

— Arrête ce petit jeu, tu veux ? Tu vas m'attirer des ennuis.

Il sourit, baissa le nez sur son assiette et expédia son petit déjeuner en silence. Mais une fois en route pour le lycée, je lui fis la leçon.

— Tu ne devrais pas taquiner ta mère comme ça, Cary Logan.

— Je ne la taquinais pas, j'ai vraiment envie que tu joues. Ça mettrait un peu d'ambiance, et crois-moi : les soirées chez Grandma en auraient bien besoin !

— Étant donné les circonstances, je ne suis pas vraiment d'humeur à jouer, ça me rappelle trop papa. Et la maison de Grandma n'est pas le meilleur endroit pour penser à lui, expliquai-je avec un peu d'amertume.

Le sourire espiègle de Cary s'évapora.

— Peut-être que s'ils t'entendaient jouer, et s'ils en apprenaient davantage sur la vie qu'ont menée ton père et Hellie après leur départ, ils seraient plus disposés à regretter certaines choses, tu ne crois pas ?

— Il y aurait de quoi ! Mon père est mort, et le tort qui lui a été fait est irréparable.

Cary se tut et j'en fis autant, ruminant probablement les mêmes pensées que lui. Puis, quand nous eûmes déposé May, nous révisâmes le sujet de son contrôle jusqu'au lycée. Par chance, il n'entendit pas les quolibets qui m'accueillirent au vestiaire et qui l'auraient mis hors de lui, j'en suis sûre. Ce fut Janet qui commença.

— Tu nous as manqué, samedi soir, Melody. Tu avais trop de chaussettes à repriser ou quoi ?

— Trop de tartes aux airelles à préparer, sans doute, enchaîna Lorraine sur le même ton.

— J'ai essayé de venir, mais mon oncle n'a pas voulu.

Betty eut une mimique apitoyée.

— Nous t'avions prévenue, tu aurais dû mentir. Mais tu ressembles trop à Laura, pas vrai ? Tu es une vraie sainte nitouche, toi aussi, incapable de prendre du bon temps. C'est un trait de famille, ma parole ! Grandpa, Laura, et maintenant toi. Je parie que la muette est pareille, elle aussi.

— Elle n'est pas muette ! explosai-je, indignée. Elle est sourde, mais elle peut parler.

— Parler ? J'ai entendu son baragouin, ricana Betty. On n'y comprend rien, n'est-ce pas, les filles ?

Les deux autres opinèrent vigoureusement, ce que je trouvai révoltant.

— Vous pourriez la comprendre, si vous en preniez la peine. C'est une enfant intelligente et très gentille.

— Ça va, on te croit. En attendant, nous avons passé une soirée super, me renseigna Lorraine avec un petit sourire équivoque. Et je connais un garçon qui a eu le cœur brisé par ton absence.

Comme par un fait exprès, Adam surgit à ce moment précis dans le couloir et s'arrêta près de nous. Les trois sorcières de Macbeth se mirent aussitôt à battre des cils, elles lui décochèrent des œillades charmeuses, mais ce fut moi qui retins toute son attention.

— Salut, les filles ! On échange des secrets de femmes ? lança-t-il avec son ensorcelant sourire.

Janet fut la plus prompte à répondre.

— Nous expliquions simplement à Melody tout ce qu'elle avait manqué, samedi soir.

— Ça, c'est bien vrai. C'était une soirée géante, renchérit Adam sans me quitter des yeux.

À quoi Betty rétorqua :

— Et ce n'est pas Debbie McKay qui prétendra le contraire. Elle ne s'est pas ennuyée, n'est-ce pas, mon cher Adam ?

— Tu n'auras qu'à lui demander, renvoya-t-il, avec une nonchalance qui fit glousser de rire le trio.

— Ce ne sera pas nécessaire, affirma Lorraine. Les amours de Debbie sont le secret de Polichinelle. À bientôt, Melody !

— À bientôt, Melody ! répétèrent les deux autres.

Et toutes trois s'éclipsèrent, me laissant seule avec Adam.

— Maintenant, tu comprends pourquoi je voulais que nous gardions le secret sur nos relations, commenta-t-il. Les mauvaises langues ne chôment jamais, dans le secteur. Je t'accompagne jusqu'à ta classe ? proposa-t-il quand j'eus verrouillé mon casier.

Et, m'emboîtant aussitôt le pas, il ajouta :

— Tout va bien, au moins ? Tu n'as pas eu d'ennuis à cause de notre petite balade ?

— Non.

— Tant mieux.

Je me rendis compte que nous soulevions un certain intérêt, tout le monde nous suivait des yeux. Même Mme Cranshaw, la bibliothécaire, nous jeta un coup d'œil curieux par-dessus ses lunettes.

— J'ai vraiment aimé ces moments passés ensemble, dit Adam à mi-voix. Et toi ?

— Moi aussi.

— Alors à ce soir, huit heures, chuchota-t-il comme nous arrivions à la porte de ma classe. Ne me déçois pas.

Sur ce, il pressa ma main dans la sienne et me laissa là, le cœur battant à tout rompre. Allais-je vraiment aller à ce rendez-vous avec lui ? En aurais-je le courage ? Ses lèvres avaient le charme du fruit défendu. Et quel trouble, inconnu et délicieux à la fois, n'avaient-elles pas éveillé en moi quand il m'avait serrée dans ses bras !

Tous les yeux convergèrent sur moi quand j'entrai dans la classe. Certains exprimaient de la curiosité, d'autres — plus nombreux ceux-là — de l'envie.

— Ça n'aura pas été long, murmura derrière moi Theresa Patterson, comme je me dirigeais vers mon bureau.

— Long ? Pour quoi donc ?

— Pour qu'Adam Jackson pêche un nouveau poisson, chuchota-t-elle en me dépassant.

Décidément, Adam avait raison. Les cancans allaient bon train, ici, avec une prédisposition à voir le mal partout. C'était d'ailleurs aussi l'avis de Cary.

Mon cousin était radieux quand je le revis à midi, à l'entrée de la cafétéria. Il avait réussi son contrôle d'anglais et, pour la première fois, il envisageait l'avenir avec optimisme.

— À chaque nouvelle question, j'entendais ta voix et tes conseils, Melody, et tout m'a paru plus facile.

— Tant mieux, dis-je simplement.

Je venais de voir arriver Adam, et j'espérais qu'il voudrait s'asseoir près de moi. Mais il était entouré d'un groupe de garçons et ils s'installèrent à une autre table, un peu plus loin. Adam avait tout à fait l'air d'un prince tenant sa cour, et il m'adressa un sourire complaisant. Cary, qui suivit la direction de mon regard, devina ma déception.

— Merci pour ton aide, grommela-t-il en s'écartant de moi.

Mais à peine l'avais-je rappelé qu'il revenait.

— Cary... Ça ne t'ennuie pas si je déjeune avec toi ? Je préfère éviter mes nouvelles amies, pour le moment.

Je voyais bien qu'il restait une place à leur table, mais je ne tenais pas à l'occuper. J'aurais préféré affronter les tortures de l'Inquisition.

— Comme tu voudras, acquiesça Cary avec un haussement d'épaules. Mais je te préviens, tu pourrais choisir une table plus amusante.

Je ne l'en suivis pas moins, et il me présenta deux de ses amis, Billy Beedsly et John Taylor. Eux aussi appartenaient à de vieilles familles de pêcheurs. Ils me posèrent toutes sortes de questions sur les mines, mais leur curiosité fut déçue : je ne savais pas grand-chose sur le sujet.

— Mon père passait la journée sous terre, expliquai-je, et je déteste penser à tout ça. Il n'aimait pas beaucoup en parler non plus, d'ailleurs.

— Pourquoi faisait-il ce métier, alors ? voulut savoir Billy.

Mon cousin et moi échangeâmes un regard entendu.

— C'était ce qui payait le mieux à l'époque, improvisai-je au petit bonheur.

Et Cary s'arrangea pour changer de sujet.

À la fin de la journée, il m'attendait avec une impatience manifeste, le visage fendu d'un grand sourire triomphant. Et, de toute évidence, il fut ravi de voir que j'étais seule.

— Je n'étais pas certain que tu rentrerais directement, dit-il avec un soulagement visible.

— Eh bien, si. Et toi, tu m'as tout l'air d'avoir un grand secret.

— Et comment ! s'exclama-t-il en prenant la direction de la maison, si vite que je dus courir pour le rattraper.

— Alors ? De quoi s'agit-il ?

— Bof... ce n'est pas si important, finalement.

— Cary Logan ! (Je le saisis par le coude et le fis pivoter vers moi.) Tu vas me raconter ça tout de suite, tu m'entends ?

Et mon cousin débita tout d'une traite :

— Juste comme j'allais sortir, M. Madeo m'a arrêté dans le hall pour m'annoncer qu'il avait corrigé les contrôles. J'ai eu un A, figure-toi ! Il voulait me féliciter, et savoir comment j'avais fait. Je lui ai dit que j'avais trouvé un excellent tuteur et tu sais ce qu'il a répondu ? « Continuez à travailler avec elle. »

— Oh, Cary ! Un A !

— La meilleure note que j'aie jamais eue ! s'exclama-t-il.

— Tu vois bien ? Tu peux y arriver, quand tu le veux.

Mon cousin haussa les épaules.

— C'est grâce à toi, mais quand même... j'ai décidé que tu avais raison. Je dois apprendre à m'exprimer correctement si je veux me lancer dans les affaires, annonça-t-il en souriant jusqu'aux oreilles.

— Félicitations, Cary. Je me réjouis pour toi.

— Il faut fêter ça, décida-t-il. Ce soir, je t'emmène manger une glace en ville.

Je me sentis blêmir, et mon expression de détresse ne passa pas inaperçue de mon cousin.

— Eh bien ? s'inquiéta-t-il. Qu'est-ce qu'il y a ?

— Je ne peux pas, Cary. Je me suis déjà engagée ailleurs.

Il resta un moment silencieux, puis hocha lentement la tête.

— Compris, marmonna-t-il en s'éloignant.

Je m'élançai aussitôt derrière lui.

— Cary, écoute ! Nous pourrions y aller demain soir ?

— Sans doute, mais attendons de voir. Tu pourrais prendre un autre engagement d'ici là, rétorqua-t-il.

Il partit sans ajouter un mot, la tête enfoncée dans les épaules, et je compris combien il avait dû lui en coûter de me révéler ses pensées intimes. Cela me fit mal pour lui. Depuis la mort de Laura, il ne s'était confié à personne.

J'étais tiraillée entre des émotions antagonistes, comme si j'étais coupée en deux. Une partie de moi, impatiente et surexcitée, comptait les minutes jusqu'à mon rendez-vous avec Adam. L'autre partie désirait vivement partager la joie de Cary, sa confiance retrouvée, son espoir en un monde où le soleil pouvait à nouveau briller. Si seulement j'avais pu, juste pour un soir, me trouver en deux endroits à la fois !

Mais c'était impossible, et tous mes regrets n'y changeraient rien.

Cary marcha devant moi jusqu'à l'école de May et, quand il la vit s'élancer à ma rencontre, il poursuivit son chemin.

— Veille à ce qu'elle rentre sans encombres à la maison, lança-t-il par-dessus son épaule.

Je criai derrière lui :

— Attends-nous, Cary ! Nous arrivons.

Mais il ne ralentit pas, et la petite May m'assaillit de questions et de confidences. Je le regardai disparaître au tournant de la route, conservant toujours cette posture voûtée qui lui donnait l'air d'un vieillard. J'en eus les larmes aux yeux. Mais je m'obligeai à sourire à ma cousine et, tout le long du chemin, elle me raconta par signes les petits incidents de sa journée.

Cary resta sur la jetée avec oncle Jacob jusqu'au dîner, que j'aidai comme d'habitude à préparer. Mais juste avant le retour des deux pêcheurs, le téléphone sonna. Ce fut tante Sarah qui alla décrocher.

— Ma chérie ! me cria-t-elle, toute émue. C'est ta mère !

Mon cœur cessa brusquement de battre, puis se mit à cogner comme un fou contre mes côtes. Je traversai lentement le séjour et pris le récepteur des mains de ma tante, en me demandant si j'allais réussir à proférer les mots qui me brûlaient la gorge. Parce que si j'y parvenais, il y aurait de quoi faire fondre les fils téléphoniques, pas moins !

— Bonjour, commençai-je platement.

— Bonjour, trésor. Je n'ai qu'une ou deux minutes mais...

— Ah non, maman ! Ne recommence pas à te défiler ! Pas cette fois-ci.

— Voyons, Melody ! Nous sommes à Los Angeles et je...

— Comment as-tu pu me mentir ainsi ? l'interrompis-je.

Et là, ma gorge se noua. Pendant un court instant, je crus bien que les mots allaient m'étrangler avant de sortir.

— Comment as-tu pu me cacher qui étaient tes parents adoptifs ? Pourquoi ne m'as-tu pas dit que vous aviez grandi ensemble, papa et toi ?

Maman s'accorda quelques secondes de réflexion.

— Ton père ne voulait pas que tu saches tout ça, voilà pourquoi. Il voulait t'épargner certaines choses pénibles.

— Ne lui mets pas tout sur le dos, maman. Il est mort, il ne peut pas s'expliquer.

— Mais je n'étais pas seule à décider, tout de même ! Lui aussi voulait garder le secret.

— Pourquoi ? Pourquoi ne pas m'avoir dit comment tout s'était vraiment passé entre vous ? La vraie raison pour laquelle la famille vous avait reniés ?

— Chester pensait que tu étais trop jeune pour comprendre.

Les paupières brûlantes, je me forçai à refouler mes larmes.

— Mais je ne suis plus trop jeune, maintenant ! Comment as-tu pu me laisser ici sans me dire toute la vérité, maman ? Comment as-tu pu faire ça ?

Après un nouveau silence, elle finit par admettre :

— Je n'étais pas sûre que tu veuilles rester là-bas, si je te racontais tout ça, Melody. Et à ce moment-là, je n'avais pas vraiment le choix. Tu dois le comprendre si tu es aussi mûre que tu le prétends.

— Enfin, maman ! Ces gens vous en veulent à tous les deux pour ce que vous avez fait. Comment puis-je rester ici ?

— L'oncle Jacob ne te mettra jamais à la porte, affirma-t-elle. Et il n'a aucun droit de prendre des grands airs, crois-moi. Ne le laisse pas te rabaisser. En aucun cas.

— Je ne peux pas rester ici, maman, et je veux en savoir plus. Je dois tout savoir.

— Tu sauras tout, je te le promets. Il est clair que tu es assez grande, à présent, pour connaître notre version de l'histoire. Qui t'a mise au courant, au fait ? Jacob, Sarah ou Olivia ?

— J'ai vu des photos. Grandma Olivia avait rangé toutes les vôtres dans des cartons, expliquai-je. Ils ne prononcent jamais le nom de papa et ne parlent jamais de son accident. C'est affreux, maman.

— Tout ça vient d'Olivia, j'en suis sûre. (La voix de maman se teinta d'amertume.) Sais-tu que je l'ai toujours appelée Olivia ? Je n'ai jamais pu l'appeler maman.

— Mais pourquoi t'ont-ils adoptée, alors ?

— C'est une histoire très compliquée, ma chérie. Et c'est une des raisons pour lesquelles je ne t'ai rien dit avant de partir. Sois patiente, Melody. Supporte encore un peu leurs grands airs, je t'en supplie.

Je préférai aborder un autre sujet.

— Et mes affaires, maman ? Tu n'as jamais téléphoné à Mama Arlène pour qu'elle me les envoie.

— Je m'en occupe dès que j'ai raccroché, promit-elle.

— Alice m'a appris que Papa George était à l'hôpital. Il est très malade.

— Il fallait s'y attendre, Melody.

— Maman, plaidai-je encore, je ne peux pas rester ici. Viens me chercher ou envoie quelqu'un me prendre, je t'en prie. Je peux te retrouver n'importe où, je supporterai tout, les voyages de ville en ville, n'importe quoi. Je ne me plaindrai jamais, je te le jure.

— Melody, s'il te plaît... Je suis à Los Angeles, à Hollywood ! J'ai des rendez-vous, des auditions, est-ce que tu te rends compte ? Quelque chose de merveilleux va m'arriver bientôt, comme je te l'avais dit. Laisse-moi un peu de temps. Finis ton année scolaire et cet été...

Je fondis en larmes.

— Maman, pourquoi t'en veulent-ils à ce point d'avoir épousé papa ? Vous n'étiez pas du même sang, pourtant.

— Nous avons désobéi à Sa Majesté Olivia, ironisa-t-elle. Tiens-toi hors de son chemin, Melody. Elle n'en a plus pour longtemps à vivre et à tyranniser le monde. Seigneur, ce qu'elle a pu nous faire souffrir !

« Profite le plus que tu peux de cette famille, ma chérie. Ce sont eux qui nous sont redevables, tu ne devineras jamais à quel point.

— Maman...

— Il faut que j'y aille, mon trésor, j'ai un rendez-vous. J'appellerai Arlène, c'est promis.

— Mais où es-tu ? Comment puis-je te joindre ?

Maman eut une brève hésitation.

— Nous n'avons pas encore de domicile fixe, mais je te tiendrai au courant, déclara-t-elle. Quand nous nous reverrons, nous aurons une grande conversation et je te dirai tout, jusqu'au plus petit détail. Sois bien sage, ma chérie.

— Maman !

Le déclic me fit l'effet d'un coup de tonnerre. J'étreignis le combiné, de toutes mes forces, et hurlai plus fort encore :

— Maman !

Tante Sarah surgit en courant, au moment où l'oncle Jacob

ouvrait la porte d'entrée, Cary sur ses talons. Je sanglotais sans retenue, maintenant, incapable de me contrôler. Je frisais la crise de nerfs.

— Qu'est-ce que c'est que tout ce tapage ? tonna l'oncle Jacob. Que se passe-t-il ?

Ma tante répondit pour moi.

— Elle parlait à Hellie, Jacob.

— Et alors ? Ce n'est pas une raison pour faire tout ce mélodrame. Arrête ça tout de suite, Melody, tu m'entends ?

Je reposai le combiné sur sa fourche, essuyai mes larmes d'un revers de main et levai sur mon oncle un regard si farouche qu'il battit des paupières.

— Va te rafraîchir la figure, ordonna-t-il, sinon tu te passeras de dîner.

Je répliquai, les dents serrées :

— Je ne veux pas de votre dîner. Je ne veux rien de vous !

Il devint cramoisi. La mâchoire de Cary s'affaissa. Tante Sarah émit un hoquet de surprise horrifiée.

— Je ne veux rien de cette... cette ignoble famille ! ajoutai-je en crachant mes mots.

Et je m'élançai hors de la pièce.

Je m'engageais dans l'escalier quand j'entendis la voix de mon oncle. C'est à sa femme qu'il s'en prenait, cette fois.

— Tu vois ? Et toi qui pensais qu'elle ressemblait à Laura... C'est bien la fille de Hellie, tiens !

Je m'arrêtai, pivotai sur moi-même et toisai mon oncle de toute ma hauteur.

— Et qu'y a-t-il de mal à être la fille de Hellie ? Pourquoi répétez-vous toujours ça ? Que vous a-t-elle fait, à la fin ?

L'oncle Jacob nous dévisagea l'une après l'autre, sa femme et moi.

— Ce qu'elle m'a fait ? À moi, rien. C'est à elle-même et à Chester qu'elle a fait du tort.

— Mais quoi ? m'écriai-je, la voix rageuse. Quoi ?

— Monte dans ta chambre, m'intima l'oncle Jacob, manifestement ébranlé. Tu redescendras quand tu seras calmée.

Je ne bougeai pas d'un pouce. Je réfléchissais. Pourquoi maman ne cessait-elle de répéter qu'il ne me renverrait jamais ? D'où lui venait une telle certitude ? Chaque fois que je découvrais un secret, dix autres surgissaient aussitôt.

— Monte, répéta rudement mon oncle.

— J'irai où je voudrai, quand je voudrai.

Ma riposte le prit de court. Aussi étonné que je l'étais moi-même, il chercha une réponse qui ne vint pas. Je tremblais, mais je m'efforçai de garder mon calme et ne baissai pas les yeux.

— Fais comme tu voudras, finit-il par dire. Je m'en lave les mains.

Et, à l'intention de sa femme, il ajouta :

— Tu as voulu qu'elle vienne ? Débrouille-toi avec elle !

Et, sur un geste désinvolte, comme s'il chassait une mouche, il s'avança dans le couloir.

Cary, les yeux levés sur moi, me contemplait avec stupéfaction. Tante Sarah invoquait, à voix basse, tous les saints du Paradis.

Je pris une profonde inspiration.

— Je suis désolée, tante Sarah. J'ai besoin de me reposer un moment. Je monte.

Elle hocha tristement la tête.

— Et dire que tout allait si bien ! N'est-ce pas, Cary ?

— Laisse-la tranquille, maman, se contenta-t-il de répondre.

Puis il suivit son père et je repris mon ascension. Mais dès que j'eus refermé la porte de ma chambre, je donnai libre cours à mon chagrin, à ma peur, au sentiment de solitude qui m'étouffait. Je me jetai à plat ventre sur mon lit et sanglotai tout mon soûl.

Je n'entendis pas la petite May frapper ni s'approcher de moi. Je sentis sa petite main se poser légèrement sur mon épaule et me retournai. Son expression me toucha. On aurait dit qu'elle allait pleurer parce que je pleurais moi-même.

— Qu'est-ce que tu as ? me demanda-t-elle en quelques signes brefs.

Je souris à travers mes larmes.

— Ce n'est rien, ma chérie, énonçai-je avec lenteur, afin qu'elle lût les mots sur mes lèvres. Tout va bien.

Puis je m'assis, la pris dans mes bras et la serrai contre moi, m'accrochant à elle comme un naufragé à une planche de salut.

13

Je hais cette famille !

Ce fut surtout pour ne pas attrister davantage la petite May que j'allai dîner. Je n'avais pas faim. Et l'atmosphère pesante de la veille, si pénible qu'elle m'eût paru, n'était rien à côté de celle qui planait dans la salle ce soir-là. Un vrai silence de cimetière. J'entendais mastiquer l'oncle Jacob, tante Sarah déglutir et soupirer. Le cliquetis de l'argenterie, le choc léger de la vaisselle ou le bruit de l'eau versée dans les verres, tout prenait des proportions démesurées. Les rares propos échangés se réduisaient presque à des monosyllabes.

— Du pain, Jacob ?

— Mmoui...

— Encore un peu de poulet, Cary ?

— Non, Ma.

Mon cousin épiait chacun de mes mouvements. Je mangeai à peine, chipotant ma nourriture, les yeux baissés. Je ne savais pas moi-même à qui j'en voulais le plus : à maman, à l'oncle Jacob ou à mes grands-parents. Autant aux uns qu'aux autres, probablement. Et à moi aussi, pour avoir accepté de rester ici. Comment avais-je pu croire aux promesses de maman ? Les Logan mentaient comme ils respiraient. Et, de toute évidence, elle avait attrapé le virus.

Tante Sarah fit l'impossible pour me remonter le moral. Elle me parla de la Bénédiction de la Flotte, une fête qui avait lieu chaque année en juin, à Provincetown. Elle vanta le nombre prodigieux de bateaux, les gens en costume folklorique, l'abondance de nourriture et de jeux. À maintes reprises, elle sollicita une précision de la part de l'oncle Jacob, mais il ne répondit que par de brefs grognements, les yeux toujours fixés sur moi. Je sentis que j'avais touché un point sensible en lui jetant mes questions à la tête. Il paraissait beaucoup plus secoué que furieux.

Dans une dernière tentative pour dégeler l'atmosphère, ma tante mentionna le succès de Cary à son contrôle. Jacob en parut surpris et satisfait, mais lorsque Cary lui apprit que ces bons résultats m'étaient dus, il reprit sa mine ombrageuse. Tante Sarah risqua un sourire.

— Laura aussi aidait Cary dans son travail, tu te souviens, Jacob ?

— Je m'en souviens, bougonna-t-il en se levant. Ne fais pas de café pour moi, Sarah. Il faut que je retourne aux docks.

— Il y aura de l'eau bouillante pour te faire du thé en rentrant, Jacob.

Sans même un mot de remerciement, mon oncle me jeta un dernier regard et quitta la pièce.

— Si tu as des devoirs à préparer, inutile de m'aider à la vaisselle ce soir, Melody, déclara ma tante.

Pauvre Sarah, qui s'évertuait à faire rentrer les choses dans l'ordre. J'en étais navrée pour elle, et plus encore pour moi-même.

Cary ne me quittait pas des yeux, avec un air étrangement concentré dont le sens m'échappait. Était-il fâché contre moi ou désolé pour moi ? Depuis mon arrivée, je sentais qu'il gardait bien des secrets au fond de son cœur, de lourds secrets qui le rendaient plus mûr que les garçons de son âge. C'est ce qui expliquait ses accès d'amertume, et le surnom dont l'affublaient ses camarades : Grandpa.

— J'ai du travail, en effet, tante Sarah. Je vais réviser un contrôle avec une amie.

Cary soupçonna-t-il que je mentais ? Il baissa le nez sur son assiette, l'air mal à l'aise.

— Ah oui ? reprit la brave tante Sarah. Laura le faisait aussi, quelquefois. Avec qui, déjà, Cary ? Sandra Turnick ?

— Oui, marmonna-t-il sans lever la tête.

— Elle a une sœur dans ta classe, je crois, Melody ? Est-ce avec elle que tu vas étudier ce soir ?

— Non, ma tante. C'est avec Janet Parker. Mais j'ai promis à May que j'irais d'abord l'aider à faire ses devoirs, m'empressai-je d'ajouter.

Elle sourit de plaisir et transmit quelques explications à May, qui répondit avec enthousiasme. Cary n'avait pas dit un mot. Je montai donc avec ma cousine, travaillai un bon moment avec elle, mais à huit heures un quart il me fallut partir. Comme il y avait de grandes chances pour que May soit endormie quand je reviendrais, je le lui expliquai rapidement et l'embrassai pour lui souhaiter une bonne nuit.

J'avais entendu Cary monter dans son grenier, puis aller et venir dans la pièce, mais maintenant il était calme et le silence régnait, dedans comme dehors. La nuit était claire et froide, une lune à son troisième quartier répandait sur le sable une lueur argentée. J'enfilai un cardigan bleu sur la jolie robe jaune de Laura et me hâtai de descendre.

— Ne rentre pas trop tard, me cria tante Sarah comme j'atteignais la porte.

Déjà presque dehors, je lançai par-dessus mon épaule :

— Non, ma tante. C'est promis.

J'avais le cœur battant d'excitation autant que de remords. Je détestais mentir, mais je ne voyais pas comment faire autrement. Qu'auraient dit mon oncle et ma tante s'ils avaient su que j'allais rejoindre un garçon sur la plage ?

Ils n'avaient pas le droit de m'en empêcher, décidai-je, et encore moins celui de me dicter ma conduite. Eux moins que quiconque. Je ne m'étais jamais sentie à ce point livrée à moi-même, aussi totalement responsable de mon sort.

Maman m'avait menti. Elle m'avait abandonnée, sans tenir compte ni de mes sentiments ni de mes besoins. C'est en toute connaissance de cause qu'elle m'avait confiée à des gens qui nous méprisaient. Elle m'avait laissée me défendre toute seule, et c'était bien ce que j'entendais faire.

J'avais toujours été honnête. Toute ma vie, j'avais cru en la bonté humaine, pour finir par découvrir que mes propres parents m'avaient trompée. Sur qui pouvais-je compter, sinon sur moi-même ? La rage m'aiguillonnait, l'attrait des yeux charmeurs d'Adam Jackson me donnait des ailes. Je dévalai les marches quatre à quatre et m'éloignai rapidement de la maison.

Je ne me retournai qu'une fois, et il me sembla qu'à l'étage un rideau bougeait. Mais à part cela rien ne me donna l'impression qu'on m'observait ; obliquant sur la gauche, je m'éloignai à travers les dunes. Je m'aperçus très vite que la marche était bien plus aisée pieds nus, et j'ôtai mes chaussures. Le sable, encore tout imprégné de soleil, était délicieusement chaud.

J'entendis bientôt gronder le ressac. La lune traçait un sillage lumineux sur l'océan, l'eau couleur d'encre avait un aspect mystérieux, et l'éclat des étoiles à l'horizon éveillait en moi une émotion intense. J'étais déjà suffisamment loin pour avoir conscience de ma solitude. La maison Logan était illuminée, mais déjà si réduite par la distance qu'on aurait dit un jouet.

Je marchais toujours, franchissant les bosses et les creux du terrain. Au sommet de la dune, je baissai les yeux vers l'endroit où Adam m'avait rejointe et j'aperçus la lueur d'un feu. Mon cœur battit plus vite. Adam serait-il surpris que je sois bel et bien venue ? J'en étais tout étonnée moi-même.

En approchant, je reconnus son canot ancré sur la plage et j'entendis la musique diffusée par sa radio. Puis je le vis, lui. Pieds nus, en short et polo blancs, il était étendu sur une couverture, les mains sous la nuque, et contemplait le ciel. S'il m'entendit venir, il ne le montra pas. Il s'écoula un long moment avant qu'il ne se retourna et ne leva sur moi son beau visage souriant, lumineux dans le clair de lune.

— Ravi que tu sois venue, dit-il en s'asseyant. La nuit est magnifique, ç'aurait été dommage de la manquer. Tu n'as pas eu trop de problèmes pour sortir ?

— Non, j'ai creusé un tunnel.

Il rit et tapota la place restée libre sur la couverture, à côté de lui.

— Eh bien ? Tu comptes rester longtemps debout comme ça ? Tu n'as pas fait tout ce chemin pour me regarder me rouler sur une couverture de plage, quand même. C'est très confortable, tu sais ?

Je me baissai, posai mes chaussures et m'agenouillai à l'extrême bord de la couverture. Adam haussa les sourcils, l'air perplexe, secoua la tête en souriant et reprit la position couchée, les yeux au ciel.

— D'accord, ma petite allumeuse ! Je sais jouer à ce jeu-là, moi aussi.

— Je ne suis pas une allumeuse ! protestai-je.

— Bien sûr que si. Toutes les filles le sont.

— Eh bien pas moi !

Adam se retourna et s'appuya sur les coudes, le menton dans les mains.

— Vraiment ? Alors pourquoi te donnes-tu tant de mal pour être belle, si tu ne veux pas que les garçons te désirent ?

— Je ne me donne pas tant de mal que ça pour être belle.

— Je veux bien le croire, admit-il. Tu as la beauté du diable. C'est pour ça que toutes ces panthères se font les griffes sur toi, au lycée !

Il s'assit à nouveau et enchaîna, les yeux fixés sur moi :

— Alors, si tu me parlais de ta vie dans cette petite ville minière ? Tu as laissé un amoureux transi, là-bas ? Un pauvre gars en train de pleurer dans sa bière ?

— Non.

— Je parie que si. Tant pis pour lui et tant mieux pour moi, gloussa-t-il. Allons, viens plus près, je ne mords pas. (Je ne fis pas mine de bouger.) Tu veux que je te supplie, c'est ça ?

— Non. Pas du tout.

— Alors ?

Je me rapprochai lentement de lui.

— Ah, comme ça, c'est mieux. Au moins, je sens le parfum de tes cheveux, et je peux regarder ces yeux fabuleux tout à mon aise. Tu sais que tu me fais fondre, toi ?

Ce fut plus fort que moi : cette fois, je souris.

— Et toi, tu me fais rire.

Loin de se fâcher, il me sourit en retour et se pencha sur moi. Ses yeux bleus scintillaient, littéralement. Il m'embrassa sur les lèvres, mais j'étais si tendue que je m'attendais presque à entendre vibrer mes nerfs. Adam me dévisagea d'un air amusé, se pencha vers l'endroit où il avait posé un sac à dos, et en tira une bouteille de vodka et deux verres. Puis il y replongea la main, pour en ramener cette fois un cruchon de jus d'airelles.

— C'est délicieux avec de la vodka, déclara-t-il. Je nous en prépare deux, tu vas voir. La vodka n'empeste pas l'haleine comme le whisky et, quand on la mélange au jus d'airelles, on ne sent presque rien. En tout cas, ça réchauffe ! Mais tu en as déjà bu, n'est-ce pas ?

— Bien sûr, mentis-je effrontément.

En fait d'alcool, je n'avais goûté qu'au gin de maman, et je ne comprenais pas pourquoi elle trouvait ça si bon.

Quand Adam eut préparé les boissons, il me tendit la mienne et tourna le bouton de la radio, sélectionnant une musique encore plus douce.

— Portons un toast, dit-il en faisant tinter son verre contre le mien. Que le bon temps dure et le beau temps aussi !

J'avalai une gorgée de cocktail. Adam avait raison, ce n'était pas aussi mauvais que le gin de maman.

— Alors, Melody ? Où allais-tu le soir avec tes amoureux, en Virginie de l'ouest ? Dans les mines ?

— Quelquefois, répondis-je, bien que la seule idée de m'aventurer dans une galerie la nuit m'eût toujours terrifiée.

Mais je ne voulais pas donner l'impression d'être moins hardie, ou moins à la page que les filles du Cap.

Adam porta son verre à ses lèvres et m'incita vivement à en faire autant.

— Tu verras, Melody, ça réchauffe, répéta-t-il. (Je bus quelques gorgées de plus.) Alors, le ciel était-il aussi beau qu'ici, en Virginie ?

— Oui.

— Mais vous n'aviez pas l'océan, et c'est lui qui embellit tout, tu n'es pas d'accord ? murmura-t-il en m'enlaçant la taille.

Mon regard dériva jusqu'à l'horizon, là où le ciel rejoint la mer. Les étoiles resplendissaient plus que jamais, piquetant l'eau sombre d'étincelles. L'arête de son nez frôlant ma joue, Adam m'embrassa doucement dans le cou.

Une vague de chaleur courut sous ma peau, de mes épaules à ma poitrine, et parce que j'étais troublée, je bus encore un peu. Mais je m'écartai légèrement d'Adam.

— J'aime cette chanson, pas toi ?

— Pardon ? Oh... oui, bien sûr acquiesça-t-il, et il remplit à nouveau mon verre. Ça fait du bien, n'est-ce pas ?

— Oui.

— Voyons, cette fois nous allons boirc à... à la fin de l'année scolaire, décida-t-il en choquant son verre contre le mien. Qu'elle arrive vite et mette fin à nos souffrances ! Bois vite, toi aussi, ou notre vœu ne se réalisera pas.

J'avalai une longue rasade, et le goût de vodka me parut nettement plus prononcé, cette fois-ci.

— Je croyais que tu étais un élève braillant... pardon, brillant, rectifiai-je aussitôt.

Je l'entendis pouffer de rire.

— Je me défends. Adam Jackson en fait juste assez pour que son père soit content de lui, fanfaronna-t-il.

— Ton père est avocat, si je ne me trompe ?

— Oui, mais ne t'inquiète pas. Je n'ai pas l'intention de te poursuivre en justice si la soirée se passe mal.

— Et toi, glissai-je en hâte, comme il se penchait pour m'embrasser, tu comptes devenir avocat aussi ?

— Possible. Mon père aimerait bien, mais je n'en sais rien, dit-il en effleurant ma bouche de ses lèvres.

Et en même temps, il se retourna et se renversa en arrière, la tête posée sur mes genoux.

— Tu es superbe, vue d'ici, dit-il en commençant à déboutonner mon cardigan. Tu n'as pas froid, au moins ?

Je posai la main sur la sienne.

— Un peu, si.

— Bois un autre verre, alors. Allez, vas-y. Ça te réchauffera.

J'obéis, et je le vis sourire. Les boutons cédaient un à un sous ses doigts.

— Tu étais super dans cette robe, aujourd'hui. Fraîche comme une fleur. Rien qu'à voir la façon dont certains de mes amis te regardaient, j'étais jaloux.

Du bout de l'index, il suivit légèrement le contour de mes seins. Puis, se soulevant à peine, il posa la main sur ma nuque et m'attira vers lui, jusqu'à ce que nos lèvres se touchent. Ce fut un baiser comme au cinéma, avec toute cette musique autour de nous, et le ciel étoilé sur nos têtes. Mon esprit vacillait, j'avais chaud partout, ma bouche s'ouvrit sous celle d'Adam. Il me débarrassa de mon verre, me fit allonger sur la couverture et s'étendit sur moi, puis il chuchota, le visage contre le mien :

— J'étais sûr que ça marcherait, nous deux.

— Comment le savais-tu ?

— Adam Jackson connaît les femmes.

J'étouffai un petit rire.

— Tu parles de toi comme s'il s'agissait d'une autre personne. Je n'ai jamais entendu quelqu'un d'autre faire ça.

— C'est pourtant simple à comprendre, plaisanta-t-il. J'en vaux plusieurs à moi tout seul, voilà tout.

Son baiser dura très longtemps, cette fois, et fut bien plus appuyé. Sa main frôla mes côtes et remonta jusqu'à ma poitrine.

— Tu es délicieuse, Melody.

Mon cœur s'emballa, le ciel parut basculer. Je vis les étoiles se brouiller, comme si elles se fondaient en un immense halo de lumière. Adam m'embrassa dans le cou, se pencha davantage et, de la pointe de la langue, suivit la ligne de mon décolleté. Je sentis qu'il me soulevait légèrement, tâtonnait dans mon dos, commençait à faire descendre ma fermeture à glissière. Je voulus résister mais la fermeture coulissa jusqu'en bas et, retroussant vivement ma robe jusqu'à mes épaules, il posa sa bouche au creux de mes seins.

Pour moi, ce fut comme si la couverture s'était soudain changée en tapis volant et nous emportait dans les airs en tourbillonnant. Adam, qui avait adroitement abaissé les bretelles de mon soutien-gorge, s'attaquait à l'attache avec une habileté d'expert. En un clin d'œil, il avait détaché l'agrafe et, avant même que la caresse de l'air atteigne ma peau nue, ses lèvres taquinaient impatiemment mes mamelons.

Je me sentis faiblir quand il inséra ses jambes entre les miennes, me forçant à les desserrer. Tout arrivait trop vite. Telle une pluie de diamants, les étoiles clignotantes nous environnaient de lumière ; la couverture tournoyait, la main d'Adam s'insinuait sous ma robe, ses doigts jouaient avec l'étoffe de ma petite culotte. Et, ignorant mes protestations que couvrait le bruit du ressac, il murmurait à mon oreille :

— Tu es parfaite, Melody. Je savais que ce serait merveilleux, toi et moi.

Mais ce qui se passait n'avait rien de romantique ni d'agréable. Ce débordement de passion m'effrayait plus qu'il ne m'excitait. Tout va trop vite, me répétais-je. Beaucoup trop vite.

Les mains plaquées sur sa poitrine, je repoussai Adam et détournai la tête, mais il étouffa ma plainte sous sa bouche et son baiser se fit plus brutal. J'en suffoquai presque et, dès qu'il s'écarta pour respirer, je hurlai :

— Arrête !

— Quoi ? haleta-t-il, effaré. C'est ce que tu voulais, non ? Sans ça, pourquoi serais-tu venue ? Allez, détends-toi. Allonge-toi bien sagement et laisse Adam Jackson faire le reste.

Mes bras n'étaient pas assez forts pour repousser le poids de son corps. Quand il me souleva et commença à faire descendre ma culotte le long de mes cuisses, je me mis à pleurer. Je secouais la tête, suppliais Adam. J'entendais se précipiter son souffle lourd et tentais de lui dérober ma bouche. Son image subissait à mes yeux la même distorsion que celle des étoiles : il me semblait énorme, telle une méduse géante planant au-dessus de moi, prête à m'engloutir.

— Je t'en prie, implorai-je. Arrête !

Il releva la tête et abaissa sur moi un regard méprisant.

— Tu n'es qu'une allumeuse, et ce petit jeu ne marche pas avec Adam Jackson !

Je crus que j'allais m'évanouir sous lui. Mes yeux se révulsèrent, mon esprit s'obscurcit. Et subitement je me sentis libérée de son poids, sa tête se soulevant la première et, presque aussitôt après, le reste de son corps. J'ouvris les yeux et vis Cary le tirer en arrière et empoigner solidement son bras droit. Il le repoussa si rudement qu'il l'envoya s'étaler sur le sable.

— Lâche-la ! rugit-il.

Adam roula prestement sur lui-même et se releva d'un bond.

Je m'assis, l'estomac chaviré. Les deux garçons se faisaient face, Cary serrait les poings. Le dos arrondi, tel un rapace prêt à fondre sur sa proie, il s'avança vers Adam.

— Allez, approche. Montre un peu comment tu sais protéger ton joli minois.

— Elle l'a bien voulu, gémit Adam sur un ton pleurnichard. Elle est venue ici, non ?

Cary pointa le menton vers la bouteille de vodka.

— Tu l'as saoulée, espèce de pourri ! Tu voulais profiter d'elle !

Devant le poing brandi de Cary, Adam bondit en arrière.

— Tu es cinglé ! Toute ta famille est cinglée, elle autant que les autres, glapit-il, reculant toujours. Et je ne vais sûrement pas me battre pour elle !

Il avait atteint le bateau, sous le regard flamboyant de Cary, quand mon cousin ramassa la bouteille et la jeta dans sa direction. Elle se fracassa bruyamment contre la coque et Adam poussa un cri de rage.

— Ça va pas, non ? Tu le regretteras, je te préviens.

Mais tout en menaçant Cary, il poussa le bateau à l'eau et sauta à bord.

— C'est pas fini, mon vieux. Tu entendras parler de moi !

— C'est ça, riposta Cary, les poings aux hanches. Tu n'as qu'à porter plainte !

Adam mit le moteur en marche, vira de bord et, quelques secondes plus tard, son canot filait en dansant sur les vagues.

Je me tournai de côté, le visage enfoui dans la couverture, et sentis que mon cousin s'agenouillait près de moi. Il posa sa main sur mon épaule et s'informa sur un ton plein de douceur :

— Tout va bien, Melody ?

— Non, ça ne va pas, répondis-je, affreusement gênée, malade et subitement harassée de fatigue.

— Allez, viens. Je t'aiderai à rentrer à la maison.

— Je ne veux pas rentrer, m'écriai-je, et ce n'est pas ma maison. Je n'ai pas de maison.

— Bien sûr que si. Tu vis avec nous, jusqu'au retour de ta mère.

— Qu'elle revienne ou pas, je m'en moque.

— Bien sûr que non.

— Arrête avec tes « bien sûr » ! explosai-je. Tu ne sais pas ce que je veux. Aucun de vous ne le sait, d'ailleurs ça vous est bien égal.

— Pas à moi, insista Cary en remontant la fermeture de ma robe. Allez, viens. Quand tu auras un peu marché, tu te sentiras mieux.

— Non, je ne me sentirai pas mieux, plus jamais. Je ne veux pas me sentir mieux. Je veux rester ici jusqu'à ce que la marée monte. J'aimerais mieux me noyer.

— Allons, pouffa Cary, tu es un peu ivre, c'est tout.

— Pas du tout, protestai-je en pivotant sur moi-même.

Malheureusement, le monde entier se mit à tourner avec moi et, comme il s'obstinait à continuer, je tombai dans les bras de Cary. Les gargouillis de mon estomac se muèrent en volcan, qui entra en éruption. Toute la vodka que j'avais bue, après avoir si peu mangé, s'échappa comme un torrent de lave et la douleur me plia en deux. Si Cary ne m'avait pas soutenue, je me serais effondrée tête en avant dans le sable. Finalement, mes hoquets cessèrent et j'inspirai de longues bouffées d'air frais.

— Tu te sens mieux, maintenant ?

Effectivement, après avoir dégurgité tout cet alcool, j'étais incroyablement soulagée. Je hochai la tête et mon cousin me fit étendre sur la couverture.

— Là, voilà. Repose-toi un petit moment.

Ma respiration reprit un rythme plus normal, mes spasmes s'apaisèrent tout à fait. Mais j'avais les yeux douloureux et l'estomac aussi, comme si on m'avait bourrée de coups de poing. Le bon côté de la chose, c'est que ma tête ne tournait plus. Je commençais à comprendre ce qui venait d'arriver.

— Comment nous as-tu trouvés, Cary ?

— Je t'ai suivie. Je me doutais que tu allais retrouver ce minable, expliqua-t-il. Sur la jetée, il n'a pas pu s'empêcher de fanfaronner. Il a annoncé à quelques amis qu'il allait prendre du bon temps ce soir, sur la plage, et qu'il aurait une histoire croustillante à leur raconter demain.

« Il n'a pas mentionné ton nom, mais j'étais sûr que c'était toi. Quand tu as refusé de descendre en ville avec moi parce que tu avais un autre engagement, tu as renforcé mes soupçons. Et ton mensonge de ce soir les a confirmés. Je savais que tu n'aurais jamais été chez Janet Parker pour travailler.

— Je te demande pardon, Cary. Je suis désolée de t'avoir attiré des ennuis.

— Pas à moi, s'esclaffa-t-il. C'est plutôt M. Joli-Cœur qui en a eu.

— Il t'a menacé.

— Il sera bien trop vexé pour aller raconter ce qui s'est passé, ne t'inquiète pas ! Tu crois que tu pourras marcher ?

Je commençai par m'asseoir. Mon soutien-gorge était toujours détaché, mais cela n'avait pas d'importance, décidai-je en essayant de me lever. Cary m'y aida en me soutenant par le coude, mais je vacillais toujours et m'abattis contre lui.

— Ouahou ! s'exclama-t-il, franchement amusé. La mer est mauvaise, ce soir. Y a du roulis.

— On dirait. Je crois que je devrais mettre un gilet de sauvetage.

Il rit et, comme nous nous mettions en route je demandai :

— Qu'est-ce qu'on fait de la couverture et de tout le reste ?

— Laissons tout ça, la mer fera le ménage. Elle a une façon bien à elle de nettoyer le gâchis.

— À propos de gâchis, soupirai-je en me suspendant à son bras, je dois être belle à voir. J'ai l'impression d'avoir un essaim d'abeilles dans l'estomac.

— Tu vas vite rentrer te mettre au lit, ça s'arrangera. Sauf que... tu seras peut-être un peu vaseuse demain matin.

— Ta mère va se demander pourquoi je reviens si tôt. Elle va être dans tous ses états, et si jamais ton père me voit...

— Il ne te verra pas, promit Cary. Nous rentrerons en catimini.

Je marchais les yeux fermés, la tête appuyée sur son épaule, écrasée de honte. Et lui me soutenait comme si j'étais un bibelot en verre filé, sur le point de me briser à tout instant. Chaque fois que je trébuchais, il raffermissait sa prise. J'eus l'impression de mettre une éternité à gravir la pente, et comme nous redescendions de l'autre côté de la dune, Cary s'arrêta brusquement.

— Attends !

Je rouvris les yeux.

— Qu'est-ce qui se passe ?

— Mon père, souffla-t-il en scrutant l'obscurité environnante. Il revient des docks.

— Génial. Il va pouvoir clamer que je suis bien la fille de ma mère, et je vais devoir passer la nuit à lire la Bible.

— Chut ! Ne bouge plus et tout se passera bien.

Nous gardâmes une immobilité totale et, au bout d'une interminable minute, Cary déclara :

— Bien, il est presque arrivé à la maison, maintenant. Allons au bateau, tu pourras te nettoyer comme il faut et nous rentrerons. Allons, viens. Je te dis que tout ira bien.

Ses paroles eurent un effet quasi magique. Réconfortée, détendue comme par enchantement, je suivis ses directives. Il me fit tourner sur la droite, nous redescendîmes vers la mer et, quelques instants plus tard, nous arrivions à la jetée. Il m'aida à me hisser à bord du bateau-vivier.

— Là, doucement, dit-il en me guidant vers la cabine.

Une fois à l'intérieur, il me fit asseoir sur une banquette capitonnée, puis il alluma une petite lampe à pétrole.

— Alors, comment tu te sens ?

— J'ai l'impression d'être sur un grand huit à la foire, avouai-je piteusement. J'ai mal dans la poitrine, la tête en feu, et j'ai l'impression que mon estomac va se retourner. Je n'ai jamais été ivre de ma vie, heureusement que tu étais là ! Merci, Cary.

Il me dévisagea gravement.

— Je déteste les frimeurs comme cet Adam Jackson. Ils croient que tout leur est dû parce qu'ils sont nés avec une cuiller en argent dans la bouche. Ils mériteraient d'être pris au harpon, tous autant qu'ils sont ; ou jetés à la mer et laissés à barboter dans leur jus.

J'éclatai de rire, mais cela me fit mal et m'arracha une plainte. Instinctivement, Cary saisit ma main.

— Tu veux un verre d'eau ?

— Oui, volontiers.

Il se leva pour aller me chercher à boire, et c'est alors que, baissant les yeux, je constatai dans quel état se trouvait ma robe. Je poussai un vrai cri de détresse.

— Oh, Cary, une robe de Laura ! Tante Sarah va en être malade !

Il se retourna et réfléchit un instant.

— J'ai un tub et du savon, sur le pont. Nous laverons ta robe et je la ferai sécher sur le radiateur à essence. Ça ne devrait pas prendre plus d'une demi-heure.

Il me versa un verre d'eau, me le tendit et allongea le bras vers un porte-manteau.

— En attendant, dit-il en décrochant un ciré de pêche, tu pourras mettre ça. Je vais remplir le tub, ajouta-t-il pendant que je buvais quelques gorgées d'eau fraîche.

— C'est moi qui laverai cette robe, Cary. Tu n'as pas à t'occuper de ça.

— Aucun problème. Si je peux nettoyer le pont plein de boyaux de poissons puants, je peux laver un peu de vodka qui a déjà servi.

— Beurk, fis-je avec une moue dégoûtée, comme il quittait la cabine.

Une fois seule, j'ôtai ma robe, rattachai mon soutien-gorge ; je venais d'enfiler le ciré quand Cary appela :

— C'est prêt !

Je le rejoignis sur le pont et insistai encore :

— C'est moi qui m'occupe de ça.

— Tu es sûre ?

— Tout à fait, affirmai-je.

Sur quoi, me laissant à ma lessive, il retourna dans la cabine allumer le chauffage à essence. Quand je revins avec la robe, lavée, rincée et essorée, il l'étendit soigneusement au-dessus du radiateur.

— Ça ne devrait pas être long, dit-il comme je m'asseyais sur la banquette.

Aussitôt, il alla ouvrir un placard et en tira un oreiller, qu'il posa dans un angle du banc.

— Allonge-toi, ferme les yeux et repose-toi, ordonna-t-il.

Je ne me fis pas prier et m'étendis en murmurant :

— Tu es un véritable sauveteur professionnel, Cary.

Il s'assit au pied de la banquette, les bras enserrant ses genoux relevés. La petite flamme de la lampe palpitait, animant des ombres dansantes sur les parois. Le ressac léchait la coque. L'odeur âcre des algues et des embruns me piquait les narines, et je la trouvais aussi rafraîchissante que celle de la menthe. Je respirai profondément et libérai un soupir.

— Je dois être dans un bel état, tiens !

— Pas du tout, tu es très bien comme ça et tout va s'arranger, affirma-t-il, avec une assurance qui me laissa perplexe. (Tout le monde voyait-il donc mon avenir mieux que moi-même ?) Ne te tracasse pas pour ce qui vient d'arriver, Melody. Les petites frappes comme lui savent s'y prendre pour embobiner les filles. Ça arrive tous les jours, ajouta-t-il avec amertume.

Je pensai à Laura et à Robert Royce. C'était certainement à eux qu'il faisait allusion, supposai-je. Et je me sentis obligée d'avouer :

— J'ai lu une lettre de Robert Royce à Laura, Cary.

Même dans la pénombre, je vis qu'il se renfrognait.

— Ce baratin ?

— Ce n'était pas du baratin. Je n'en ai lu qu'une, mais je pense qu'il était sincère.

— Il savait jouer la sincérité pour obtenir ce qu'il voulait, oui ! C'était un roublard, un hypocrite, un...

— Comment peux-tu en être aussi sûr ?

— Je le suis, c'est tout.

— Même avec les gens que je connais le mieux, je n'oserais pas être aussi affirmative, protestai-je. Tu ne peux pas deviner ce que Laura et Robert se disaient, les promesses qu'ils échangeaient. Et d'après le peu que je sais d'elle, c'était une fille très intelligente, Cary. C'est peut-être tout simplement toi qui...

— Qui quoi ?

— Qui t'inquiétais un peu trop, et c'est très naturel. Parle-moi un peu de l'accident, tu veux bien ?

— Il n'y a rien à raconter. Ils étaient sortis en voilier, un grain a éclaté, ils ont été pris dedans.

— La météo n'avait pas annoncé la tempête ?

— Ils sont restés en mer trop longtemps. Il devait sans doute...

— Sans doute quoi ?

— Essayer de lui faire ce qu'Adam Jackson essayait de te faire ce soir. Elle a résisté, il l'a gardée à bord, et ils ont été surpris par l'orage. Il est responsable de l'accident. Et il a de la chance d'être mort, sinon je l'aurais tué de mes mains. Pour être franc, je regrette qu'il soit mort. J'aurais aimé le tuer moi-même.

Cary se tut, ramassé sur lui-même et sur sa colère, et moi aussi je gardai le silence. Au bout d'un long moment, je vis qu'il commençait à se détendre.

— Tu crois vraiment que si Robert Royce avait été un garçon de ce genre, Laura aurait continué à le voir ? me risquai-je à demander. Pour ma part, j'éviterai de me retrouver seule avec Adam Jackson, tu peux me croire.

Après un nouveau silence pensif, Cary soupira.

— Elle ne savait plus où elle en était, c'est tout. Elle était tellement pressée d'avoir un petit ami !

— Mais pourquoi ?

— À cause de ces mauvaises langues du lycée, qui n'arrêtaient pas de se moquer d'elle et de lui dire des tas d'horreurs sur...

Je retins mon souffle.

— Sur quoi, Cary ?

— Sur nous. Les élèves répandaient des histoires dégoûtantes sur notre compte. Et Laura croyait que c'était sa faute, parce qu'elle n'avait pas de petit ami. Alors tu vois... elle ne tenait pas tellement à ce Robert. Elle essayait simplement de faire plaisir à tout le monde, et de mettre fin aux ragots. Elle pensait que ça m'ennuyait et s'en rendait responsable.

— C'est affreux, murmurai-je. Mais pourquoi racontaient-ils toutes ces histoires à votre sujet ?

— Pourquoi ? Parce qu'ils sont pervers, méchants, égoïstes. Ils ne comprenaient pas pourquoi Laura et moi étions si proches, ce que nous représentions l'un pour l'autre. Ils étaient jaloux, alors ils ont fabriqué ces calomnies. Ils sont aussi responsables de sa mort que Robert, acheva-t-il.

Je posai doucement la main sur son épaule.

— Je suis désolée, Cary.

— Ne prends plus la peine de lire ces lettres à la noix, en tout cas. Elles sont bourrées de mensonges. Il écrivait ou disait tout ce qu'il jugeait utile à son but.

— Pourquoi ta mère ne les a-t-elle pas jetées, alors ?

— Elle ne voulait toucher à rien, dans cette chambre. Pendant longtemps, elle n'a pas voulu admettre que Laura ne reviendrait plus. Comme on n'a pas retrouvé son corps, elle refusait de la croire morte. À la fin, mon père a fait placer une pierre tombale au cimetière et l'a obligée à y aller avec lui. Ça, il a bien fallu qu'elle l'accepte. Mais elle se raccroche encore à la chambre de Laura, ses objets personnels, ses vêtements. J'ai d'abord été surpris qu'elle veuille t'avoir chez nous et t'installe dans cette chambre. Mais c'est presque comme si elle pensait...

— Comme si elle pensait quoi, Cary ?

— Que Laura revenait en toi. C'est une des raisons pour lesquelles mon père ne t'a pas fait très bon accueil, expliqua-t-il. Ne crois pas que c'est à toi qu'il en veut.

— Ce n'est pas la seule raison, déclarai-je, guidée par une sorte d'inspiration. Quelque chose est arrivé, une chose qui l'a rendu amer vis-à-vis de ma mère, et je veux savoir quoi. Tu as une idée de ce que ça peut être, toi ?

— Non, répondit-il un peu trop vite.

— Alors, il ne me reste plus qu'à le demander aux grands-parents.

Les traits de mon cousin exprimèrent une stupeur incrédule.

— Tu n'irais pas leur poser la question comme ça, tout net ?

— Et pourquoi pas ?

— Grandma Olivia peut être... tellement dure, quelquefois.

— Et moi aussi, ripostai-je. Quand il le faut.

Le visage de Cary s'éclaira : il souriait presque. Puis, quand il eut réfléchi quelques instants, son sourire s'envola.

— Tu ne devrais peut-être pas faire ça, Melody. Toute vérité n'est pas bonne à dire.

— Et moi, je trouve que les secrets sont de véritables infections. Au bout d'un certain temps, ils vous rendent mortellement malade Cary. C'est ce que je ressens, et toi aussi tu l'as ressenti, quand toutes ces langues de vipère cancanaient sur votre compte.

N'est-ce pas vrai ? insistai-je, désireuse de lui faire partager mon point de vue.

Il chercha ma main et la serra doucement.

— Tu sais quoi ? Je vais te faire une promesse. Je promets de chercher à en savoir le plus possible sur tes parents, moi aussi.

— Tu ferais ça ? Oh, merci, Cary !

Il accentua la pression de sa main sur la mienne.

— Il n'y a pas de quoi, c'est sans doute toi qui as raison. Tu as probablement le droit de tout savoir sur la famille Logan.

Je retrouvai le sourire.

— Et dire qu'en arrivant ici, je croyais que tu me détestais !

— C'était vrai, avoua-t-il. Je savais que ma mère voulait que tu viennes chez nous, et j'en étais malade, mais...

— Mais quoi ?

— Tu es très sympathique, et tu es la seule cousine que j'aie, alors... Il faut bien que je me résigne.

— Merci beaucoup, cher cousin.

— Voyons cette robe, dit-il en se levant. Elle n'est pas complètement sèche, mais ça ira.

Je me levai à mon tour et, voyant que je commençais à me débarrasser du ciré, Cary s'éclaircit la gorge.

— Bon, eh bien... je vais attendre dehors.

Quelques instants plus tard, vêtue de ma robe jaune quasiment sèche, je le rejoignis sur le pont.

— Comment tu te sens ? s'enquit-il avec sollicitude.

— Fourbue et pas très solide, mais cent fois mieux que tout à l'heure, grâce à toi.

— Rentrons, dit-il en me prenant la main.

Il ne la lâcha plus jusqu'à ce que nous arrivions à la maison. Là, je fis halte et me tournai vers lui.

— J'ai l'air de quoi ? lui demandai-je en rejetant mes cheveux en arrière.

Il m'examina dans la faible lumière du porche.

— Tu es très bien, affirma-t-il.

Là-dessus, il poussa la porte.

Nous entrâmes au moment précis où l'oncle Jacob traversait le couloir en direction du séjour, une tasse de thé à la main. Il s'arrêta et nous regarda d'un air soupçonneux.

— Où étiez-vous ?

— Melody a été réviser avec une amie, répondit précipitamment Cary. Je l'ai rencontrée à mi-chemin de la maison.

L'oncle nous dévisagea l'un après l'autre, mon cousin et moi, puis repartit vers la salle de séjour.

— Demain, tâche de rentrer plus tôt, lança-t-il à son fils. On a des tas de choses à faire.

— Entendu, acquiesça Cary.

Tante Sarah apparut sur le seuil de la cuisine.

— Bonsoir, les enfants. Tout s'est bien passé, Melody ?

— Oui, tante Sarah. Mais je suis fatiguée, je monte me coucher.

— Bonne nuit, ma chérie.

En quelques secondes, Cary me rejoignit dans le couloir.

— Je suis désolée de t'avoir obligé à mentir, m'excusai-je en arrivant devant ma porte.

— Ce n'était qu'un demi-mensonge, en fait. (Il eut une grimace enjouée.) Tu étais sur le chemin de la maison, non ?

— En effet. Bonsoir, Cary. Et merci encore, ajoutai-je en l'embrassant sur la joue.

Il rougit, et je me retirai sur un sourire un peu forcé. Il était encore debout dans le couloir quand je refermai ma porte. Un instant plus tard, je l'entendis abaisser l'échelle de la trappe et grimper dans son grenier.

Quand je me fus changée pour la nuit, je n'aimai pas l'image que je vis dans le miroir. Ces cernes sombres, sous mes yeux, seraient-ils encore là le lendemain ? me demandai-je en me coulant dans mon lit. Je m'y blottis avec délices, rien ne m'avait jamais paru aussi doux. Mes paupières se fermèrent instantanément. Dans une dernière lueur de conscience, je regrettai que Cary ait dû mentir pour moi. Tout commence par des demi-mensonges, eus-je le temps de penser ; puis le mensonge grossit, jusqu'à ce que... jusqu'à ce qu'on devienne comme maman, incapable de le distinguer de la vérité.

Cela ne m'arrivera pas, décidai-je.

Non, cela ne m'arrivera pas. Jamais.

L'incantation produisit sur moi l'effet d'une berceuse. Sans savoir comment, je me retrouvai en train de cligner des yeux dans le soleil entrant à flots par la fenêtre, comme pour m'encourager, d'une caresse amicale, à entamer un jour nouveau.

14

Persécution

MALHEUREUSEMENT Cary se trompait au sujet d'Adam Jackson. Son ego avait souffert, c'est vrai, mais sa honte s'était rapidement changée en quelque chose d'encore plus laid. Quand nous arrivâmes au lycée, Cary et moi, les mensonges d'Adam s'étaient déjà répandus comme un feu de forêt pendant la sécheresse. À la seconde même où j'aperçus Lorraine, Janet et Betty, leur expression me renseigna. Je sus instantanément qu'une calomnie bien ignoble avait été glissée dans leurs oreilles et le serait bientôt dans les miennes.

Dès que nous entrâmes dans les bâtiments scolaires, Cary perçut la tension ambiante : une vraie charge d'électricité négative. D'habitude, il s'empressait d'aller rejoindre ses amis, mais pas cette fois-ci. Nerveux comme un ours en cage, il s'attarda près de moi tandis que je rangeais mes affaires dans mon casier, au vestiaire. Les filles nous observaient, riant sous cape. Des garçons passaient en chuchotant, la bouche en coin. Et je m'émerveillais de la façon dont Cary savait ne pas voir les gens, quand il le voulait bien. Il les ignorait superbement. Leur méchanceté ne l'atteignait pas. Quand il tournait les yeux dans leur direction, son regard les traversait comme s'ils n'existaient pas.

— Bonjour, Cary, minauda Betty quand le trio passa près de nous.

— Bonjour, Cary, lui fit écho Lorraine.

— Bonjour, Cary, badina Janet à son tour.

Quelque chose de sournois, de hideux, filtrait sous leurs sourires et Cary ne répondit pas. Il m'escorta jusqu'à ma classe et, quand la cloche sonna la fin du premier cours, je le trouvai à la porte, prêt à m'accompagner au suivant.

— Tu n'as pas besoin de t'inquiéter pour moi, protestai-je devant tant de gentillesse.

— Oh, je ne m'inquiète pas. Je... je passais par là par hasard, alors j'ai pensé que je pouvais aussi bien faire le chemin avec toi, pendant que j'y étais.

— Merci beaucoup, répliquai-je, amusée par ses efforts laborieux pour expliquer sa présence.

— J'aime bien t'accompagner, ce n'est pas ce que je veux dire. C'est juste que...

— Que d'habitude, tu es trop occupé ?

— C'est ça ! soupira-t-il avec gratitude.

Et même si, à la fin du cours suivant, il ne m'attendait pas à la porte, il n'était pas loin. Je trouvai très agréable qu'il prît soin de moi de cette façon. Cela me donnait l'impression d'avoir un grand frère.

Dans le couloir, aux changements de cours, les filles gardaient leurs distances avec moi ; et, en classe, je les voyais me lorgner en chuchotant et se passer des billets. Mais personne ne me fit de réflexion. À la cafétéria, toutefois, Lorraine, Janet et Betty m'attendaient impatiemment, les yeux brillants de joie féroce. Sans perdre un instant, Betty passa à l'attaque.

— On dirait que ça roucoule avec Grandpa, aujourd'hui. Il y a une raison spéciale ? insinua-t-elle, en coulant une œillade vers ses amies.

— Que ça roucoule ? Je ne vois vraiment pas ce que tu veux dire.

Je m'avançais déjà vers le comptoir pour prendre un carton de lait, mais je surpris leurs mimiques entendues quand elles prirent place derrière moi dans la file.

— Il paraît que tu as pris la place de Laura, et de plus d'une façon, susurra Janet à mon oreille.

Mes cheveux se hérissèrent sur ma nuque ; je me retournai, affrontant le trio.

— Quoi ?

— Tu trimbales toujours son carnet de textes, fit remarquer Lorraine, et tu portes ses robes.

À cela, Betty s'empressa d'ajouter :

— Tu dors dans sa chambre. Tu te sers de ses affaires.

— Et ce qu'elle faisait avec Cary, tu le fais aussi, conclut Janet.

Je sentis mes joues s'enflammer.

— Ce qu'elle faisait avec Cary ? Peut-on savoir ce que tu entends par là ?

— Tu sais bien, fit-elle en roulant des yeux.

— Non, je ne sais pas. Je n'ai pas l'esprit tordu, figure-toi. De quoi s'agit-il ? Qui vous a raconté ça ?

— Qui veux-tu que ce soit, sinon un témoin oculaire ? m'assena Betty avec l'autorité d'un procureur.

Elle pointa le menton vers Adam Jackson qui venait d'entrer, entouré de ses fidèles. Il traversa la cafétéria en se pavanant, bouffi de sa propre importance. Lorsqu'il passa devant moi, un sourire mauvais tordit un instant la ligne impeccable de sa bouche arrogante.

— Un témoin oculaire ?

— Inutile de continuer à nier, railla Lorraine en se rapprochant de moi. Adam nous a raconté ce que vous faisiez quand il vous a trouvés ensemble sur la plage, hier soir.

— Il a quoi ?

— Il nous a dit qu'il passait en canot quand il a vu du feu, qu'il s'est approché de la plage, et qu'il vous est tombé dessus avant que vous n'ayez le temps de prendre l'air innocent, précisa complaisamment Betty.

— Il a dit ça !

— Et ça t'étonne qu'il l'ait raconté ? s'esclaffa Janet.

Betty se pourléchait les babines.

— Il nous a dit comment tu l'avais supplié de ne pas le faire, en lui promettant une récompense en nature s'il se taisait.

— C'est comme ça que tu t'y prenais avec les garçons, dans ton trou à charbon ? persifla Lorraine. Tu les corrompais en leur offrant tes charmes ?

Je voulus parler, mais les mots s'étranglèrent dans ma gorge et je ne pus que secouer la tête. Du coin de l'œil, je vis Cary qui m'observait avec une sollicitude inquiète. Et prêt à se lever pour voler à mon secours, j'en étais sûre. La panique me clouait au sol, mais il fallait que je fasse quelque chose et vite, aucun doute là-dessus. Sinon, une scène épouvantable allait avoir lieu, en présence du lycée tout entier. Je finis — pas trop tôt ! — par retrouver la parole.

— Ce sont des mensonges. En réalité, Adam est furieux contre moi parce qu'hier soir, sur la plage, j'ai refusé de lui céder. C'est la pure vérité.

— Vraiment ? ricana Betty. C'est pour ça que vous ne vous lâchez plus depuis ce matin, Grandpa et toi ? On dirait deux petits pois dans la même cosse. S'il s'approche encore un peu plus de toi, il va se retrouver sous tes jupes !

— C'est dégoûtant, renchérit Janet. Vous êtes cousins germains, non ?

— Les Logan donnent mauvaise réputation au Cap, proféra Lorraine d'un ton doctoral.

Les deux autres hochèrent gravement la tête, et Betty désigna Cary d'un regard bref.

— Tu devrais aller le retrouver, il t'attend. Vous pourrez vous tenir la main sous la table, ou vous faire des choses.

Les trois amies pouffèrent et partirent avec un bel ensemble vers le comptoir. En un instant, une nuée de commères les entoura, caquetant comme de la volaille.

Mon cœur cognait dans ma poitrine. Tout le monde me regardait, guettant ma réaction. Assis entre deux camarades, Cary m'observait toujours avec une expression pleine de sympathie. J'hésitai. Si je le rejoignais, les langues se déchaîneraient, mais aller m'asseoir avec ces filles m'aurait fait l'effet de descendre dans la fosse aux lions. Elles m'auraient dévorée toute crue.

— Tu ne vas pas t'asseoir avec lui ? s'enquit Janet, qui revenait avec son plateau.

Theresa passait justement avec ses amies.

— J'ai promis à Theresa de déjeuner avec elle, annonçai-je à haute et intelligible voix, espérant qu'elle m'entendrait.

Elle se retourna, l'air surpris. Mais en voyant les trois sorcières de Macbeth converger vers moi, elle comprit tout et attendit que je la rejoigne.

— Merci, murmurai-je avec reconnaissance. Je n'avais surtout pas envie de me retrouver avec elles aujourd'hui. Elles ont décidé de nous prendre comme têtes de Turcs, Cary et moi.

— Je vois, fit Theresa, compréhensive.

À table, quand nous eûmes déballé nos sandwichs, je me penchai pour me rapprocher d'elle.

— Comment ça, tu vois ? Tu as entendu ces ragots ignobles, toi aussi ?

— Ce genre de commérage circule vite, dans ce lycée, surtout quand il s'agit de Cary Logan. Laura et lui en ont fait souvent l'expérience.

— Pourquoi ?

Theresa embrassa d'un geste large l'ensemble des élèves présents.

— Il y a des tas de frères et sœurs, dans cette boîte, mais il n'y en a pas d'autres qui se conduisent comme s'ils étaient attachés ensemble par des menottes invisibles. Tout le monde te le dira, ce n'est pas comme si je trahissais un secret. Si Cary avait pu suivre Laura dans le vestiaire des filles, je crois qu'il l'aurait fait.

— Tu ne serais pas en train d'exagérer un peu, par hasard ?

— Non. Ils arrivaient au lycée ensemble, s'asseyaient l'un à côté de l'autre en classe, à table, à la bibliothèque. Ils partaient ensemble après les cours. La première fois que j'ai vu Laura à un bal d'élèves, elle est venue avec Cary, ajouta Theresa. Elle a même dansé avec lui. Elle a eu un ou deux autres cavaliers ensuite, mais son frère a été le premier.

— Il la croyait peut-être trop timide et voulait simplement la mettre à l'aise, ou bien c'était lui qui était trop timide, avançai-je.

Il pouvait y avoir une bonne douzaine d'explications, en plus de celle qu'elle suggérait. En tout cas, je tenais un argument solide.

— Elle avait un petit ami, tout de même ?

Theresa mordit dans son sandwich et secoua la tête.

— On dirait que tu ne connais pas vraiment les Logan, Melody. C'est comme si tu ne faisais pas partie de la famille.

— Il y a de ça, je l'avoue.

— Alors écoute, reprit Theresa. Quand Laura s'est mise à fréquenter Robert Royce, c'était juste pour faire taire les mauvaises langues. Cary faisait une tête d'enterrement quand il les voyait ensemble. Il rongeait son frein dans son coin. Ses copains ont commencé à le taquiner là-dessus et ça lui a valu quelques bagarres.

À travers la salle, je coulai un regard vers Cary et constatai qu'il m'observait toujours. Il était inquiet pour moi, et le voir ainsi me fit frémir. Avait-il eu vent des calomnies qui circulaient, lui aussi ?

— Alors maintenant que Laura n'est plus là, résuma Theresa, c'est à toi qu'ils s'en prennent.

— L'idée ne leur en est pas venue toute seule ! rétorquai-je avec un regard meurtrier pour Adam.

Attablé avec sa cour habituelle, il gesticulait abondamment en désignant Cary. De toute évidence, il mettait au point son scénario mensonger.

— Ils ne s'arrêtent jamais, enchaîna Theresa. Ils s'entre-dévoreraient s'ils le pouvaient. Mais avec Cary et Laura, ils avaient quelque chose à se mettre sous la dent. Le plus curieux, c'est qu'ils s'en moquaient complètement, tous les deux. On aurait dit que toute cette boue ne les atteignait pas. C'est ça que j'avais du mal à comprendre, acheva-t-elle.

— Mais ton père travaille avec mon oncle et Cary, lui. Qu'est-ce qu'il en pensait ?

Theresa eut un sursaut d'indignation, puis se détendit.

— Il ne parlait jamais des Logan, si tu veux le savoir. Sauf pour dire que c'étaient des gens sérieux et travailleurs.

Je désignai discrètement le trio de la tête.

— Je ne sais plus laquelle des trois l'a suggéré la première, mais elles m'ont laissé entendre que Cary était pour quelque chose dans l'accident de Robert et Laura. D'après elles, il l'aurait plus ou moins provoqué.

— Certaines personnes le pensent, en effet.

— Et toi ?

Elle avala quelques bouchées en silence, puis elle soupira.

— Écoute, je n'étais pas spécialement liée avec Laura Logan et Robert Royce. Laura était toujours aimable et polie avec moi, et je l'aimais bien, mais nous n'étions pas du même bord. Cary, lui... Cary vivait sur une autre planète. Je ne prends parti pour personne, mais je ne donne pas dans les ragots, alors arrête avec tes questions, tu veux ?

Interrompant sa tirade, Theresa pivota de façon à tourner le dos à ses amies, se pencha un peu plus vers moi et reprit à voix basse :

— Comme toutes les bravas d'ici, je ne m'occupe que de mes affaires. Ce qui se passe chez les gens riches ne me regarde pas. C'est la seule façon d'éviter les ennuis, d'après mon père. Et ne t'avise pas de répéter un seul mot de ce que je t'ai dit, conclut-elle avec un regard glacé. À qui que ce soit.

— Je ne ferais jamais une chose pareille !

— Tant mieux, commenta-t-elle en reprenant son sandwich.

J'avais à peine touché au mien. N'y avait-il donc personne qui fût de notre côté ? me demandai-je en reportant mon attention sur mon cousin. Il semblait si seul et si perdu... J'en éprouvai un sentiment de révolte. Ce n'était pas juste que nous ayons à subir ces calomnies, et ce qui lui était arrivé ne l'était pas non plus.

Theresa bavarda un moment avec ses amies, puis se retourna vers moi. Et cette fois, j'eus la nette impression que sa coquille d'indifférence protectrice commençait à se lézarder.

— Écoute, reprit-elle. Tu imagines Cary faisant du mal à Laura dans le seul but de blesser Robert Royce ?

— Non.

— Alors ne les laisse pas te rendre dingue avec cette histoire, Melody. Le problème, avec ces filles et leurs amis, c'est que leur vie est complètement vide. Et pour compenser ça, ils fabriquent du roman-feuilleton à longueur de journée. Je ne suis peut-être pas aussi riche qu'eux et je n'habite pas dans une résidence de luxe, mais je ne voudrais pas être à leur place. Pour rien au monde.

— Ce n'est pas moi qui t'en blâmerais, approuvai-je en souriant.

Le visage de Theresa s'éclaira.

— Ignore-les, tout simplement, et peut-être qu'elles se fatigueront les premières. Ou alors elles s'en prendront à quelqu'un d'autre, suggéra-t-elle.

Mais il ne devait pas en être ainsi, du moins pas tout de suite. Mes persécutrices n'en étaient qu'au début des hostilités. Pendant que nous parlions, Theresa et moi, aucune de nous deux n'avait vu que des billets circulaient à travers toute la cafétéria. Chaque fois que l'un d'eux parvenait à une table, les conversations stoppaient net et les têtes plongeaient en avant pour lire le message. À notre propre table, la curiosité des autres filles s'aiguisa vite, et l'une d'elles parvint à saisir un des fameux billets. Elle le lut et le fit passer à Theresa.

Ces quelques mots s'y étalaient : « C'est meilleur en famille. Demandez à Cary et à Melody. »

J'eus l'impression d'être brutalement coupée en deux. Je n'avais plus de jambes. J'aurais été incapable de me lever, s'il l'avait fallu. La cafétéria bourdonnait de voix et de rires, et pourtant ! Mon cœur battait si fort qu'il me semblait l'entendre cogner contre mes côtes, par-dessus tout ce tapage.

— Les garces, chuchota Theresa.

Défiant les visages avides tendus vers moi, je cherchai à capter l'attention de Cary : quelqu'un venait de pousser un des papiers dans sa direction. Il y jeta un coup d'œil, le froissa dans son poing et, lentement, se retourna vers moi. Je secouai la tête, les yeux agrandis, pour le supplier d'ignorer l'incident, mais je vis bien qu'il bouillonnait de rage. Et je poussai un cri en le voyant se lever.

— Cary !

À travers la salle, il fixait sur Adam Jackson un regard étincelant.

— Oh, non... murmurai-je avec désespoir.

— Ne te mets pas sur son chemin, m'avertit Theresa. Je l'ai vu soulever une nasse pleine de pièces de dix livres aussi facilement que si c'était des ballons.

— Mais c'est juste ce qu'ils cherchaient ! me lamentai-je.

Tout se tut dans la cafétéria lorsque Cary, épaules en avant et traits tendus, traversa la salle. L'un des professeurs, M. Pepper, leva le nez de son journal quand mon cousin passa devant lui.

— Attention, souffla Theresa comme j'esquissai un mouvement pour le suivre.

D'un pas décidé, il s'avança vers la table où Adam était assis les bras croisés, un méchant rictus aux lèvres.

— Tu as répandu des mensonges répugnants sur nous, aujourd'hui, accusa-t-il, assez haut pour que sa voix soit entendue de tous.

Adam accentua sa moue dédaigneuse.

— Si la vérité te gêne, mon vieux, je n'y suis pour rien !

— Hé là ! Que se passe-t-il, ici ?

M. Pepper, arrivé si lentement qu'une tortue l'eût battu à la course, intervenait cnfin.

Cary ne perdit pas de temps à discuter. Ramassé sur lui-même tel un poing serré, il se pencha en avant, saisit Adam par le col, l'arracha littéralement de son siège et le traîna sur la table dans un fracas de plateaux entrechoqués.

Adam se débattit pour lui échapper, en vain. Pris dans sa poigne de fer, il lançait bras et jambes en tous sens, frétillant comme un poisson hors de l'eau.

Cary le retourna sur le dos et lui cloua les bras sur la table. Tout le monde recula. M. Pepper, rassemblant ses esprits, s'approcha du champ de bataille.

— Arrêtez ça tout de suite, Cary Logan ! C'est un ordre !

Sourd à ses rugissements, Cary se pencha sur le visage terrifié d'Adam.

— Dis-leur la vérité. Dis-leur ! S'est-il passé quoi que ce soit entre Melody et moi ? Eh bien, tu vas le dire ?

— Cary Logan, lâchez-le ! glapit M. Pepper, tout en se gardant bien de le toucher. (On aurait cru qu'il craignait de s'y brûler.) Allez me chercher le principal ! cria-t-il à l'un des élèves les plus proches.

L'interpellé s'éloigna en rechignant, fort déçu de manquer le dénouement du spectacle.

— La vérité ! tonna mon cousin, le poing levé.

Pour Adam, ce poing redoutable dut apparaître comme un marteau-pilon prêt à s'abattre sur sa jolie figure. Il céda.

— D'accord, d'accord. Il ne s'est rien passé. Rien du tout. J'ai tout inventé ! Tu es satisfait ?

Cary se détendit. Adam se releva prestement, à la fois confus et indigné. Il entama une protestation mais Cary n'eut qu'à se retourner sur lui, et il rentra la tête dans les épaules. M. Pepper, lui, semblait avoir retrouvé son assurance.

— Monsieur Logan, veuillez vous rendre immédiatement dans le bureau du directeur. Im-mé-dia-te-ment.

Cary n'eut pas l'air de l'entendre. Il me regarda.

— Tout va bien, Melody ?

Je fis signe que oui, n'osant pas me risquer à parler. Je n'aurais pas juré qu'il me restait un souffle d'air dans les poumons. Cary, en revanche, se fit parfaitement entendre.

— Si quelqu'un t'ennuie encore, dis-le-moi, déclara-t-il d'une voix forte.

Puis, d'un pas de condamné partant pour le gibet, il précéda M. Pepper vers la sortie. À peine avait-il quitté la salle qu'elle s'emplit d'un brouhaha.

— Vous êtes contentes de vous ? lançai-je à Lorraine, Janet et Betty, en revenant vers la table de Theresa.

Aucune des trois n'osa répondre : elles tremblaient encore. J'en profitai pour mettre les points sur les *i*.

— Adam Jackson m'a invitée à le retrouver sur la plage, hier soir. J'ai été assez bête pour m'y rendre et il a essayé de me violer. Il m'a fait boire du jus d'airelles corsé avec de la vodka, pour me saouler.

Les trois paires d'yeux s'arrondirent, mais je lus dans ceux de Janet qu'elle me croyait. Sans doute avait-elle connu la même expérience, elle aussi.

— Cary est arrivé juste à temps pour me tirer des griffes d'Adam. Il l'a carrément jeté loin de moi, précisai-je. Ces calomnies dégoûtantes sont sa revanche, et vos ragots mesquins l'ont bien aidé. Maintenant, Cary a des ennuis. Merci beaucoup !

Là-dessus, je tournai les talons et rejoignis Theresa qui commenta, l'œil pétillant :

— Cet Adam Jackson ferait bien de regarder où il met les pieds, sinon Cary va le jeter en pâture aux poissons.

— Il n'a fait que s'attirer des ennuis supplémentaires, me lamentai-je, et tout ça par ma faute.

J'eus à peine le temps de m'asseoir : la sonnerie annonçait la reprise des cours, drainant le flot des voix bruyantes hors de la salle. Les professeurs auraient du mal à capter l'attention de leurs élèves, pensai-je en les regardant sortir. Et j'attendis qu'il ne restât presque plus personne pour les suivre dans le couloir, en compagnie de Theresa.

— Que vont-ils lui faire ? me demandai-je à haute voix.

— Probablement le renvoyer pour quelques jours. Une fois de plus.

J'en étais malade. Tout l'après-midi, je me traînai de classe en classe, l'esprit absent, n'aspirant qu'à voir arriver la fin du dernier cours. Et quand enfin la sonnerie nous libéra, je trouvai Cary devant la porte, arpentant le couloir comme un animal en cage.

— Tout va bien ? s'écria-t-il dès qu'il m'aperçut.

— Pour moi, oui. Mais que s'est-il passé pour toi ?

— J'ai récolté deux jours de mise à pied, répondit-il d'un ton philosophe.

— Oh, Cary ! Si près de la fin de l'année, juste au moment des contrôles ! C'est affreux.

— Ne t'en fais pas, ça n'a pas d'importance.

— Bien sûr que si, et je ne vais pas laisser le directeur te traiter comme ça. Ce n'est pas juste. Il aurait dû voir les billets dégoûtants qui circulaient.

Mon cousin haussa les épaules.

— Il les a vus, et ça n'a rien changé. Il m'a dit que je n'avais pas le droit de perdre mon sang-froid et de faire justice moi-même.

— Il a raison.

— Et moi, j'ai dit qu'il parlerait autrement si c'était arrivé dans sa famille.

— Et qu'a-t-il répondu ? osai-je à peine demander, impressionnée par son courage.

— Il a un peu bafouillé, avant de répliquer que la question n'était pas là. Mais ne t'inquiète pas. Je continuerai à t'accompagner au lycée et à t'attendre à la sortie. Et si Adam Jackson ou n'importe qui essaie de t'embêter...

— Je ne te le dirai pas, sinon... tu les jetterais en pâture aux poissons, achevai-je, me rappelant l'image employée par Theresa.

L'expression lui plut et me valut un signe de tête approbateur.

— Exactement, et ils le savent bien, conclut-il en m'entraînant vers la sortie.

J'hésitai un instant, avant d'en revenir à ce qui me tracassait.

— Écoute, Cary... j'apprécie beaucoup ton aide, mais je ne supporte pas que tu t'attires tous ces ennuis.

À ma grande surprise, il eut son déconcertant petit sourire.

— Comment peux-tu être content de toi, Cary Logan ?

— C'est comme ça que ça se passait toujours avec Laura, dit-il d'une voix émue. En tout cas... (Son sourire s'évanouit.) Jusqu'à ce que Robert Royce entre en scène.

Je ne dis plus rien. Nous poursuivîmes notre chemin en silence, en proie tous deux à des pensées moroses.

Cary n'eut pas à annoncer lui-même à ses parents ce qui s'était passé au lycée. Le directeur avait téléphoné, tante Sarah était déjà prévenue. Mais l'oncle Jacob, lui, ne savait rien encore. Il était toujours aux docks, et ma tante tremblait de peur à la pensée de ce qui se passerait quand il apprendrait l'aventure. Mon cousin s'efforça de la rassurer.

— Ne t'inquiète pas, Ma, je lui dirai ça moi-même. Je descends au ponton tout de suite.

— Mais comment est-ce arrivé, Cary ? Cela fait un bon moment que tu n'avais pas eu d'ennuis, et l'examen est si proche !

J'étais sur le point de prendre les torts sur moi, mais Cary parla le premier.

— Ce garçon colportait des histoires dégoûtantes sur nous et sur la famille, Ma. J'ai fait ce que j'avais à faire.

— Et pourquoi faisait-il ça ?

— Parce que c'est une ordure, un requin qui mérite un bon coup de harpon, voilà tout ! Il n'y a rien d'autre à en dire, conclut Cary en me jetant un bref coup d'œil d'avertissement.

Tante Sarah soupira longuement.

— Ma pauvre Melody ! Est-ce qu'ils t'ont mise en cause, toi aussi ?

— Oui, ma tante. Je regrette que la punition soit pour Cary, mais l'autre garçon était dans son tort.

— Qu'allons-nous faire ? Une histoire pareille, juste le jour où nous dînons chez vos grands-parents ! Pas un mot de tout ça devant eux, surtout.

— Je ne dirai rien si tu ne dis rien, promit Cary.

Et, avec un clin d'œil à mon adresse, il monta se changer.

May, qui n'avait glané que quelques bribes d'information sur la cause de toute cette agitation, mourait d'envie d'en savoir plus. Ni Cary ni moi n'avions beaucoup communiqué avec elle en revenant, nous n'étions pas d'humeur à ça. Je lui expliquai l'histoire du mieux que je pus, laissant de côté les détails les plus scabreux.

Elle me fit savoir combien elle regrettait que Cary ait encore des problèmes. Que cela avait toujours peiné Laura, et elle encore bien davantage. L'ombre qui planait dans ses grands yeux bruns voilait une souffrance et des secrets qu'une enfant si jeune n'aurait pas dû connaître, m'attristai-je. Et avec son handicap, la plus grande partie de ce fardeau restait enfermée dans son cœur.

— Monte essayer ta robe, me conseilla ma tante d'une voix lasse. Nous ne devons pas nous laisser abattre par les événements. Tâchons de sauver les apparences.

— Oui, tante Sarah.

Elle me suivit dans ma chambre où la robe m'attendait, accrochée à la porte de la penderie. Juste à côté, sur le plancher, je vis une paire de chaussures neuves. Elles étaient du même ivoire que la robe et ma tante venait de les acheter, puisque je ne chaussais pas la même pointure que Laura.

— Vous n'auriez pas dû faire ça, ma tante. J'aurais très bien pu choisir une autre robe qui aille avec mes chaussures.

— Non, c'est la dernière que j'aie faite pour Laura, expliqua-t-elle. Et elle n'a jamais eu l'occasion de la porter.

— Ah !

J'examinai la robe d'un tout autre œil. Je lui trouvais un petit air étrange, tout à coup. On l'aurait crue faite pour un fantôme. Elle était en soie naturelle écrue, avec une longue jupe tombant aux chevilles et une collerette en dentelle.

— D'ailleurs, ajouta ma tante, nous devons tous nous montrer sous notre meilleur jour, ce soir. Olivia et Charles reçoivent le juge Childs. Il a siégé à la Cour suprême, tu sais ? À présent, il est à la retraite, mais tu as peut-être entendu parler de son fils : Kenneth Childs, le sculpteur.

— Non, répondis-je distraitement, les yeux sur la robe.

Je croyais presque voir Laura sous l'étoffe soyeuse.

— Je me disais que tu aurais pu en entendre parler, depuis le temps que tu es ici, poursuivit tante Sarah. C'est un de nos plus éminents artistes. Certaines de ses sculptures sont au musée de Provincetown, et il expose dans les meilleures galeries.

Je secouai la tête en signe d'ignorance, mais je vis bien que tante Sarah n'allait pas en rester là. Il était important à ses yeux que je sache qui était qui dans la bonne société de la ville.

— Les Childs ont toujours été très liés avec Olivia et Samuel, reprit-elle. Kenneth a pratiquement grandi avec Chester et Jacob. Il était toujours fourré chez eux. Le juge est veuf depuis deux ans, sa fille et ses autres fils vivent tous à Boston. Les frères et la sœur de Kenneth n'ont pas grand-chose en commun avec lui, mais il a toujours été le favori du juge, même s'il n'était pas brillant en droit. Le juge et sa femme lui ont donné l'argent nécessaire pour qu'il travaille son art, et certains membres de sa famille lui en veulent pour ça. La jalousie, sans doute !

Tante Sarah libéra un profond soupir.

— Toutes les familles ont leurs épreuves, je suppose. J'ai voulu que tu saches tout ça pour t'éviter un impair, si jamais le juge te pose des questions.

— Pourquoi êtes-vous toujours sur des charbons ardents quand nous allons chez les grands-parents, tante Sarah ? On dirait que nous passons un examen.

— Pas du tout. Nous essayons seulement de nous présenter correctement, de nous conduire correctement, de nous exprimer correctement, comme...

— Comme Grandma Olivia l'exige, achevai-je à sa place. Je m'étonne qu'elle ait des amis, si rares soient-ils.

— Mais elle en a ! Elle en a même beaucoup, et qui appartiennent tous à la meilleure société.

— Cela ne garantit pas que ce soient les meilleurs des amis, tante Sarah.

Elle sourit, comme si mes paroles étaient la preuve de mon inexpérience juvénile.

— Allons, ma chérie, dépêche-toi de passer cette robe. Je veux être sûre qu'elle te va et qu'il n'y a pas de retouches à y faire.

Les paroles de Betty, Lorraine et Janet me tintaient aux oreilles tandis que je me changeais. « Il paraît que tu as pris la place de Laura, et de plus d'une façon. » Mais que pouvais-je faire d'autre ? Je ne possédais pas de toilette plus jolie que celle-ci. Et, naturellement, mes effets personnels n'étaient toujours pas arrivés.

La robe était un peu ajustée à la poitrine mais, à part ça, elle m'allait à la perfection. Tante Sarah m'étudia d'un œil critique.

— Je crois que ça ira. Comment te sens-tu ?

— Tout à fait à l'aise, ma tante.

— Bon. Et les chaussures ?

— Elles me vont très bien.

— Alors te voilà prête, je vais m'occuper de May. Nous partons vers cinq heures, me rappela-t-elle en sortant.

Une fois seule, je m'examinai longuement dans le miroir. La robe était jolie, ravissante à vrai dire, et en toute autre circonstance j'aurais été enchantée de la porter. Mais pour le moment, je ne pouvais pas me débarrasser d'un étrange malaise. J'avais l'impression d'être drapée dans un suaire.

Plus j'en apprenais sur Laura, plus je me servais de ses affaires, lisais ses lettres, portais ses vêtements, plus j'avais le sentiment de troubler sa paix ; de remuer des choses qui auraient dû rester ignorées, enfouies au fond de la mer à côté d'elle et de son amoureux.

J'étais habillée, coiffée, fin prête. Oncle Jacob et Cary n'étaient pas encore rentrés des docks. May était délicieuse dans sa robe en taffetas rose et ses souliers du même ton. Nous nous étions assises dans le séjour pour attendre, tandis que tante Sarah faisait les cent pas dans le hall.

— Mais où peuvent-ils bien être ? Ils doivent encore se préparer, nous allons être en retard, gémissait-elle.

Et je me demandais quelle chose terrible avait bien pu se passer quand l'oncle Jacob avait appris la punition de son fils. Finalement, la porte s'ouvrit et ils rentrèrent tous les deux. Cary jeta un bref coup d'œil dans le séjour et, sans un mot, s'élança dans l'escalier. L'oncle Jacob s'arrêta sur le seuil et nous dévisagea tour à tour, puis son regard se fixa sur moi, lourd de reproche.

— Je savais bien qu'il ne te faudrait pas longtemps pour lui créer des problèmes !

— Ce n'est pas sa faute, Jacob, plaida tante Sarah. C'est ce petit vicieux d'Adam Jackson, le responsable.

Instantanément, il s'en prit à elle.

— Je t'avais prévenue. Je t'avais dit ce qui nous attendait si nous recevions chez nous la fille de Hellie.

Je bondis comme si je venais de m'asseoir sur un nid de fourmis rouges.

— Pourquoi répétez-vous toujours ça ? Que cherchez-vous à insinuer, à la fin ?

— Demande à ta mère quand elle t'appellera, renvoya-t-il rudement, pour l'instant, je n'ai pas de temps à perdre avec ces sottises. Je monte faire ma toilette.

Et il prit à son tour la direction de l'escalier. J'en fus soulagée, mais mes questions restaient sans réponse.

— Pourquoi me répète-t-il ça sans arrêt, tante Sarah ? Je dois savoir.

Elle serra les lèvres d'un air effrayé, comme si elle redoutait de laisser échapper un secret. J'insistai :

— Je n'irai nulle part tant qu'on ne m'aura pas répondu.

— Mon Dieu, mon Dieu ! gémit-elle en se laissant tomber sur le canapé. Pourquoi faut-il que cela arrive au moment où nous allons chez Olivia et Samuel ?

Elle fondit en larmes, et May courut se jeter dans ses bras. J'étais au supplice de la voir sangloter, tandis que la petite May lui caressait tendrement les cheveux pour la consoler. Mais elle larmoyait de plus belle :

— Et toi qui es si jolie dans cette robe ! Qu'avons-nous fait pour mériter ça ?

May leva sur moi un visage bouleversé, prête à pleurer elle aussi. Était-ce donc la seule chose que je savais faire : blesser tout le monde autour de moi ? Humblement, je m'excusai.

— Je vous demande pardon, tante Sarah. Ne vous inquiétez pas, j'irai là-bas.

Elle ravala ses larmes, tamponna ses yeux avec son mouchoir et me sourit.

— Tout va s'arranger, tu verras. Une fois que tout le monde te connaîtra mieux, tout ira bien. Regarde comme tu es jolie dans cette robe : ce n'est pas par hasard. C'est un présage. Un bon présage. Jacob s'en rendra compte, lui aussi. Les pêcheurs sont très sensibles à ces choses-là.

Qu'aurais-je pu dire ? Je gardai le silence, ma tante soupira, puis elle attira la petite May sur son cœur et la berça dans ses bras.

— Mon petit trésor, chantonna-t-elle, mon précieux petit coquillage. Nous méritons tous un peu de bonheur, maintenant. N'est-ce pas, Melody ?

— Oui, ma tante.

— Alors c'est arrangé, nous allons être heureux, déclara-t-elle avec son étrange sourire.

Et en disant cela, elle semblait vraiment croire que les mots pouvaient changer le monde.

Elle nous laissa pour aller se rafraîchir, May revint près de moi et nous feuilletâmes ensemble un de ses livres, jusqu'au moment où Cary réapparut. Il s'arrêta sur le seuil. Je le trouvai si beau, dans son complet bleu, que je ne pus m'empêcher de le lui dire.

— Tu es superbe, comme ça.

Il glissa un doigt sous son col de chemise et bougonna :

— J'ai l'impression d'être dans une camisole de force, et j'étouffe avec une cravate. J'ai horreur de ça. Je me sens...

— Comme un poisson hors de l'eau ?

— Tout juste. Bon, je vais attendre dehors, c'est le moment de la journée que je préfère.

— Nous t'accompagnons, décidai-je en me levant.

J'adressai quelques signes à May, qui ferma aussitôt son livre, et nous sortîmes tous les trois devant la maison.

À l'ouest, le soleil avait pris une teinte safranée, presque orange.

De légers nuages baignés de rayons striaient l'azur du ciel, des mouettes passaient en criant au-dessus de l'eau. La brise n'avait pas faibli, mais elle était plus chaude que d'habitude.

Le Cap Cod était vraiment un bel endroit, m'avouai-je. Combien mon père avait dû être malheureux de le quitter !

Cary m'observait, les yeux brillants, et je lui rendis son regard.

— Ton père a raison, soupirai-je. Tout est ma faute.

— Ne recommence pas avec ça, tu veux ? N'en parlons plus.

— De toute façon, je ne resterai pas ici ! Dès que l'école est finie, je m'en vais, quoi qu'il arrive. Si ma mère ne vient pas me chercher, j'irai vivre à Sewell avec Mama Arlène. Je travaillerai à mi-temps pour payer mon écot. Mais je ne resterai pas dans une maison où l'on ne veut pas de moi, et où je crée des problèmes à tout le monde.

Mon cousin eut son curieux petit sourire.

— Le Cap n'est jamais si beau qu'en été, tu ne peux pas partir. D'ailleurs j'aurai besoin de toi pour la récolte des airelles.

Je secouai la tête. Tout le monde refusait donc de regarder la réalité en face, dans cette famille ? Je ne m'attardai pas sur la question. May tiraillait ma robe et gesticulait en désignant la plage.

— Qu'y a-t-il ? Tu as vu ça, Cary ? (Je mis ma main en visière pour mieux voir.) Qu'est-ce que c'est que cet attroupement ?

— Où ça ? Oh, non ! s'exclama-t-il quand il eut jeté un coup d'œil. Ça recommence !

Et il s'élança en courant sur le sable.

Nous le suivîmes aussitôt, un peu moins vite. À une centaine de mètres en avant, sur la plage, une petite foule entourait quelque chose de gros et de sombre.

— Qu'est-ce que c'est, Cary ?

— Une baleine échouée ! cria-t-il derrière lui sans ralentir sa course.

Nous pressâmes le pas pour le rattraper.

Il y avait bien deux douzaines de gens autour de la pitoyable créature. Longue d'au moins quinze mètres, elle gisait sur un côté, ne laissant voir qu'un seul œil. Gigantesque et d'une force prodigieuse, elle était maintenant impuissante et se mourait. La plupart des curieux se tenaient timidement en retrait, mais quelques adolescents, jouant les bravaches, la frappaient du plat de la main. Cary s'approcha, pas assez toutefois pour risquer de mouiller ses souliers reluisants. Tenant May par la main, j'approchai à mon tour.

— Que s'est-il passé, Cary ?

— Elle s'est échouée.

— Mais pourquoi ?

— Il y a des tas de théories sur la question, en fait. Certains pensent qu'elles sont malades, et savent que venir à la côte peut les aider à mourir.

— Elle a l'air malade ?

— Je n'en sais rien.

Je ne me contentai pas de cette réponse.

— Et quelle autre raison auraient-elles d'agir ainsi, à ton avis ?

— Les baleines disposent d'un système sonar naturel, qui leur sert à se repérer en eau profonde et à communiquer entre elles. Quand elles nagent plus près de la surface, et surtout dans des eaux très fréquentées, il arrive qu'elles captent des échos parasites qui brouillent leur sonar. Cela les désoriente et elles s'échouent.

— Que va-t-il lui arriver ? insistai-je. Pourra-t-elle repartir avec la marée ?

Mon cousin hésita un instant avant de répondre.

— Le problème, c'est que le poids de leur corps est si important qu'il écrase leurs poumons, ou entrave tellement leur respiration qu'elles étouffent et meurent. On dirait bien que c'est ce qui vient d'arriver à celle-ci.

— Oh, Cary ! Ne pouvons-nous vraiment rien faire ?

— Tu crois que tu pourrais remettre une masse pareille à l'eau ? Et même si c'était possible, elle reviendrait s'échouer. A-t-on prévenu les garde-côtes ? cria-t-il à la cantonade.

— Quelqu'un a parlé de le faire, répondit un homme dans la foule.

— S'ils arrivent tout de suite, ils pourront tenter quelque chose. S'ils tardent trop...

— Eh bien ?

Cary promena le regard autour de lui : les gamins tourmentaient toujours la baleine. Certains la frappaient, se hissaient dessus, regardaient dans son œil. Un autre essayait de le lui arracher avec un bâton qu'il avait trouvé sur la plage.

— Arrêtez ça ! hurlai-je de toutes mes forces.

Ils s'interrompirent un instant, constatèrent que ce n'était que moi et reprirent leurs mauvais tours.

— Ça pourrait être pire, commenta Cary, la voix amère. Quelquefois, des gens viennent la nuit découper des morceaux de chair alors que la baleine est encore vivante.

— Oh, non !

Derrière nous, un klaxon retentit et nous nous retournâmes en même temps. Oncle Jacob et tante Sarah s'étaient avancés sur la route et nous adressaient de grands signes.

— Il faut y aller, dit mon cousin.

— C'est affreux, Cary.

— Je sais. Nous reviendrons plus tard, après le dîner chez Grandma, promit-il, mais ça m'étonnerait qu'on puisse faire grand-chose. Allons, viens, maintenant.

J'obéis, mais après quelques pas je fis halte et me retournai vers la gigantesque créature qui, sans savoir comment, s'était trouvée piégée sur cette plage. Elle était sans doute trop désorientée, trop choquée pour se rendre compte de ce qui lui était arrivé... et de ce qui l'attendait encore.

Exactement comme moi, pensai-je en suivant lentement Cary, non sans m'arrêter à tout instant pour regarder en arrière. Nous sommes dans le même cas, elle et moi : échouées.

15

Le grenier de Cary

SANS doute était-ce à cause de tous ces secrets de famille, qui commençaient à m'oppresser, mais quelque chose de fragile se brisait et souffrait en moi tandis que nous approchions de chez mes grands-parents. J'avais les nerfs à vif, les paupières me brûlaient. Je me tournai vers la vitre et regardai au-dehors, pour que May ne vît pas à quel point j'étais près de fondre en larmes.

Sachant ce que je savais, j'imaginais mes parents, à peine plus âgés que je l'étais moi-même, se tenant la main dans les recoins ombreux de la grande maison, et se jurant secrètement de s'aimer toujours. L'oncle Jacob avait-il toujours su ? Était-ce pour cela qu'il était si fâché contre mon père ?

Il coupa brusquement le moteur : nous étions arrivés.

— Et maintenant, on se tient bien, nous recommanda tante Sarah, traduisant ses instructions pour May.

Cary la taquina gentiment :

— Si nous nous tenons encore un tout petit peu mieux, Ma, nous allons droit au Paradis.

L'oncle Jacob lui jeta un regard noir, et il se hâta de détourner le sien.

Une autre voiture était déjà garée dans l'allée, plus vieille que celle de l'oncle mais si bien entretenue, si rutilante qu'elle semblait neuve.

— Le juge est déjà là, marmonna Jacob. Il entretient sa voiture mieux que la plupart des gens ne s'entretiennent eux-mêmes. Voilà un homme qui apprécie le travail bien fait !

Et en disant cela il dévisageait Cary, pour être sûr qu'il profitait de la leçon.

Grandma Olivia engageait toujours du personnel en extra, quand elle donnait un grand dîner. Ce fut un maître d'hôtel qui nous ouvrit la porte. Un homme grand et maigre, au cheveu rare et frisottant, avec un nez pointu et des yeux globuleux. Un sourire mince lui fendit le visage quand il s'inclina devant nous.

— Bonsoir, monsieur, madame, salua-t-il en s'effaçant devant nous. Tout le monde est au salon, monsieur.

Il nous examina pour voir si nous avions des manteaux ou des chapeaux à lui remettre, ce qui n'était pas le cas, et nous pilota comme si l'oncle Jacob ne connaissait pas les lieux. Et si tante Sarah lui retourna son sourire, mon oncle affecta d'ignorer sa présence.

Grandma siégeait dans son fauteuil à haut dossier, telle une reine donnant audience. Très élégante dans sa robe en velours noir, rehaussée d'un rang de perles et de pendants d'oreilles assortis, elle avait tiré ses cheveux en chignon sévère que retenait un peigne orné de diamants. La tenue de Grandpa Samuel était un tantinet moins formaliste. Assis les jambes croisées, un verre de whiskysoda en main, il avait grande allure dans son complet gris anthracite. À chacun de ses mouvements, le diamant de sa chevalière scintillait, renvoyant les feux du soleil couchant. Comme la première fois, il m'accueillit avec un grand sourire.

À la droite de ma grand-mère était assis un monsieur d'un certain âge, d'allure distinguée, aux cheveux gris argent montrant encore quelques mèches brunes. Il était en smoking. Quand le juge Childs se tourna vers nous, je pus constater qu'il était encore fort bel homme. Dans son visage lisse et plein, dont le front seul était marqué de rides, ses yeux bruns brillaient d'un éclat qui démentait son âge.

— Vous êtes en retard, observa ma grand-mère avant qu'aucun de nous n'eût le temps d'ouvrir la bouche.

Oncle Jacob fit valoir en manière d'excuse :

— Nous avons eu un problème à bord, c'est ce qui nous a retardés.

— Les bateaux peuvent attendre, répliqua vertement Grandma. Pas les gens.

Le juge la reprit avec indulgence.

— Allons, allons, Olivia. Ne nous montrons pas trop durs pour ceux qui ont gardé le goût du travail bien fait, ce n'est plus si courant, à notre époque. Et comment vas-tu, Jacob ?

— Comme ci, comme ça, je dirais. Et vous-même, juge ?

— Vu mon âge, je ne peux pas trop me plaindre.

— Voyons, Nelson ! intervint l'oncle Samuel, tu as tout juste un an et demi de plus que moi.

— Et tu n'es pas de la première jeunesse, conviens-en !

Les deux hommes éclatèrent de rire, puis le juge se tourna dans ma direction.

— Je vois que vous avez pris un nouveau poussin sous votre aile, Sarah. Et un bien joli poussin, ma foi.

Ma tante posa la main sur mon épaule et me poussa en avant.

— Oui, juge. Voici Melody. La fille de Hellie.

— Elle me rappelle tout à fait sa mère au même âge, c'est fou ce qu'elle lui ressemble ! Bonjour, Melody.

— Bonjour, monsieur.

— Quel âge as-tu ? s'enquit le juge avec bienveillance.

— J'aurai seize ans dans quelques semaines, monsieur.

— Voyez-vous ça ! Encore un anniversaire de juin.

Cette remarque éveilla l'attention de ma tante.

— Kenneth est Gémeaux, lui aussi, je crois ? demanda-t-elle.

Mais la voix tranchante de Grandma Olivia lui fit regretter d'avoir parlé.

— Par pitié, Sarah ! Ne remets pas l'astrologie sur le tapis !

— Kenneth est né en juin, annonça le juge sans s'émouvoir. Cela signifie quelque chose ?

La pauvre Sarah coula un regard effrayé vers Olivia et balbutia timidement :

— Le soleil est dans le signe des Gémeaux du 22 mai au 22 juin, voyez-vous ?

— Hum ! fit le juge. J'ai bien peur de ne pas comprendre grand-chose à toutes ces histoires d'étoiles. Là-dessus, j'en sais moins long que ma bonne. Cette brave Toby ne commence pas la journée avant d'avoir consulté les prédictions d'un magazine.

— Ce n'est qu'un fatras stupide pour débiles mentaux, trancha Grandma Olivia d'un ton bref.

Le juge Childs haussa les épaules.

— Ma foi, je ne sais pas trop. Quelquefois, je me demande s'il vaut mieux y croire ou pas. La plupart des pêcheurs sont superstitieux, d'ailleurs. Et à propos de ça... comment va la pêche cette année, Jacob ?

— Il y a des hauts et des bas, grogna l'oncle. Avec toute cette pollution, le pétrole répandu en mer, je doute que mes petits-enfants aient encore du homard à pêcher !

Le juge hocha tristement la tête. Puis tante Sarah nous dirigea tous les trois vers le canapé pour nous faire asseoir, au moment où le maître d'hôtel entrait pour s'informer de ce que nous voulions boire. Quand il posa la question à mon oncle, celui-ci rétorqua sèchement :

— Je ne bois pas.

— Tu devrais te montrer moins intransigeant là-dessus, Jacob, fit observer le juge. Depuis quelque temps, les médecins admettent qu'un petit verre par jour est bon pour le cœur. Personnellement, j'avoue que je n'ai pas attendu la mode pour suivre cette prescription !

Grandpa Samuel étouffa un petit rire.

— Mon fils a peur que l'alcool ne trouble son jugement, c'est pour ça.

— Un très bon jugement, releva aigrement Grandma. Surtout dans le domaine de la moralité.

Ses yeux lançaient des éclairs, et Grandpa Samuel s'empressa d'approuver :

— Oh pour ça oui, j'en conviens volontiers.

Je m'avisai que pendant tous ces échanges de propos, le juge Childs n'avait pratiquement pas cessé de m'observer, un petit sourire aux lèvres. Finalement, comme la conversation languissait, il me demanda ce que devenait ma mère.

— Comment le saurait-elle ? s'interposa Grandma Olivia. Hellie s'est mis en tête de devenir actrice !

Le juge s'adressa directement à moi.

— Est-ce vrai ?

— Beaucoup de gens lui ont dit qu'elle était assez jolie pour tenter sa chance, expliquai-je. En ce moment, elle prend des contacts et passe des auditions à Hollywood.

— Pas possible ?

— Balivernes ! ricana Grandma en regardant l'oncle Jacob, dont le visage arborait la même expression méprisante.

Cela rendait leur ressemblance encore plus flagrante. Il était clair que Jacob était le portrait de sa mère, alors que papa, lui, tenait beaucoup plus de Grandpa Samuel.

— C'était une des plus jolies filles de Provincetown, évoqua le juge avec nostalgie. Vous vous souvenez de ce concours de beauté ? Je faisais partie du jury.

— Quel concours de beauté ?

La question m'avait échappé, je n'avais pas réfléchi une seconde. Tante Sarah porta la main à sa bouche, étouffant une exclamation consternée. Je venais de transgresser un tabou : j'avais parlé sans qu'on m'ait d'abord adressé la parole. Le juge, lui, ne se formalisa pas pour si peu.

— Ta mère ne t'a rien dit ?

— Apparemment, elle ne lui a pas dit grand-chose, intervint à nouveau Grandma, un rictus aux lèvres.

Le juge Childs prit la peine de m'expliquer :

— Je ne sais plus quelle grande marque patronnait ce concours, mais il s'agissait d'élire la plus jolie jeune fille du Cap, et ta mère s'est retrouvée parmi les cinq finalistes. Je les revois encore, paradant en costume de bain, puis en robe du soir, battant des cils et répondant aux journalistes ! Les autres concurrentes n'avaient pas une chance, n'est-ce pas, Samuel ?

— Pas la moindre, approuva Grandpa en riant.

Ce qui lui valut une nouvelle remarque acerbe de sa femme.

— Cela ne lui aura pas servi à grand-chose, en tout cas.

— Mais cela nous a bien fait plaisir sur le moment, Olivia. Tu as même donné une fête, à cette occasion.

— L'idée ne venait pas de moi, répliqua-t-elle. J'ai suivi le mouvement, mais je n'ai jamais trouvé qu'il y avait de quoi se vanter.

— Les gens de Provincetown étaient quand même très fiers d'elle, souviens-toi. Et je crois bien me rappeler qu'elle a gagné un trophée, ajouta le juge avec un clin d'œil à mon adresse. Tu ne l'as jamais vu, Melody ?

— Non, monsieur.

— Elle l'aura sans doute mis en gage, maugréa Grandma Olivia, assez haut pour être entendue de tous.

Ce qui n'empêcha pas le juge de poursuivre :

— À l'époque, tous les garçons de la ville étaient amoureux de Hellie. C'est à cette date-là que notre Kenneth s'est mis à camper sur votre pelouse !

— Et qu'est-ce qu'il devient, ces temps-ci ? s'enquit Grandpa. Je ne l'ai pas vu depuis une éternité.

— Ma foi... c'est toujours pareil. Si je n'allais pas à son atelier je ne le verrais jamais. Il est marié à son travail, et sa cote grimpe. Ses petites mouettes d'argile se vendent dix mille dollars pièce, paraît-il. Tu imagines ça, Jacob ?

— Non, ça me dépasse. Il y a vraiment des gens qui ont de l'argent à jeter par les fenêtres.

— Kenneth ne s'en plaint pas, sourit le juge.

Puis, après m'avoir dévisagée encore plus longuement qu'auparavant, il interrogea :

— Et toi, qu'aimerais-tu faire dans la vie, Melody ?

— Je ne sais pas encore. Enseigner, peut-être, ajoutai-je après un regard à Cary, qui rougit comme une pivoine.

Le juge eut un signe de tête approbateur.

— C'est une bonne idée.

— Elle joue du violon, déclara Grandpa Samuel. Tu l'as apporté, ce soir, Melody ?

Je regardai ma tante à la dérobée avant de répondre :

— Non, Grandpa.

— Oh, quel dommage ! Moi qui me réjouissais de t'entendre.

— Je peux aller le chercher, offrit Cary, avec un sourire provocant de malice.

Grandma se leva brusquement.

— Nous n'avons plus le temps, il est l'heure de passer à table. Jérôme ? appela-t-elle, et le maître d'hôtel surgit instantanément sur le seuil.

— Madame ?

— Dites à la cuisine qu'on peut servir.

— Très bien, madame.

À son tour, le juge se leva et s'approcha de Grandma.

— Permettez que je vous escorte, Olivia, dit-il en me décochant un petit sourire à la dérobée.

Tête droite et menton haut, Grandma prit le bras qu'il lui offrait. Grandpa leur emboîta le pas et, à sa suite, nous pénétrâmes à pas comptés dans la salle à manger.

Même au cinéma, je n'avais jamais vu table aussi somptueuse. Porcelaine fine, argenterie, cristaux, rien n'y manquait. Deux chandeliers d'argent, placés à égale distance d'un vase de roses blanches, portaient chacun trois bougies de cire, allumées. Pour la circonstance, le juge s'assit à droite de Grandma et l'oncle Jacob à sa gauche. Grandpa, tante Sarah et nous, « les trois enfants », reprîmes les places que nous occupions déjà la fois précédente.

L'oncle récita le bénédicité, qui me parut durer deux fois plus longtemps que d'habitude, et le repas commença enfin. Il fut orchestré comme un spectacle, avec presque autant de serviteurs que de convives, chacun jouant le rôle qui lui était assigné. Il débuta par des hors-d'œuvre au caviar. Je n'osai pas dire que j'ignorais ce que c'était, mais heureusement pour moi l'oncle Jacob grommela :

— Je me sens toujours un peu coupable de manger des œufs de poisson.

— Olivia, plaisanta le juge, vous avez élevé un saint.

— Jacob est un homme de bien, c'est vrai. Nous bénissons le Seigneur de nous l'avoir donné.

L'oncle ne rougit pas sous le compliment, c'est à peine s'il en parut content. Mais le juge m'adressa un clin d'œil pétillant d'espièglerie, et je me sentis un peu plus détendue. Ce n'était pas du luxe !

Jérôme versa du vin aux adultes, et le juge leva son verre pour souhaiter à tous bonheur et santé. Sa voix n'était plus la même ; en un instant il avait adopté le ton sénatorial, plein de puissance et d'autorité. J'en fus profondément impressionnée.

Une crème aux asperges suivit le caviar et, pendant que nous la dégustions, le juge orienta la conversation sur la politique et les élections. Les adultes l'écoutaient avec une attention aiguë, l'air important, un peu comme s'ils se sentaient admis dans un cercle d'initiés.

Après le potage vint une salade printanière, délicieux mélange de primeurs, de noisettes et de fromage, assaisonné au vinaigre de framboise. Du coup, on aborda la question du prix des légumes, dont on discuta beaucoup, ce qui m'étonna un peu. À mon avis, les problèmes d'argent étaient bien le dernier souci de cette famille.

J'éprouvai une autre surprise en voyant arriver des boules de sorbet à l'orange. Était-ce le dessert, et le repas était-il déjà fini ? Le juge devina ma confusion et vint à mon secours. Il observa d'un ton affable :

— J'ai l'impression que votre petite-fille ne connaît pas nos habitudes gastronomiques, Olivia.

— Cela n'a rien d'étonnant, pour une fille élevée dans le fin fond de la Virginie de l'ouest ! Le sorbet a pour fonction de rafraîchir le palais, m'annonça-t-elle d'un ton supérieur. Tu sais de quoi je parle, au moins ?

— Oui.

C'était un peu sec, mais pas encore assez pour mon goût. Je cherchai le regard de Cary et vis qu'il dévisageait sa grand-mère d'un air de reproche. Elle aussi s'en aperçut. Et, se retournant vers le juge, elle se lança sur le chapitre des élections.

L'entrée fut servie par l'ensemble du personnel de cuisine, dirigé par le maître d'hôtel. Les domestiques évoluaient autour de nous, proposant ceci, apportant cela, versant le vin et l'eau. Je notai que l'une d'elles était au service exclusif de Grandma. Dès qu'elle tendait la main pour saisir quelque chose, la bonne devançait son geste et lui présentait ce qu'elle désirait. Le dîner se déroula comme un fabuleux festin, couronné par un dessert qui arracha au juge une exclamation de plaisir.

— Votre gourmandise préférée, annonça Grandma Olivia.

C'était une crème brûlée, un mets que je n'avais jamais goûté. Quand je le fis, je compris aussitôt pourquoi le juge en raffolait. Il remarqua ma réaction, me sourit d'un air entendu et s'offrit le plaisir de taquiner mon oncle. Un plaisir que je partageai, je l'avoue. L'embarras de l'oncle m'amusa.

— Il n'y a rien de mal à apprécier les bonnes choses de temps en temps, n'est-ce pas, Jacob ?

— Pas quand on sait qui on doit remercier, non.

— Oh, mais je le sais ! Merci Olivia, merci Samuel répliqua le juge en riant.

Mon grand-père joignit son rire au sien, mais Grandma secoua la tête, comme s'ils se conduisaient en gamins désobéissants.

— Voyons, Nelson, murmura-t-elle avec reproche.

— Je plaisantais, bien sûr. Personne n'est plus reconnaissant que moi pour les bienfaits reçus. Mon seul regret, c'est que Louise ne soit plus là, soupira-t-il, perdant le sourire pour la première fois de la soirée.

— Elle nous manque à tous, vous savez.

— Merci, Olivia.

On servit le café, et nous fumes autorisés à en boire un peu, Cary et moi. Je n'avais jamais goûté le café vanillé non plus, mais je ne voulais pas avoir l'air aussi attardée que Grandma tentait de le faire croire. Je le dégustai donc comme si j'en buvais tous les jours.

Le dîner achevé, Grandpa suggéra que les hommes aillent boire un cognac et fumer leur cigare au salon.

— C'est maintenant que nous aurions apprécié un récital de violon, fit observer le juge en me jetant un nouveau clin d'œil de connivence.

Aussitôt, Cary proposa :

— Je peux aller chercher le violon, si vous voulez ?

— Le temps que tu reviennes, il serait trop tard, décréta Grandma. Ce sera pour une autre fois. Allez vous amuser, les enfants, mais pas dans un endroit salissant, surtout.

Cary parut déçu, mais je me sentis soulagée. J'aurais détesté jouer devant un auditoire aussi averti.

— Je ne renonce pas à entendre ton violon, me chuchota le juge en passant devant moi.

Puis les adultes sortirent derrière mes grands-parents, et les domestiques entreprirent de débarrasser la table.

— Qu'est-ce que tu préfères ? me proposa Cary. Te promener un peu sur la plage ou aller simplement t'asseoir sur la véranda, derrière la maison ?

Je n'eus pas à réfléchir longtemps pour me décider.

— J'aimerais retourner dans cette cave où tu m'as montré des photos.

— J'en étais sûr ! s'exclama-t-il en souriant.

Il avertit May, qui parut enchantée de ce choix, puis il alla chercher la torche de Grandpa et nous sortîmes par la porte de derrière.

Nous n'eûmes pas besoin d'allumer la lampe pour contourner la maison. La pleine lune brillait de tout son éclat, changeant la mer en un pur miroir d'argent et le sable en poudre nacrée. La ligne d'horizon se dessinait avec netteté sur le ciel noir semé d'étoiles.

Je pris May par la main et nous suivîmes Cary jusqu'à la porte de la cave.

— Ne la laisse pas salir sa robe, me recommanda-t-il, ou gare aux représailles !

Je transmis le conseil à May pendant qu'il ouvrait la porte. Il alluma sa lampe, trouva l'interrupteur qui commandait l'unique ampoule et nous fit signe de le suivre. Il faisait tellement noir dans ces sous-sols que nous eûmes quand même besoin de la torche pour trouver les cartons et en inspecter le contenu. Cary en descendit un de son étagère.

— Attention, me prévint-il, c'est plein de poussière. Tâche de ne pas t'en mettre partout.

Mais je ne me tracassai pas pour si peu quand je commençai à fouiller dans la boîte.

— Tu ressembles vraiment beaucoup à ta mère au même âge, Melody, observa mon cousin. Et tu es aussi jolie qu'elle.

Nous étions accroupis tous les trois près du carton, Cary en face de moi. À la lueur de la lampe, je m'aperçus qu'il me dévisageait avec une intensité singulière et j'éprouvai le besoin de protester.

— Non, c'est faux. Je ne gagnerais jamais un concours de beauté, moi.

— Mais si ! Et je suis sûr que ça t'arrivera, insista mon cousin avec un grand sourire.

— Tu commences à parler comme Adam Jackson, maintenant ?

— Désolé, renvoya Cary, son beau sourire envolé. Ce n'était pas mon intention.

— Ne te fâche pas, je ne voulais pas te froisser. C'est juste le genre de choses qu'il dit, c'est tout.

— Sauf que moi, murmura Cary en baissant le nez vers le carton, je les pense.

Je me mordis la lèvre et continuai à examiner les photos. En dessous de celles que j'avais déjà vues, j'en trouvai de papa et maman prises en bateau, sur la plage, ou sur des balancelles derrière la maison. L'oncle Jacob figurait sur la plupart d'entre elles, mais il semblait toujours se tenir un peu à l'écart, comme en retrait. Sur certains clichés pris le jour de la remise des diplômes, on voyait bien comment maman était devenue la femme ravissante qu'elle était à présent.

Elle était photogénique, et trouvait d'instinct la pose flatteuse. Je supposais que les photos où papa n'était pas présent avaient été prises par lui, et j'en retournai une qui montrait maman sur la plage, en bikini. J'y lus les initiales K.C., suivies de la date, ce qui m'intrigua.

— K.C. ? Qui cela peut-il bien être, Cary ?

Il examina la photo et réfléchit quelques secondes.

— À mon avis, c'est Kenneth Childs. Tiens, le voilà, dit-il en désignant un autre instantané.

On y voyait un bel adolescent aux longs cheveux châtain clair, appuyé contre un pommier, les bras croisés. Il ne souriait pas, au contraire. Il avait presque l'air furieux. Après l'avoir examiné un instant, Cary confirma :

— C'est bien lui, et il n'a pas tellement changé. Il a toujours les cheveux longs, sauf que maintenant il les noue sur la nuque, en catogan.

— C'est vrai ?

— Mais oui. Et il porte même un anneau à l'oreille, quelquefois.

— Je ne peux pas le croire ! m'écriai-je. Le fils du juge Childs ?

— Kenneth est un artiste, c'est pour ça. Il fait ce qu'il veut et personne n'y trouve à redire.

Ébahie, je regardai Cary feuilleter l'album jusqu'à ce qu'il trouve une autre photo de Kenneth Childs. Il devait avoir seize ou dix-sept ans, sur celle-là. Il était plus grand, mais ses traits n'avaient pas tellement changé. Entre deux longues mèches mordorées, j'entrevis un anneau à son oreille gauche. Il était en jean, mais sans chemise, et portait sa veste sport directement sur la peau.

— Il y a d'autres photos de lui ? m'enquis-je, intéressée.

Cary secoua la tête.

— C'était lui qui tenait l'appareil, d'habitude. Mon père nous l'a dit une fois, à Laura et à moi.

Je fixai longuement la photo de Kenneth, puis passai aux autres. Il y en avait une de papa et maman vraiment très réussie, prise dans un kiosque de jardin. Ils étaient assis sur un banc, l'un contre l'autre. Maman, les bras autour de ses genoux relevés, une rose dans les cheveux, inclinait la tête et l'appuyait contre celle de papa. Elle était radieuse, et je n'avais jamais vu papa aussi heureux.

— J'aime beaucoup celle-ci, Cary.

— Ah bon ? C'est vrai qu'ils étaient beaux, commenta-t-il après avoir étudié la photographie d'un peu plus près. Tu peux la prendre, si tu veux.

— Vraiment ?

— Qui le saura ? rétorqua-t-il en haussant les épaules.

Après un rapide coup d'œil à May, je décollai prestement le cliché de la page, et nous continuâmes à feuilleter les albums. Il y avait des portraits de gens de la famille dont je n'avais jamais entendu parler. Finalement, nous trouvâmes quelques pages consacrées à une femme à l'air timide, qui semblait continuellement sur le point de pleurer.

— Qui cela peut-il bien être ? demandai-je à Cary.

— C'est la sœur cadette de Grandma Olivia.

— Ça alors ! Je n'ai vu aucune photo d'elle dans la maison. Grandma a-t-elle d'autres frères et sœurs ?

— Non.

— Et où vit cette sœur ? voulus-je encore savoir.

Cary hésita quelques secondes avant de répondre :

— Dans une espèce d'hôpital.

— D'hôpital ?

Mon cousin se frappa la tempe du doigt.

— Elle n'est pas très...

— Elle est dans un institut psychiatrique, tu veux dire ?

— Quelque chose comme ça. Elle a eu des problèmes d'alcoolisme, entre autres. Nous ne parlons pas beaucoup d'elle. Grandma Olivia ne supporte même pas qu'on pose des questions à son sujet.

— Mais c'est terrible, comme situation !

— Plutôt, oui. Il y a quelques années, on l'a ramenée ici pendant un certain temps, mais elle ne supportait pas la vie à l'extérieur. Je ne sais pas grand-chose d'elle, en fait.

Je contemplai la petite femme fluette qui se tenait repliée sur elle-même, comme si elle craignait de se briser à tout moment.

— Comment s'appelle-t-elle ?

— Belinda, m'apprit Cary.

— Joli nom. Qu'est-ce qui n'allait pas chez elle ? Je veux dire... comment se fait-il qu'elle ait eu ces problèmes, la boisson et le reste ? Tu sais quelque chose là-dessus ?

— Non, pas vraiment. J'ai entendu papa raconter qu'elle riait toujours après avoir dit quelque chose. Et aussi qu'elle regardait chaque homme qui passait, beau ou laid, jeune ou vieux, comme si c'était le prince charmant qu'elle attendait depuis toujours.

— Comme c'est triste, soupirai-je après un dernier regard à la photographie.

Et je me remis à tourner les pages. Il m'en coûtait de le reconnaître, mais Grandma Olivia aussi avait été très belle, dans sa jeunesse. Grandpa Samuel, lui, avait conservé tout son charme, j'étais moins étonnée de le découvrir aussi séduisant. Et tout en faisant défiler ces images de moments heureux, anniversaires, randonnées en mer, soirées sur la plage et autres, j'essayais de me représenter l'enfance de maman. Elle avait dû vivre de belles années dans ce décor luxueux, ces conditions si favorables. Pourquoi m'avait-elle menti si longtemps ? J'aurais tellement aimé qu'elle m'ait parlé de tout cela !

May commençait à fouiller un peu partout, et Cary redoutait qu'elle ne finisse par se salir. Nous nous décidâmes à ranger les albums. Je gardai avec moi la photo de mes parents et nous quittâmes les sous-sols. À ma grande surprise, le maître d'hôtel nous attendait sur la véranda.

— Ah vous voilà ! s'écria-t-il à notre approche. On m'a envoyé vous chercher. J'ai cru comprendre que Mme Logan ne se sentait pas très bien, et que votre père désirait rentrer.

— Ma est malade ? s'inquiéta Cary en s'élançant vers la maison.

May et moi n'y arrivâmes que quelques secondes après lui.

Apparemment, tante Sarah souffrait d'indigestion, et tandis que nous étions dans la cave elle était à la salle de bains, occupée à restituer son délicieux dîner. L'oncle Jacob semblait inquiet et furieux.

— Où étiez-vous ? aboya-t-il. Nous rentrons, Cary. Ta mère a eu un malaise.

— Que lui est-il arrivé ?

— Je n'en sais rien.

Soutenue par une domestique, tante Sarah revint de la salle de bains.

— Je suis désolée, gémit-elle, en s'arrêtant à la porte du salon. J'ai gâché le plaisir de tout le monde. Je vous demande pardon, Olivia.

Grandma trônait sur le canapé, seule occupante de la pièce. Le juge et Grandpa Samuel en avaient été bannis, instamment priés d'aller fumer leur cigare ailleurs. Selon Grandma, c'était la fumée qui avait indisposé ma tante.

— Les hommes et leurs habitudes dégoûtantes ! maugréa-t-elle. Emmène-la prendre l'air, Jacob.

— Entendu, Ma. Les enfants, dites bonsoir et remerciez, ajouta l'oncle un ton plus bas, pour nos seules oreilles.

Le premier, Cary s'avança jusqu'à la porte du salon, s'arrêta sur le seuil et formula les politesses d'usage. Puis ce fut mon tour, et enfin celui de May qui fit quelques signes et sourit. Grandma Olivia, en guise de réponse, ferma les yeux et les rouvrit, après quoi mon cousin et May suivirent l'oncle Jacob. Mais pas moi. Je m'arrêtai dans l'embrasure.

— Que tiens-tu à la main ? s'enquit Grandma, sans me laisser le temps de placer un mot.

Décidément, rien n'échappait à son œil d'aigle, observai-je à part moi. Mais je n'hésitai pas à répondre :

— Une vieille photo de mes parents.

— Ainsi, Cary t'a emmenée au sous-sol, constata-t-elle.

Je crus qu'elle allait se fâcher, ce qui aurait fait déborder la coupe et rendu l'oncle fou furieux, mais non. Grandma Olivia secoua simplement la tête et soupira profondément.

— Ils ont passé des après-midi de soleil enfermés dans cette cave, Laura et lui. Je me demande pourquoi. Mais tu ferais mieux de te dépêcher, me conseilla-t-elle, reprenant le contrôle d'elle-même, en même temps que sa raideur habituelle. Il faut que ta tante aille se mettre au lit.

— Oui, Grandma.

Mon cœur s'accéléra. Tante Sarah était déjà sortie avec la bonne ; l'oncle Jacob, Cary et May m'attendaient pour les suivre. C'était le moment ou jamais.

— Je me demandais si je pourrais revenir vous voir, commençai-je pendant que j'en avais le courage. Vous voir seule.

Grandma Olivia rejeta la tête en arrière.

— Me voir ? Et quand donc ?

— Dès que possible. Demain, à la sortie des classes ?

Un instant, elle parut trouver l'idée cocasse, puis elle pinça les lèvres. J'étais certaine qu'elle allait me rabrouer. Mais, à ma grande surprise, elle évita mon regard et annonça en fixant le mur.

— Je serai dans mon jardin demain après-midi.

— Merci, Grandma Olivia. Je suis désolée pour tante Sarah.

Elle ramena les yeux sur moi et, me contraignant à sourire, je me hâtai de sortir pour aller rejoindre les autres.

Grandpa Samuel et le juge étaient dehors, et regardaient la bonne escorter ma tante jusqu'à la voiture. La fumée de leurs cigares s'élevait en volutes claires dans la nuit.

— Donne-lui simplement un peu de bicarbonate, Jacob, conseilla Grandpa Samuel à mon oncle.

Le juge, un sourire narquois aux lèvres, commenta :

— Voilà ce qui arrive quand on est habitué à une nourriture trop frugale ! Emmène de temps en temps ta femme au restaurant, mon garçon.

— Pour la gaver de poison jusqu'à ce qu'elle s'y accoutume ? Non, merci ! riposta l'oncle Jacob.

Le juge partit d'un immense éclat de rire. Il souriait encore lorsqu'il se tourna vers moi.

— Bonsoir, petite Hellie, dit-il avec gentillesse. Travaille bien ton violon, surtout !

Là-dessus, tout le monde monta en voiture. Tante Sarah était déjà installée, grâce aux soins de la femme de chambre. La tête renversée en arrière et un linge humide sur le front, elle murmura quelques paroles d'excuse.

— Je suis désolée, Jacob. C'est mon estomac qui s'est mis brusquement à...

— N'en parle pas, l'interrompit-il. Ça ne ferait qu'aggraver les choses.

Et il conduisit à une vitesse record jusqu'à la maison.

Pendant tout le trajet, May resta penchée en avant sans lâcher la main de sa mère. À plusieurs reprises, Cary lui fit signe que tout allait s'arranger, mais la fillette garda son air malheureux tant que Sarah ne fut pas rentrée chez elle et montée se coucher. Finalement, un peu de couleur revint aux joues de ma tante. Elle annonça qu'elle se sentait nettement mieux, et recommença ses excuses auprès de l'oncle Jacob, qui les accepta de bonne grâce. Il alla même jusqu'à reconnaître que la nourriture devait être trop riche, et qu'il avait eu quelques problèmes de digestion, lui aussi.

— Tâche de dormir, maintenant, conseilla-t-il à sa femme.

Quand May eut embrassé sa mère et quitté la chambre, il ajouta à l'intention de Cary :

— Je vais écouter les informations à la radio, assure-toi que la petite se couche tout de suite.

Cary acquiesça d'un vague grognement, se tourna vers moi comme pour quêter mon aide et, tous les deux, nous escortâmes la fillette jusqu'à sa chambre. Nous attendîmes qu'elle fût tout à fait calme et prête à s'endormir pour la laisser seule ; et une fois dans le couloir, un silence gêné s'établit entre nous.

— Je me demande ce qu'est devenue cette baleine, finis-je par dire.

— Nous pourrions nous changer et aller voir, non ?

Cinq minutes plus tard, tous deux en jean et chaussures de sport, nous descendions l'escalier.

— Où allez-vous ? cria l'oncle depuis le séjour.

Ce fut Cary qui répondit :

— Voir ce qui se passe pour la baleine, Pa. Nous revenons tout de suite.

— J'espère bien !

Nous sortîmes en hâte et courûmes jusqu'à la plage, où l'absence de foule indiquait qu'il s'était passé quelque chose. Effectivement, la baleine avait disparu.

— Les garde-côtes ont dû la remettre à flots, avança Cary.

Je scrutai l'eau noire avec appréhension.

— Tu crois qu'elle s'en est tirée ?

— Ou elle a nagé quand on l'a déhalée, ou elle a coulé, rétorqua mon cousin avec la brusquerie des gens du Cap.

— Elle n'aura plus à subir la cruauté d'un tas de brutes, en tout cas. C'est déjà ça.

— Oui, approuva Cary.

Et, même dans l'obscurité, je sentis qu'il me dévorait du regard.

— Tu es aussi jolie que ta mère sur ces photos, tu sais ?

— Merci, marmonnai-je, les yeux baissés sur mes chaussures.

Je respirai une grande bouffée d'air avant d'ajouter :

— Je pourrais demander à tes professeurs de me donner la liste de tes devoirs, si tu veux ? Comme ça tu ne prendrais pas de retard.

— Pourquoi pas ? renvoya-t-il sans enthousiasme.

Nous reprîmes le chemin de la maison. Au-dessus de nous, le ciel fourmillait d'étoiles mais je marchais les bras croisés, le front baissé. Je craignais trop, si jamais je levais les yeux, de tomber en extase et de rester toute la nuit sur la plage.

— Écoute, suggéra Cary, est-ce que... ça te tenterait de voir mes maquettes ?

— Dans le grenier ?

Il acquiesça d'un bref signe de tête.

— Bien sûr que oui !

À notre retour, des éclats de voix mêlés de grondements nous attirèrent à la porte du séjour. La radio vociférait des menaces, promettant l'Enfer et la damnation. Affalé sur son siège, l'oncle Jacob dormait à poings fermés : il ronflait comme un sonneur.

Cary posa un doigt sur ses lèvres et sourit. Nous gravîmes l'escalier à pas de loup et, une fois sur le palier, il déplia silencieusement l'échelle.

— Doucement, me recommanda-t-il quand je m'y engageai derrière lui.

Arrivé en haut, il se pencha pour m'aider à escalader les derniers barreaux.

La pièce était plus petite que je ne l'aurais cru. Au premier regard, je n'avais pas remarqué combien la pente prononcée du toit diminuait l'espace. Cary avait une petite table pour monter ses maquettes, et les bateaux terminés s'alignaient sur une bonne douzaine d'étagères. Cela faisait une fameuse flottille, au moins une centaine de modèles, estimai-je. Il y avait une étroite couchette sur la droite, et sur le côté gauche s'entassaient des caisses et des coffres de marin.

— Attention à ta tête, m'avertit Cary quand je me redressai.

Le toit était si incliné qu'il me fallut avancer jusqu'au centre de la pièce, avant de pouvoir me tenir debout. Cary m'entraîna vers les étagères.

— Ma collection historique, annonça-t-il en me désignant l'extrémité d'un rayon. Les modèles sont rangés par ordre chronologique, de gauche à droite. Celui-ci, dit-il en soulevant une sorte de longue barque à deux mâts, est un navire égyptien. Il date d'environ trois mille ans avant Jésus-Christ. Tu remarqueras que les deux mâts se joignent au sommet. Maintenant, regarde...

Il reposa le bateau égyptien pour en prendre un autre.

— Celui-ci est phénicien, c'est un des premiers navires marchands à utiliser la voile plutôt que l'aviron. Et il dispose d'un grand espace pour le fret, tu vois ? Les Phéniciens étaient les champions de la construction navale.

Cary savait tant de choses ! Je m'émerveillais de son savoir, de son sérieux, de son enthousiasme communicatif. Il parlait si vite que j'avais du mal à le suivre, mais je me concentrai de mon mieux. Après les Grecs et les Romains, il m'entraîna chez les Nordiques et me montra un drakkar norvégien, pareil à ceux qui avaient servi à envahir l'Angleterre, affirma-t-il. Et il avait même construit une jonque chinoise. J'appris ainsi que ce type d'embarcation était toujours en usage, mais manquait de trois choses considérées comme indispensables : une quille, une étrave et un étambot. Cary était intarissable, il avait mille choses passionnantes à dire sur chaque modèle, mais je vis bien qu'il était particulièrement fier de ses voiliers.

— Celui-là, dit-il soudain d'une voix émue, est le navire de guerre anglais « Victory », le vaisseau de l'amiral Horatio Nelson.

— Il est superbe, Cary !

— N'est-ce pas ?

Rayonnant de plaisir, il reposa le célèbre « Victory » et s'empara d'un long bâtiment aux lignes fuselées.

— Le favori de Laura, m'annonça-t-il, le clipper américain. Ils étaient imbattables dans la traversée de l'Atlantique. Celui-là, c'était le « Great Republic », construit en 1853.

— Les pièces sont si petites, Cary ! Comment fais-tu ça ?

— Avec beaucoup, beaucoup de patience, rétorqua-t-il en riant. J'ai rebaptisé le clipper « Laura », tu vois ?

Il me montra l'endroit où, avec un soin méticuleux, il avait gravé le nom de sa sœur jumelle. Longtemps, il garda la maquette entre ses mains. Puis, délicatement, il la replaça sur l'étagère.

— Et maintenant, regarde un peu par ici. J'ai des vapeurs, des pétroliers, des cargos, et aussi des paquebots de luxe, naturellement. Tu reconnais celui-là ?

J'examinai celui qu'il venait de soulever.

— Incroyable ! C'est le...

— Oui, le « Titanic ».

Je secouai la tête, émerveillée.

— Tu sais tant de choses sur ce sujet, Cary ! Tu devrais être meilleur en histoire. Tu n'as jamais choisi les bateaux comme thème d'enquête ?

— Si, et j'ai eu un A. Mais j'avais fait tellement de fautes d'orthographe et de grammaire, ajouta-t-il piteusement, que le professeur m'a pénalisé, et finalement il m'a donné un C.

Reposant la maquette, il s'approcha de la petite fenêtre devant laquelle se dressait le télescope.

— Laura et moi venions souvent ici pour contempler la mer, dit-il d'une voix rêveuse. Tu vois cette lumière ?

Je m'étais approchée derrière lui et il me tendit la lunette, où je collai mon œil.

— Je la vois. Qu'est-ce que c'est ?

— Un pétrolier, sans doute en route pour l'Angleterre. Nous adorions observer les bateaux et imaginer où ils allaient, ou nous imaginer nous-mêmes à bord.

Souriant pour lui-même, Cary s'éloigna de la fenêtre et s'approcha de la couchette.

— Nous avons passé des heures dans ce grenier, soupira-t-il en s'y laissant tomber. Laura aimait s'allonger ici, pour lire ou étudier, pendant que je travaillais à mes maquettes. Mais tout a changé quand elle s'est mise à fréquenter ce Robert Royce, acheva-t-il, la voix soudain chargée d'amertume.

— Elle a simplement commencé à s'intéresser aux garçons, Cary. Cela n'a rien d'anormal.

Ses traits se durcirent, au point qu'il eut soudain l'air en colère.

— C'est possible. En tout cas, celui-là n'était pas le bon.

— Comment peux-tu en être aussi sûr ?

— Je le suis, c'est tout.

Il serra les paupières, comme pour chasser une vision douloureuse, et je me tournai à nouveau vers la fenêtre.

— Alors pourquoi les as-tu laissés sortir avec ton bateau ? demandai-je sans le regarder.

— Laura savait naviguer, presque aussi bien que moi. C'est elle qui a voulu.

Je pivotai pour lui faire face et le dévisageai gravement.

— Je n'ai jamais su lui dire non, murmura-t-il avec tristesse. Si seulement je l'avais fait, rien que cette fois-là !

Il baissa la tête, pour que je ne puisse pas voir les larmes qui lui montaient aux yeux. Moi aussi, j'avais envie de pleurer. Un instant, je laissai mon regard dériver vers l'océan, si beau et si dangereux à la fois.

— Je comprends, Cary. La perdre ainsi... C'est comme si elle avait tout simplement disparu.

— Non, souffla-t-il, si bas que je doutai d'avoir bien entendu.

Mais quand je me retournai, il répéta plus fermement :

— Non. Ce n'est pas tout à fait ce qui est arrivé.

— Que veux-tu dire ?

— Écoute... (Il hésita.) Je n'ai confié ça à personne, Melody. Pas même à mes parents.

Je retins ma respiration.

— Après avoir attendu inutilement le retour de Laura et de Robert, j'ai emprunté le bateau d'un ami et je suis parti à leur recherche, commença Cary. Tous les jours, pendant près d'une semaine, j'ai fouillé le secteur et passé les abords de la plage au peigne fin, au risque de m'écraser sur les écueils. Et un jour, j'ai aperçu quelque chose.

— Qu'est-ce que c'était ?

Cary se leva, alla ouvrir un des coffres et en tira un foulard de soie rose.

— Elle aimait le porter pour naviguer, soupira-t-il en revenant vers moi. Je l'ai trouvé qui flottait sur l'eau.

— Pourquoi ne l'as-tu jamais montré à ta mère ?
— Au début, je voulais qu'elle garde l'espoir. Puis je me suis senti si coupable de ne pas avoir parlé plus tôt que je n'ai plus osé le faire. Cela n'a plus d'importance, à présent. Maman a accepté. Laura n'est plus là.
Je sentis des larmes brûlantes ruisseler sur mes joues.
— Tu es la première personne qui me donne le sentiment de pouvoir comprendre, murmura Cary en me tendant le foulard. Tiens, prends-le. Je veux que tu l'aies.
— Oh, non ! Je ne peux pas.
— S'il te plaît. (Il plaça de force le fichu rose entre mes mains.) Prends-le, et porte-le.
— Merci, chuchotai-je. Je le garderai précieusement.
— Je sais.
Nos regards se nouèrent, et je lus un tel chagrin dans ses yeux que j'en oubliai le mien.
D'en bas, un bruit nous parvint : l'oncle Jacob s'engageait dans l'escalier. Sur le palier, il fit halte un instant au pied de l'échelle, puis gagna sa chambre d'un pas lourd. Nous l'entendîmes refermer la porte.
— Je ferais mieux de redescendre, décidai-je.
Cary hocha la tête et, sur une impulsion soudaine, j'annonçai :
— Demain, je vais parler à Grandma.
Il m'avait fait confiance, après tout. Je pouvais bien lui rendre la pareille.
— Pourquoi, Melody ?
— Pour qu'elle me dise tout. J'y vais demain après les cours.
— Tu veux que je t'accompagne ?
— Non, je dois lui parler seule à seule. Mais merci pour ton offre, en tout cas.
Il fut sur le point de sourire.
— Rappelle-toi : elle aboie plus qu'elle ne mord !
— Bonsoir, Cary. Merci de m'avoir montré tes maquettes.
Cette fois il sourit pour de bon et, brusquement, gauchement, me planta un baiser sur la joue.
— Attention où tu mets les pieds, dit-il comme je descendais les premiers barreaux.
Parvenue à bon port, je levai les yeux sur lui.
— Bonne nuit, Cary.

— Bonne nuit.

Il remonta l'échelle, comme s'il voulait couper tout contact avec le monde d'en bas, puis il ferma la trappe et resta seul, emmuré avec ses voix intérieures et ses souvenirs.

Les doigts serrés sur le foulard de Laura, j'allai dans sa chambre et me préparai à rêver mes propres rêves, emplis de mes propres voix intérieures et de mes propres souvenirs.

Nous étions pareils, Cary et moi, hantés par le mensonge et la tristesse. Deux voiliers à la dérive attendant le vent favorable.

16

De père inconnu

En dépit de la sanction d'exclusion, le lendemain matin Cary était prêt à nous escorter, May et moi ; et puisqu'il n'avait pas de livres à porter, il se chargea des miens. Le temps était bouché, le brouillard si épais qu'on ne voyait pas à trois pas devant soi. On avait l'impression de marcher dans les nuages.

— Ça s'éclaircira en début d'après-midi, prophétisa Cary.

Malgré sa punition et le mécontentement de ses parents, il bavardait avec animation, ce qui ne lui ressemblait pas. Il semblait redouter que le moindre silence ne soit une occasion de penser à des choses trop tristes.

Il était particulièrement inspiré par les plans de son futur voilier, qu'il comptait construire pendant l'été. Pour le moment, il se servait de celui de son père.

— J'ai acquis assez d'expérience avec mes maquettes, non ? faisait-il valoir comme argument.

Il envisageait même la possibilité de se lancer un jour dans la construction de bateaux de plaisance.

— Je ne peux pas compter uniquement sur la pêche et le

homard pour vivre, expliquait-il. Pour l'instant, je ne suis responsable que de moi-même, mais ce ne sera pas toujours comme ça.

Retenant un sourire, et serrant la main de May qui marchait à mes côtés, j'écoutais mon cousin m'exposer ses projets d'avenir. Il voulait une maison juste à l'orée du bourg, avec un grand jardin et, bien sûr, une jetée privée. Il aurait des enfants, quatre ou cinq, précisait-il. Et il se voyait déjà emmenant sa famille faire des petits voyages à Boston, ou même à New York, pourquoi pas ?

— Provincetown est un bon endroit pour fonder un foyer, Melody, je t'assure. La pourriture moderne a plus de mal à s'y introduire qu'ailleurs. Et quand elle y arrive, elle est bien plus facile à repérer. Tu vois ce que je veux dire ?

Je hochai la tête et il enchaîna aussitôt :

— J'en étais sûr. Tu es bien plus intelligente que les filles d'ici, et je ne parle pas seulement de tes dons pour les études. Tu as beaucoup de bon sens.

— Grand merci, cher cousin.

Il sourit et son regard parut vouloir percer le brouillard.

— Ça va se dissiper, mais il pleuvra dans la soirée, annonça-t-il. Je le sens.

Et nous poursuivîmes notre chemin en silence. Quand nous eûmes déposé May à son école, il insista pour m'escorter jusqu'au lycée.

— Juste pour m'assurer que tout va bien, tu comprends ?

Je compris en voyant les élèves nous dévisager sans vergogne, et en surprenant leurs ricanements de joie mauvaise. Cary leur jeta un regard si noir qu'ils s'empressèrent de tourner les talons et de s'engouffrer dans les bâtiments, comme si la température venait soudain de chuter vers le zéro.

— Si un seul d'entre eux te fait des ennuis, tu me préviens, Melody. Ne laisse personne te chercher des histoires, d'accord ? Je t'attendrai à la sortie.

— Mais je t'ai dit que j'allais chez Grandma, Cary !

— Je sais. Mais je veux quand même m'assurer que tout s'est bien passé avant que tu y ailles, insista-t-il en me tendant mes livres.

— Et toi, que vas-tu faire ?

— Travailler aux plans de mon bateau. Mon père ne veut pas de mon aide, quand j'ai des problèmes. On dirait qu'il me croit contagieux, commenta-t-il, adoptant pour la première fois un ton critique à l'égard de l'oncle Jacob. Pour lui, ceux qui ont mal agi portent malheur. Bon, eh bien...

Il hésita, les yeux fixés sur les portes d'entrée.

— Tout ira bien, Cary. Cesse de t'inquiéter, dis-je en lui serrant la main.

Et je me précipitai à l'intérieur. Quand je me retournai, il était toujours là, tel un chevalier montant la garde.

La plupart des élèves m'évitèrent, m'observant avec curiosité mais de loin. Seule, Theresa s'approcha de moi au vestiaire.

— Comment ça s'est passé, pour Cary ? s'informa-t-elle.

— Pas trop bien, mon oncle est furieux. Contre moi aussi, d'ailleurs.

— Mais ce n'était ni sa faute ni la tienne. Tu leur as expliqué, au moins ?

— Oui.

— J'aime bien Cary, dit gentiment Theresa.

Et, à voix haute et claire, elle ajouta :

— Lui, au moins, ne vous tire pas dans le dos en jouant les bons apôtres.

Janet, Lorraine et Betty passèrent en hâte devant moi, ne m'accordant qu'un bref coup d'œil en coin.

Ce jour-là, je me concentrai totalement sur mon travail scolaire, même si j'avais conscience des chuchotements incessants et des billets qui circulaient. Le seul moment critique fut celui de mon entrée à la cafétéria. Le brouhaha baissa d'un ton et, pendant quelques secondes, je fus le point de mire de tous les regards. Puis Theresa me rejoignit, m'adressa la parole et, subitement, tout redevint normal. Les conversations reprirent et chacun eut l'air de retourner à ses petites affaires. Quant à moi, j'eus l'impression d'avoir avalé une poignée de clous.

Theresa m'apprit qu'Adam Jackson avait essayé de redorer son image de marque, en racontant partout que la réaction de Cary prouvait ses dires. Mais il n'osa pas s'approcher de moi, ni même regarder une seule fois dans ma direction. En fin de journée, j'eus la nette impression que tout le monde commençait à en avoir assez de ce petit scandale, et qu'il n'intéressait plus personne. Plusieurs élèves de ma classe, qui avaient souvent discuté travail avec moi, revinrent me consulter sur une question ou une autre. Je me sentis plus à l'aise, en particulier pour circuler dans les couloirs.

Les professeurs de Cary furent heureux de me confier des devoirs pour lui, et chacun d'eux répéta qu'il pourrait avoir des résultats bien meilleurs s'il s'en donnait la peine. M. Madeo m'adressa un clin d'œil entendu, et dit que Cary réussirait certainement son examen d'anglais si son tuteur continuait à l'assister.

— J'y veillerai, lui répondis-je.

Et nous échangeâmes un sourire.

Fidèle à sa parole, Cary m'attendait à la sortie. Mains dans les poches et mine résolue, pour ne pas dire menaçante, il était campé juste en face de la grand-porte.

— Tout va bien, m'empressai-je de le rassurer. C'est fini, tout est oublié.

— Sûr ?

— Tout à fait. Tiens, regarde... (Je lui fourrai les sujets de devoirs dans la main.) Voilà du travail pour toi, Cary Logan, et j'espère que tu le feras, même si tu as manqué les cours.

Il consulta les feuillets, releva la tête et grimaça un sourire.

— Tu veux faire de moi un prix d'excellence, on dirait ?

— Tu y arriveras tout seul, ripostai-je.

Il m'accompagna jusqu'au bout de la rue, où nous nous arrêtâmes. Je devais aller chez Grandma Olivia.

— Ce n'est pas la porte à côté, me rappela-t-il. Si je n'avais pas été suspendu, j'aurais pu emprunter la camionnette de Pa et t'y conduire, mais là...

— Je connais la distance et tout ira bien, ne t'en fais pas. Il faut que j'y aille.

Du bout du pied, il envoya promener un caillou.

— Tu ne veux vraiment pas que je t'accompagne ?

— Et May, tu l'oublies ?

— Elle est capable de rentrer toute seule, affirma-t-il.

— J'ai dit ça une fois, et tu as failli m'arracher la tête des épaules.

Il ne put retenir un sourire.

— C'est vrai, je m'en souviens. Bon, alors vas-y mais ne te laisse pas démonter ni...

— Et toi, M. Martel-en-tête, arrête ça tout de suite !

— Bon, ça va, capitula-t-il.

Mais j'avais à peine fait quelques pas qu'il criait derrière moi :

— Elle aboie plus fort qu'elle ne mord !

— Moi aussi ! renvoyai-je en riant.

Et il se décida enfin à aller chercher May.

Ce fut un long trajet, qui devint franchement pénible quand je débouchai sur l'autoroute. La circulation était intense, et les voitures me frôlaient de si près que l'air déplacé soulevait mes cheveux. Un vieux camion orange, tout cabossé, s'arrêta brusquement devant moi et le chauffeur passa la tête à la portière. Il me jeta sur un ton de reproche :

— Vous devriez pas traîner sur l'autoroute, petite.

— Je n'ai pas d'autre moyen d'aller où je vais, monsieur.

— Alors montez, ordonna-t-il. Ma femme m'arracherait les yeux si elle apprenait que j'ai laissé une jeunesse en plan sur cette route infernale !

Je ne me le fis pas dire deux fois et me hissai dans la cabine. Le siège était déchiré, un panier débordant de ce qui ressemblait à des coquillages était posé juste devant, partageant l'espace avec des outils jetés en tas sur le sol.

— Ne vous gênez pas pour repousser tout ce bazar, dit le conducteur avec un bon sourire. Ma petite-fille adore fabriquer des objets avec des coquillages.

Il avait tout du bon grand-père, avec ses cheveux gris en bataille et sa barbe hirsute. Pas très soigné, mais avec des yeux bleus rayonnants de bonté. Il me rappelait Papa George. Ce cher Papa George... comme il me manquait !

— Alors où allez-vous comme ça, toutes voiles dehors ?

— Chez mes grands-parents, les Logan.

Mon bienfaiteur écarquilla les yeux.

— Olivia et Samuel Logan ?

— Oui, monsieur.

— J'avais entendu dire que leur petite-fille était morte ?

— Je suis une autre petite-fille, expliquai-je.

— Ah bon... Je savais pas. Faut dire que je fréquente pas tellement les gens de votre monde. J'ai travaillé pour votre grand-père, dans le temps, notez bien. J'y ai construit une cabane à outils. Rubis sur l'ongle, qu'il m'a payé, tint à préciser le brave homme.

Son camion roulait presque deux fois moins vite que la plupart des voitures qui nous doublaient, mais il ne s'en souciait guère.

— Des malades de la vitesse, marmonna-t-il dans sa barbe. Tous à courir après le sacro-saint dollar, sans voir les bonnes choses qu'y perdent en route.

Il me sourit, puis reprit soudain son sérieux.

— Vous êtes la fille à Chester, alors ?

— Oui, monsieur.

— Qu'est-ce qu'il est devenu ? On dirait que plus personne a entendu parler de lui, depuis qu'il est parti avec votre mère.

— Il a été tué dans un accident de la mine, articulai-je, la gorge nouée.

— Les mines de charbon ? C'est pour aller là qu'il est parti d'ici ? Je comprendrai jamais !

Le vieil homme se tourna vers moi et, devant ma mine défaite, s'interrompit brusquement.

— Pardon, petite. Désolé d'avoir parlé de ça, balbutia-t-il avec embarras.

Et il revint à ses préoccupations de bon grand-père.

— Quand même, que Samuel Logan laisse sa petite-fille se promener toute seule sur cette autoroute, j'aurais pas cru !

— C'est une idée à moi, m'empressai-je d'expliquer.

Il hocha la tête, mais son regard resta méfiant.

— On y est, annonça-t-il en s'arrêtant. C'est juste devant.

— Je sais. Merci, monsieur.

Je sautai à terre et le remerciai une dernière fois.

— De rien, petiote. Mais ne traînez plus seule sur cette sacrée route, compris ?

— Non, monsieur. Promis.

— Je suis désolé pour votre papa. Je l'ai juste connu quand il était jeune, mais je crois que c'était un brave garçon.

— Merci, monsieur.

— Allez, au revoir ! me salua-t-il en redémarrant.

Je respirai à fond, rejetai les épaules en arrière et remontai l'allée qui conduisait chez ma grand-mère. Je n'avais pas encore atteint la grande porte qu'un homme au teint basané, poussant une brouette, tournait le coin de la maison.

— Vous cherchez Mme Logan ? s'informa-t-il.

— En effet.

— Vous la trouverez dans le potager, mademoiselle.

Je le remerciai, passai derrière la maison et me dirigeai vers l'enclos palissé qui devait être le potager en question. C'est bien là que je trouvai grand-mère, à genoux, vêtue d'un vieux jean et d'une chemise en flanelle. Les mains protégées par des gants de grosse toile, elle portait un chapeau de paille à larges bords orné d'œillets artificiels. La voir ainsi vêtue me causa un choc. Le contraste était tel entre la femme tirée à quatre épingles qui régnait dans son élégante demeure, et cette jardinière en vêtements usagés, aux mains souillées de terre, que je faillis ne pas la reconnaître.

Elle perçut ma présence et se retourna subitement.

— Apporte-moi donc cette binette, m'ordonna-t-elle en montrant du doigt un amas d'outils tout proche. Et fais attention où tu mets les pieds. Je tiens à mes carottes.

Je m'empressai d'obéir, et dès qu'elle eut l'outil en main elle se remit au travail.

— Tu es venue à pied ? s'enquit-elle en grattant la terre autour d'un plant de tomates.

— Non, Grandma. Un camionneur s'est arrêté pour me faire faire un bout de chemin.

— Tu faisais du stop ?

— Pas exactement.

— Et tu as l'habitude de monter dans les camions des inconnus ? insista-t-elle.

— Non.

Grandma interrompit sa besogne et s'essuya le front.

— Il va pleuvoir, annonça-t-elle, du même ton que Cary l'avait fait un peu plus tôt. C'est une bonne chose. Mon jardin était plus beau, l'an dernier.

— Je le trouve très beau, moi.

Grandma Olivia ne daigna pas discuter jardinage avec moi. Elle se leva et, pointant le menton vers une petite table où étaient disposés une carafe et des verres, proposa :

— Une citronnade ?

— Volontiers, je vous remercie.

Elle nous servit, s'assit la première et, quand je fus assise à mon tour, m'observa un instant pendant que je buvais.

— Tu as voulu me voir, très bien. Pourquoi ?

Je faillis avaler de travers et respirai un grand coup.

— Je veux connaître la vérité sur mes parents. J'en ai assez de ne rien savoir, de n'entendre que des mensonges.

— Excellente chose. Je ne supporte pas les menteurs, et Dieu sait si cette famille en est pourvue ! Alors, reprit-elle en se carrant sur son siège, que veux-tu savoir ?

— Pourquoi vous haïssiez tellement mon père. C'était votre fils, quand même.

— C'était mon fils jusqu'à ce qu'elle me le vole, répliqua Grandma, la voix dure.

— C'est justement ça que je ne comprends pas. Vous avez adopté ma mère. Vous avez voulu qu'elle vive chez vous.

Le regard de Grandma Olivia évita le mien.

— Je n'ai pas pu l'empêcher, c'est différent, dit-elle après un silence. Je n'ai jamais voulu l'avoir sous mon toit.

— Pourquoi ?

Elle reporta son attention sur moi et débita tout d'une traite :

— Hellie était la fille illégitime de ma sœur Belinda. Une enfant trop gâtée, qui n'en faisait qu'à sa tête. Mon père lui passait tous ses caprices et elle croyait que tout lui était dû. Elle ne supportait pas la moindre déception, le moindre retard dans la satisfaction de ses désirs. Devenue adulte, elle a fui les difficultés dans l'alcool et la drogue. J'ai fait de mon mieux pour l'aider, la protéger d'elle-même, et sans doute suis-je autant à blâmer que mon père. Mais sur son lit de mort, je lui ai fait une stupide promesse : j'ai juré de veiller sur le bonheur de ma sœur.

Sa sœur Belinda était donc ma grand-mère ? Mes idées s'embrouillaient, mais j'essayai de ne pas montrer mon trouble de crainte qu'elle ne s'arrête de parler.

— Qu'est-il arrivé à votre mère ?

— Ma mère était une femme faible, elle aussi. Elle ne supportait pas les difficultés, préférant nier leur existence. Elle est morte d'un cancer du sein. Elle a ignoré jusqu'au bout le diagnostic, comme elle ignorait toute chose déplaisante.

« Quoi qu'il en soit, ma sœur s'est retrouvée enceinte de ta mère et j'ai commis la bêtise de la laisser accoucher ici. Ma seconde erreur a été de ne pas éloigner l'enfant. Mon mari estimait que ce serait affreux d'agir ainsi, et il m'a rappelé ma promesse à mon père.

« Et voilà ! soupira Grandma. Voilà comment j'ai pris Hellie chez moi et l'ai élevée avec mes fils, ce que je regretterai jusqu'à mon dernier jour.

— Belinda est donc... ma grand-mère ?

— Eh oui ! Cette malheureuse qui vit en maison de repos est ta grand-mère. Tu peux aller l'y demander, si tu veux !

Comme Grandma Olivia semblait sur le point de mettre fin à l'entretien, je répétai ma première question.

— Mais pourquoi en vouloir ainsi à votre propre fils, mon père ? Parce qu'il a épousé sa cousine et que je suis née ?

Son regard prit un éclat métallique.

— Tu te crois assez grande pour entendre la vérité ?

— Oui, chuchotai-je, si émue que ma voix s'étrangla dans ma gorge.

— Ta mère a été élevée ici, entourée de tout ce qu'on peut désirer de mieux. Mon mari l'a gâtée autant que mon père a gâté ma sœur. Elle n'avait qu'à battre des cils pour que Samuel lui achète tout ce qu'elle voulait, lui permette de sortir quand je venais de le lui refuser. Je l'ai mis en garde, mais il n'a rien voulu entendre.

« Elle était la petite fille que je ne lui avais pas donnée, vois-tu ? Et comme tous les hommes, il se croyait obligé de faire ses quatre volontés. On les embrasse en remerciement de leurs cadeaux, et ils prennent cela pour de l'amour !

Olivia marqua une pause et reprit après un long soupir :

— Hellie avait des tas de soupirants, la maison était pleine de garçons qui la suivaient partout, prêts à tout pour un baiser d'elle. Chaque fois que je voulais la restreindre ou la punir, Samuel annulait ma décision. Et où tout cela nous a-t-il menés ? Elle a mordu la main qui l'avait nourrie.

Olivia se tut, épuisée par l'émotion aussi bien que par son récit, et but quelques gorgées de citronnade. J'attendis qu'elle fût un peu remise pour demander :

— Elle a mordu la main qui l'a nourrie ? Que voulez-vous dire ?

— Qu'elle couchait à droite et à gauche, comme sa mère ; et qu'est-il arrivé, d'après toi ? Elle s'est retrouvée enceinte, elle aussi. De toi ! Et c'est alors qu'elle a commis un acte impardonnable.

Là encore, Grandma s'interrompit comme si la force et le souffle lui manquaient. Puis elle reprit, la voix amère :

— Elle a accusé Samuel. Devant moi, dans cette maison, elle

a eu le front de soutenir que son père adoptif avait couché avec elle et qu'elle était enceinte de lui. Samuel était anéanti, mais je lui ai dit qu'il ne l'avait pas volé. Que c'était le résultat de sa conduite pendant toutes ces années.

— Je ne comprends pas, murmurai-je, au bord des larmes.

Grandma eut un petit rire désabusé.

— Qu'y a-t-il à comprendre ? Elle s'est dit qu'accuser Samuel était le meilleur moyen de se disculper, voilà tout.

— Mais papa...

— Ton père, mon fils, s'est retourné contre son propre père et contre moi. Chester l'a crue et a pris son parti. Il a vraiment cru que son père avait pu commettre un acte pareil !

Olivia en suffoquait d'indignation.

— Peux-tu imaginer quel crève-cœur j'ai enduré quand mon fils, dans ma maison, m'a dit qu'il croyait cette... cette garce, et non son propre père ? Je les ai chassés, tous les deux, et j'ai dit à Chester de ne pas revenir tant qu'il vivrait avec elle. Il connaissait son passé, mais elle l'a ensorcelé, lui aussi, comme tous les autres.

« Jacob aussi en a eu le cœur brisé. Il n'aurait jamais cru son frère capable d'agir ainsi avec ses parents. Ils se sont battus comme des chiffonniers sur la plage, derrière cette maison, et ne se sont plus jamais parlé depuis.

Je secouai la tête, incrédule.

— Ce n'est pas vrai, ça ne peut pas être vrai. Pourquoi ma mère m'aurait-elle amenée ici ? m'écriai-je à travers mes larmes.

— Pourquoi ? Pour se débarrasser de toi, parbleu ! Elle était au courant pour Laura, et elle connaissait la bonté de Sarah. Ta tante a voulu te prendre sous son toit et Jacob, Dieu le bénisse pour sa bonté, lui aussi, ferait n'importe quoi pour voir à nouveau sa femme heureuse. C'est aussi simple que ça.

« Je n'ai pas soulevé d'objections, poursuivit Grandma. Tu es la petite-fille de ma sœur, après tout, et en mémoire de ma promesse, j'ai laissé faire. À une condition toutefois : ne pas avoir à rencontrer ta mère.

Je restai confondue, accablée. Je ne découvrais que mensonges, reposant sur d'autres mensonges, et sans doute m'en restait-il encore à découvrir.

— Mon père ne m'a jamais traitée autrement que comme sa fille, proférai-je d'une voix morne. Il m'aimait.

— Je n'en doute pas. Si seulement il s'était souvenu aussi bien de son amour pour ses parents !

Je dévisageai Grandma, m'efforçant de donner un sens à ses paroles et comprenant peu à peu ce qu'elles impliquaient — si elles étaient vraies...

— Si papa croyait que j'étais la fille de Samuel... il savait donc qu'il n'était pas mon père ?

— Exactement, répliqua Grandma, dont l'énergie se ranimait déjà. Et ça ne l'a pas empêché de s'enfuir avec elle, ni de tourner le dos à ses propres parents.

— Mais alors... qui est mon père ?

— Pour ça, tu as le choix ! persifla-t-elle. Ce ne sont pas les candidats qui manquent. Ta mère te le dira peut-être un jour, mais la vérité lui laisse un goût amer dans la bouche. C'est une chose qu'elle digère mal.

Moi aussi, je trouvais la vérité amère. Je ne la supportais même pas du tout. Je m'obstinai :

— Je ne peux pas croire que papa n'était pas mon père.

— Comme tu voudras. (Grandma prit le temps de vider son verre.) Tu as voulu la vérité, tu l'as. Tu as dit que tu étais assez grande pour ça, je t'ai crue. Si tu veux continuer à vivre dans l'illusion et le mensonge comme ta mère, à ta guise. Mais ne viens pas ici porter la moindre accusation contre qui que ce soit. Toutefois...

Grandma reposa son verre et se leva.

— Il y a une chose que tu peux faire : essayer de décider ta mère à te reprendre et à assumer ses responsabilités. Mais je n'y compterais pas trop, ajouta-t-elle en me toisant d'un air apitoyé. Tant que tu te conduiras bien et feras ta part de travail, Jacob ne te mettra pas dehors. Ils m'ont dit que tu étais vraiment bonne élève, et si tu le mérites je veillerai à ce que tu poursuives tes études. Je le ferai pour mon père, à cause de ma promesse.

— Je ne veux rien recevoir de vous, lui renvoyai-je avec amertume.

Son rire aigrelet me fit penser au verre qui se brise.

— Tu ne diras pas toujours ça, j'en suis sûre. Alors arrange-toi pour que je reste dans ces bonnes dispositions, menaça-t-elle en brandissant l'index. Et surtout, veille à ne rien faire qui puisse rendre ma famille malheureuse. Et maintenant, laisse-moi, s'il te plaît. Ralph, mon homme de peine, te reconduira chez Jacob.

Secouée de sanglots, je restai clouée sur mon siège, enserrant mes épaules de mes bras. Je me sentais glacée.

— Je n'ai pas le temps d'assister à ta crise de nerfs, dit Grandma. Quand tu auras fini, rentre dans la maison. Je te ferai raccompagner.

Elle s'éloigna et je me tournai vers l'océan. L'amas de lourds nuages gris roulait lentement vers la côte et le vent avait forci, retroussant la crête des vagues en milliers de moutons blancs. Pendant un moment, je me laissai hypnotiser par le grondement sourd du ressac. Les mouettes criaient. Je cherchai refuge dans ce lieu retiré de mon cerveau où, d'ordinaire, rien ne pouvait m'atteindre, mais j'eus l'impression d'y être en cage.

Je hais le Cap Cod, ruminai-je sombrement. Je hais cet endroit, et je n'y resterai pas une seconde de plus.

Je me levai d'un bond, mais ce fut à pas lents que je revins vers le devant de la maison. Quand je me retournai, je crus voir un rideau se soulever, et Grandma Olivia regarder au-dehors. Mais le soleil disparut derrière les nuages, leur ombre engloutit la maison et, comme par un tour de magie noire, changea la fenêtre en un miroir obscur.

En arrivant sur la grand-route, je ne pris pas la direction de la ville. Pendant longtemps je me contentai de marcher, en proie à une sorte de transe. Voitures et camions passaient en vrombissant, me frôlaient, me soufflaient au visage l'air qu'ils déplaçaient, klaxonnaient à m'écorcher les oreilles, mais tout m'était indifférent.

Papa n'était pas mon papa. Mon père pouvait être n'importe qui. Et maman qui m'avait abandonnée dans cet endroit maudit, comment avait-elle pu me faire ça ? Elle était vraiment égoïste. Je me refusais à croire les horreurs que Grandma m'avait dites sur elle, mais au fond de moi je savais qu'elles étaient vraisemblables. Si j'osais, honnêtement, regarder en face la personne qu'était maman actuellement, je n'avais aucun mal à imaginer ce qu'elle avait pu être en ce temps-là. Mais avoir l'audace de porter une accusation aussi répugnante sur Grandpa, le rendre responsable de mon existence... pour un peu, j'aurais pris le parti de Grandma Olivia et de l'oncle Jacob.

Je ne sais pas depuis combien de temps je marchais ainsi, ni quelle distance j'avais parcourue, quand un klaxon insistant me fit tourner la tête. C'était Cary, dans la camionnette de son père. Il se gara au bord de la route, juste derrière moi, et sauta à terre.

— Où vas-tu comme ça ? J'étais fou d'inquiétude ! Tout le monde l'était, même Grandma Olivia.

— Elle m'a dit la vérité, Cary.

Le ciel se couvrait de plus en plus, la violence du vent augmentait, la température dégringolait. Cela faisait un moment que je frissonnais, sans m'en rendre compte. Cary ôta sa veste et la drapa sur mes épaules.

— Allez, on rentre à la maison.

Je m'écartai de lui en secouant la tête.

— Ce n'est pas ma maison, Cary. Ton père n'est pas mon oncle et ta mère n'est pas ma tante.

— Qu'est-ce que tu racontes ? riposta-t-il en s'efforçant gauchement de sourire.

— Simplement ça. Papa... mon père...

— Eh bien quoi, ton père ?

— Il n'était pas mon père. Maman m'a eue avec quelqu'un d'autre et elle a accusé... (Je dus avaler ma salive avant de continuer.) Elle a accusé Grandpa Samuel. Papa l'a crue et c'est pour ça qu'ils n'ont plus voulu lui parler. Ton père et mon...

Je pris brusquement conscience du mot qui convenait.

— Ton père et mon beau-père se sont battus sur la plage et ne se sont plus jamais adressé la parole. Tu ne le savais pas ?

Son expression laissait deviner qu'il était au courant de quelque chose. Il le reconnut sans détour.

— Je savais qu'ils s'étaient battus, mais je n'ai jamais su pourquoi.

— Et pourquoi ne m'en as-tu jamais parlé ?

— J'avais peur que tu nous en veuilles et que tu partes, avoua-t-il.

— Et c'est bien ce que je fais. Je quitte cet endroit, déclarai-je en me détournant.

Et je repartis, instantanément. Cary me rattrapa et me saisit par le coude.

— Arrête. Tu ne peux pas partir à pied comme ça, sur l'autoroute.

— Et pourquoi pas ? Il faut que je rentre chez moi. Il faut que je voie Mama Arlène et Papa George.

— Tu as l'intention de marcher jusqu'en Virginie de l'ouest ?

— Je ferai du stop, annonçai-je avec assurance. Je travaillerai pour les gens qui voudront bien me prendre à bord, ou pour me payer le car. Je ne sais pas comment mais je rentrerai chez nous, affirmai-je. À n'importe quel prix.

En disant cela, je regardais Cary mais ce n'était pas lui que je voyais. C'était la vieille caravane, Mama Arlène agitant la main en signe d'adieu, Papa George me souriant de son lit. Et la tombe de papa, la pierre que j'avais étreinte de tout mon cœur avant mon départ forcé.

— Je ne sais pas comment, murmurai-je, mais j'y arriverai.

— Tu ne veux pas rentrer pour prendre tes affaires, d'abord, et avaler un bon repas ?

— Je ne veux pas manger, rétorquai-je, et je me moque bien de ce que je laisse. Dis à tante Sarah que je lui renverrai cette robe à la première occasion, ajoutai-je.

Et, toujours aussi décidée, je me remis en route.

— Une minute, Melody ! Tu ne peux pas faire ça.

Je poursuivis mon chemin.

— Melody !

— Je m'en vais, Cary. Personne ne m'arrêtera, même pas toi, le défiai-je avec colère, sans cesser de marcher.

Il se tut pendant quelques instants, puis me rattrapa, accorda son pas au mien.

— Pourquoi fais-tu ça, Cary ? Tu ne m'arrêteras pas.

— Je sais. Je réfléchissais à la question, c'est tout.

Je fis halte et me tournai face à lui.

— Que veux-tu dire ?

Il réfléchit encore, moins longtemps cette fois.

— Très bien, soupira-t-il en fouillant dans sa poche, pour en extirper une poignée de billets. Je t'emmènerai à Boston et je te donnerai de quoi payer ton car.

— Tu ferais ça ?

— Évidemment. Je ne vais pas te laisser faire du stop sur l'autoroute 6, et je vois que tu es bien décidée. Attends-moi ici, je vais chercher la camionnette.

— Mais ton père sera furieux, Cary !

— Ce ne sera pas la première fois ni la dernière, j'imagine. Il doit déjà être fou de rage, ajouta-t-il en haussant les épaules. Ne t'inquiète pas pour moi.

Il rebroussa chemin en courant, revint avec la camionnette et, dès que je fus à bord, nous repartîmes sur l'autoroute.

— Le voyage sera long jusqu'à Sewell, Melody.

— Je sais, mais c'est le seul vrai foyer que j'aie jamais eu, et où il y ait des gens qui m'aiment.

Cary se tourna vers moi et sourit.

— Il y en a ici aussi, Melody. May et moi, pour commencer.

— Je sais. Je suis désolée pour May, tu sais. Tu lui expliqueras ? implorai-je.

— Bien sûr. Mais à moi, qui est-ce qui m'expliquera ?

— C'était si affreux d'entendre Grandma débiter son histoire et de la voir si en colère, Cary ! Je ne me suis jamais sentie aussi orpheline, aussi indésirable. Tu comprends ?

Il appuya sur l'accélérateur.

— Elle n'aurait pas dû faire ça. Elle aurait dû s'arranger autrement, trouver une explication raisonnable qui ne t'aurait pas mise dans cet état-là.

— D'autres mensonges ? Non, merci. J'ai été élevée dans le mensonge. J'en ai soupé ! Il est grand temps de revenir à la vérité, maintenant. De retrouver les gens qui ne savent pas ce que c'est que mentir.

— Tout le monde ment, Melody, aux autres ou à soi-même, dit mon cousin avec douceur.

La pluie cinglait le pare-brise, et je pensai au voyage de retour solitaire qui l'attendait.

— Je me sens coupable de t'obliger à faire ça, Cary.

— Tu as tort. C'est moi qui me sentirais coupable de ne pas le faire, figure-toi. Et si tu m'en disais plus à propos de ce que Grandma t'a raconté ?

Je lui relatai notre conversation et il m'écouta de bout en bout, les yeux assombris et rétrécis par l'attention.

— Je comprends, maintenant, murmura-t-il pensivement. Toutes ces allusions mystérieuses, toutes ces bribes de phrases que j'attrapais au vol. Oui, tout prend un sens.

— C'est affreux, Cary. Je me sens trahie, flouée. L'homme qui m'appelait sa princesse et que j'aimais n'était pas mon vrai père.

— Écoute, être père n'est pas uniquement une question de sang, n'est-ce pas ? Il a été bon pour toi, oui ou non ? Tu n'as jamais douté de son amour, c'est toi qui me l'as dit.

J'acquiesçai d'un signe et ravalai mes larmes.

— N'empêche que je me sens... incomplète, voilà. C'est important d'avoir un nom de famille, un héritage. C'est important pour soi et pour les autres, la famille. Je le vois bien, et même bien mieux ici qu'en Virginie. Je ne suis personne. Melody Personne ! m'exclamai-je avec un rire forcé. Laissez-moi vous présenter Melody Personne.

Mon rire se brisa sur un sanglot, et bientôt je pleurai si convulsivement que j'en eus mal. J'eus vraiment l'impression que mes côtes allaient se rompre.

Cary se rangea sur le bord de la route et arrêta la camionnette. Puis il se déplaça jusqu'à moi, me prit dans ses bras et embrassa mes joues mouillées de larmes en me serrant contre lui.

— Ne te torture pas comme ça, chuchota-t-il.

Je m'efforçai de contrôler mon souffle et pris plusieurs longues inspirations, jusqu'à ce que mes sanglots s'apaisent.

— Ça va mieux, maintenant, Cary. Ça ne se reproduira plus, je te le promets.

— Tant que je serai près de toi, je veux bien le croire, mais après, Melody ? Je ne supporte pas l'idée que tu sois quelque part, toute seule, à pleurer toutes les larmes de ton corps sans personne pour te consoler.

— Il y aura Mama Arlène, le rassurai-je.

Il me dévisagea quelques instants sans mot dire, puis se glissa derrière le volant et redémarra. Des voitures nous croisaient sans cesse, l'éclat de leurs phares à travers la pluie nous aveuglait. Cary ne pouvait qu'en être gêné, mais il poursuivit imperturbablement sa route.

Il insista quand même pour s'arrêter afin que je mange un morceau. J'acceptai, plus pour lui que pour moi, mais le repas chaud et le café brûlant me rendirent l'énergie dont j'avais besoin. Après cela, je perdis la notion du temps et m'endormis, la tête sur l'épaule de Cary. Quand je m'éveillai, ce fut pour apprendre que nous étions à Boston et que nous roulions vers le dépôt des autobus. Je me redressai, frottai vigoureusement mes joues et mes yeux. Cary avait dit vrai : nous arrivions à la gare routière.

Il y entra avec moi et, au guichet des billets, nous discutâmes avec l'employé sur le meilleur itinéraire à prendre jusqu'à Sewell. D'après le guichetier, le mieux était d'aller d'abord à Richmond. À partir de là, il savait qu'il y avait des correspondances pour Sewell, mais il n'était pas sûr des horaires. Je m'empressai de rassurer Cary.

— Une fois que je serai à Richmond, tout ira bien, crois-moi.

Il paya mon billet, et insista pour que j'accepte cinquante dollars de plus.

— Je me débrouillerai pour te les rendre, je te le promets.

— Ce ne sera pas la peine. Tu peux les garder, si tu promets de m'appeler de Sewell et de m'écrire.

— Seulement si toi, tu promets de réussir tous tes contrôles et tes examens, répliquai-je.

Mon cousin grimaça un sourire.

— Ça n'est pas rien, comme promesse ! Mais bon, c'est d'accord. Tu m'as convaincu de travailler plus dur.

— Voilà le car de Richmond ! claironna l'employé.

Cary plongea son regard dans le mien, et je lus dans ses yeux verts toute sa tristesse, toute l'inquiétude qu'il éprouvait pour moi.

— Tout s'arrangera dès que je serai chez moi, murmurai-je. Ne te tracasse pas.

— J'espère qu'un jour c'est à Provincetown que tu te sentiras chez toi, Melody.

J'hésitai un très bref instant avant de répondre.

— Quand on n'a pas de famille, on est chez soi là où quelqu'un vous aime, Cary.

— Tu as trouvé quelqu'un... à Provincetown, acheva-t-il en se désignant lui-même.

— Je sais.

Je dis cela dans un souffle, en l'embrassant légèrement sur la joue. Et soudain, je sursautai.

— Ta veste ! m'exclamai-je en la faisant glisser de mes épaules.

Il arrêta mon geste et la remit en place.

— Non, garde-la. S'il te plaît, insista-t-il.

— Merci, Cary.

Il m'escorta jusqu'à l'autobus et, quand j'eus pris place près d'une fenêtre, je l'aperçus de l'autre côté, la main levée.

— Au revoir, mimai-je des lèvres à travers la vitre.

Le chauffeur mit le moteur en marche. Le visage de Cary parut se chiffonner, ses lèvres tremblèrent. Il y avait des larmes sur ses joues, et il me sembla qu'elles tombaient dans mon cœur. Comme si cela pouvait empêcher Cary de pleurer, je plaquai la main sur la vitre et il agita la sienne. Le car démarra.

Cary marcha quelques instants à côté de nous, puis l'autobus tourna et je ne le vis plus. Il était parti.

Je savais où il irait en rentrant. Il monterait dans son grenier, se blottirait sur sa couchette en pensant à Laura et à moi ; et il se demanderait pourquoi tout ce qu'il avait de beau, de doux et de bon en ce monde lui filait toujours entre les doigts.

Je fermai les yeux. J'évoquai le sourire de Mama Arlène, Papa George et Alice, le séjour si accueillant de notre bonne vieille caravane.

Et, tel un phare entrevu dans la tempête, la lumière du souvenir m'apporta une étincelle d'espoir.

17

Rien ne vaut la douceur du foyer

Nous roulâmes toute la nuit. À chaque arrêt, des gens montaient et descendaient, mais je n'y prêtais pas attention. Je me rendis vaguement compte, à l'un des arrêts, que quelqu'un s'asseyait à côté de moi mais je me blottis sur mon siège et me rendormis. Quand j'ouvris les yeux, mon voisin fantôme était parti. Ce ne fut qu'une heure plus tard, pleinement réveillée, que je fis une autre constatation : mon sac était parti, lui aussi. J'en éprouvai un tel choc que l'air me parut soudain électrique. Je hurlai, un hurlement si aigu que le chauffeur freina brusquement.

— Que se passe-t-il, au fond ? vociféra-t-il. Qu'est-ce qui ne va pas ?

Tous les regards convergeaient sur moi.

— Mon sac a disparu, me lamentai-je. Je l'avais posé à mes pieds. Il contenait tout mon argent pour rentrer chez nous !

Quelqu'un rit. La plupart des gens secouèrent la tête. Le chauffeur grimaça comme pour dire : « C'est tout ? », et redémarra aussitôt. Une petite femme noire, assise deux rangs devant moi, me sourit avec bonté.

— Vous n'avez pas l'habitude de voyager, on dirait ?

— Non, madame.

— Faudra être plus prudente à l'avenir, chérie. Moi, je garde mon sac sous ma robe.

Elle eut une moue apitoyée, soupira, et m'oublia. J'étais sous le choc, et très en colère. Comment pouvait-on être aussi méchant ? méditais-je amèrement. « Et comment as-tu pu être aussi stupide ? » ricanait une autre voix en moi. Et je dus m'avouer qu'elle avait bien raison.

Quand nous arrivâmes à Richmond, c'était le matin. Encore tout engourdie de fatigue et de stupeur, je traversai la gare et contemplai tristement le guichet où j'aurais dû prendre mon billet pour Sewell. Il ne me restait plus qu'à trouver l'autoroute, maintenant, et à faire du stop.

J'avais faim, et ma faim augmentait encore quand je passai devant les comptoirs où les gens savouraient leur petit déjeuner. L'estomac me tiraillait chaque fois qu'une odeur de petit pain chaud, de bacon ou de café me chatouillait les narines. Je fus tentée de finir un croûton de pain abandonné sur un banc, mais les moineaux furent plus rapides que moi.

Je demandai mon chemin à un monsieur très pressé, qui me cria ses indications par-dessus l'épaule, sans ralentir le pas. Trottant derrière lui comme un chien en laisse, j'écoutai ses explications et lui hurlai mes remerciements.

Je me hâtai le long des rues, la tête basse, les membres encore endoloris par mon inconfortable nuit de route. Par chance, la journée s'annonçait plutôt belle. Il ne me fallut pas trop longtemps pour arriver à l'autoroute, près du panneau indiquant la direction de Sewell. Les voitures défilaient, les conducteurs me jetaient un regard au passage, mais aucun ne daigna même ralentir. Découragée, je décidai de marcher. Rester plantée sur place à attendre ne faisait que me rappeler plus cruellement ma faim et ma fatigue.

Chaque fois qu'une voiture approchait, je pivotais, le pouce en l'air. Et toujours sans succès. Une conductrice me jeta un tel regard de désapprobation que j'eus peur, un instant, de la voir s'arrêter pour me faire la morale.

Il y eut une accalmie, puis un nouvel afflux de véhicules. Cette fois, un van beige tout écaillé ralentit à ma hauteur et s'arrêta à quelques mètres devant moi. J'y courus. Quand je me penchai à la fenêtre, je vis un homme basané à la barbe en broussaille et aux longs cheveux sales, coiffé d'un serre-tête arc-en-ciel. Vêtu d'un survêtement gris terne, il portait des lunettes noires, un anneau à l'oreille droite, et un collier qui semblait fait de douilles de revolver.

— Quelle direction ? interrogea-t-il.

— Sewell.

— C'est pas là que je vais, mais je passe pas loin.

Je réfléchis une seconde. Plus je me rapprocherais, mieux ce serait.

— D'accord, acquiesçai-je en ouvrant la portière.

Mais à ma consternation, le siège du passager manquait.

— Il va falloir vous faufiler derrière, expliqua l'homme. On m'a volé le siège la nuit dernière.

— Volé votre siège ?

— C'est un modèle très recherché, il se revend bien dans les boutiques d'occasion. Si vous venez, grimpez. Il faut que je sois à Jacksonville avant ce soir.

J'hésitai, pas longtemps. Personne ne s'était arrêté, j'étais fatiguée : je me hissai dans le van et m'accroupis pour passer à l'arrière. J'aperçus un matelas, un drap déchiré jeté en vrac, une couverture en loques et un oreiller sans taie. Juste à côté, je vis un réchaud de camping, des boîtes de conserve, du pain en sachet, des biscuits, quelques pots de confiture et de beurre de cacahuète. Sur la droite, un tas de vêtements voisinait avec un carton rempli de magazines.

— Trouvez-vous un coin, dit le conducteur en se penchant pour fermer la portière. Vous pouvez vous asseoir sur le lit.

Il démarra si brutalement que je faillis tomber. Je me baissai prudemment jusqu'au matelas, qui ne sentait pas très bon, estimai-je. Dans tout l'habitacle flottait une vague odeur de nourriture avariée, de crasse et de renfermé.

— C'est quoi, votre nom ? lança l'homme sans se retourner.
— Melody.
— Joli. Vous chantez ?
— Non.
— Comment ça se fait que vous fassiez du stop ?
— On m'a volé mon sac dans l'autocar.
— C'est pas vrai ! s'exclama bruyamment le personnage. Si j'ai pas entendu cette histoire cent fois, c'est que ça fait au moins mille. Si vous avez faim, servez-vous. Il y a de quoi grignoter.
J'examinai prudemment la nourriture, cherchant à deviner ce qui serait le plus comestible. J'estimai qu'un peu de pain et de beurre de cacahuète ne devraient pas présenter trop de risques.
— Merci.
Le pain n'était pas de première fraîcheur, mais pas trop sec non plus. Je dénichai un couteau et raclai assez de beurre de cacahuète pour en tartiner une tranche.
— Vous venez de loin ? s'informa le conducteur.
— J'ai pris le car à Boston, mais je viens du Cap Cod.
Du coup, l'homme se retourna.
— Sérieusement ? Quel âge avez-vous ?
— Presque dix-sept ans.
— Vous êtes en cavale, ou quoi ?
J'avalai péniblement ma salive.
— Non. En fait, je... je rentre chez moi, balbutiai-je, m'attirant un sourire sceptique de mon inquiétant compagnon.
Je le vis tendre le bras vers la boîte à gants, en tirer une cigarette et, quand il l'alluma, j'en reconnus l'odeur douceâtre.
— Un joint ? proposa-t-il.
— Non, merci.
— Faut savoir être cool, marmonna-t-il, c'est le grand secret de la vie.
Là-dessus, il se mit à chantonner ces paroles, les répétant sans cesse avec un sourire béat.
Je cessai de manger, pour m'intéresser d'un peu plus près au carton de magazines. Le rabat était juste assez soulevé pour que j'aperçoive la couverture de la revue qui se trouvait au-dessus de la pile. Je crus y reconnaître la photographie d'un garçonnet, tout nu.
— Vous travaillez dans l'édition ? m'informai-je, me rendant subitement compte que l'homme ne m'avait pas dit son nom.

— Disons que je serais plutôt dans la distribution. Mais si vous n'avez que dix-sept ans, ces revues ne sont pas pour vous, s'esclaffa-t-il.

Et il se retourna pour ajouter :

— Vous avez envie de les regarder, maintenant, hein ? Il n'y a rien de plus tentant que le fruit défendu !

Ses yeux noirs avaient un éclat huileux, réellement inquiétant. Je me sentis soudain glacée d'effroi. J'étais comme paralysée, mon cœur battait la chamade. Et, sous le regard appuyé de cet homme, la sourde terreur qui prenait forme en moi augmentait de seconde en seconde.

— Ça fait des heures que je roule, moi aussi, déclara-t-il subitement. Je n'ai même pas pensé à manger un morceau. On va s'arrêter ici pour casser la croûte.

Il ralentit, tourna et quitta l'autoroute pour s'engager dans ce qui me parut être un chemin gravillonné. Je ne pouvais pas voir le sol de ma place, mais j'aperçus quelques arbres.

— Nous y voilà, un petit coin bien tranquille, annonça-t-il en coupant le contact.

Je cessai de respirer. Il se retourna, quitta son siège et se glissa lentement à l'arrière, à mes côtés.

— Bon, eh bien... je vais profiter de l'arrêt pour prendre un peu l'air, bafouillai-je, à demi morte de peur.

— Pourquoi ? Ma charrette pue ?

Je gardai le silence.

— Tu m'as l'air d'avoir plus que dix-sept ans, ma petite, commenta-t-il, changeant brusquement de ton. Je suis sûr qu'on t'en donne facilement dix-neuf. Et je parie que tu adores traîner dans les boîtes où on peut boire, fumer de l'herbe et voir des films classés X, je me trompe ?

Je ne parvins qu'à secouer la tête.

— Eh ben moi j'aime, fit-il en tirant sur son joint. Alors t'inquiète pas, je te comprends. Tiens, t'en veux ? C'est de la bonne, souligna-t-il en me tendant sa cigarette.

— Non, merci. Puis-je sortir, s'il vous plaît ?

— Sûr.

Il s'inclina pour me laisser libre accès à la porte, mais dès que j'avançai pour passer, il jeta son joint et me saisit par la taille. Je n'eus même pas le temps de crier. D'une torsion brutale, il me renversa sur le matelas.

— Reste ici, gloussa-t-il. On sera bien mieux.

Son rire aigu me donna la chair de poule. Cette fois, je hurlai.

— Lâchez-moi !

Je tentai de m'asseoir, mais il pesait de tout son poids sur mes épaules et me dominait. L'odeur de sa marijuana, mêlée à la puanteur âcre de son corps et de ses vêtements, me retournait l'estomac. Ce fut bien pis quand il proposa :

— Je peux te faire gagner de l'argent dans un magazine, tu sais ? Les photos, ça paie bien.

— Non merci. Laissez-moi me lever, maintenant.

— Sûr. Mais seulement quand t'auras payé ton billet.

— Quel billet ? eus-je la naïveté de demander.

— Je t'ai pas dit ? Mon van, c'est comme un bus. Tu montes, tu paies le passage.

— Je n'ai pas d'argent. On me l'a volé, je vous l'ai dit.

— Il y a plusieurs façons de payer, ricana-t-il, révélant des dents inégales tavelées de brun.

Il posa les mains sur ma poitrine, s'assit à califourchon sur mes jambes et, quand il se mit à fourrager sous ma jupe, la terreur m'insuffla l'énergie du désespoir. J'empoignai le pot de beurre de cacahuète et, de toutes mes forces, je l'abattis sur sa tempe. Le verre se fracassa, mais le coup suffit à étourdir mon agresseur. Il s'effondra sur le côté. Je me levai d'un bond et il glapit de rage quand je m'élançai vers la porte. Ma main atteignit la poignée au moment où la sienne agrippait l'ourlet de ma robe. Il tira dessus, mais je me ruai au-dehors et il lâcha prise.

Je m'éloignai du van en titubant, pour m'apercevoir qu'une bonne douzaine de mètres me séparaient de la route. Du coin de l'œil, je vis l'homme passer la tête à la portière, le front ruisselant de sang, et je détalai vers l'autoroute en appelant à l'aide.

Mon agresseur ne me suivit pas. Mais en débouchant du chemin, je me jetai pratiquement sous les roues d'un semi-remorque. Les freins hurlèrent, le klaxon aussi. Je réussis à traverser, juste à temps, mais le camion s'arrêta.

J'eus le temps de voir le van surgir en marche arrière du chemin, faire demi-tour dans une gerbe de gravillons et repartir dans la direction d'où nous étions venus. C'est alors que le chauffeur du camion, un homme vigoureux d'environ cinquante ans, me rejoignit en gesticulant de fureur.

— Qu'est-ce qui vous prend ? Vous vous rendez compte que vous auriez pu causer un accident et vous faire tuer ? Vous...

— Cet homme a essayé de me violer ! haletai-je, le doigt tendu vers le van qui s'enfuyait. Je me sauvais, je suis sortie du chemin juste quand vous arriviez. Désolée.

Subitement calmé, le chauffeur suivit la direction de mon regard.

— Qui c'était ?

— Je n'en sais rien. Je faisais du stop.

— Du stop ? (Le chauffeur secoua la tête, l'air écœuré.) Mais où sont donc les parents, dans ce pays ?

La conscience de l'horreur à laquelle je venais d'échapper m'apparut soudain, accablante. Je fondis en larmes.

— Allons, allons, s'apitoya l'homme. Calmez-vous, tout va bien. Où est-ce que vous allez ?

— À Sewell.

— C'est là que vos parents habitent ?

— Oui, mentis-je sans hésiter.

— Bon, je traverse Sewell, je vous déposerai. Bien que je ne sois pas censé prendre de passagers, remarquez. Allez, s'impatienta-t-il, me voyant hésiter. Remuez-vous un peu si vous voulez rentrer chez vous !

Je le suivis, grimpai dans la cabine et il redémarra, sans perdre l'occasion de me faire la leçon.

— Vous ne savez donc pas, vous, les jeunes d'aujourd'hui, à quel point le stop est dangereux ? Surtout pour les filles !

— Non, monsieur. Je n'en fais presque jamais.

— Dans un sens, c'est pas plus mal que vous ayez pris une bonne leçon, observa-t-il sur un ton radouci. J'ai une fille de dix ans, et je sais le mal que ça donne d'élever ses enfants. Au fait, qu'est-ce que vous fabriquez si loin de chez vous ?

— Je...

— Vous devriez être à l'école, coupa-t-il. Vous vous êtes sauvée, c'est ça ? Et quand vous avez réalisé tout ce que vous aviez perdu, vous vous êtes dépêchée de rentrer à la maison, poursuivit-il, sûr d'avoir deviné juste.

Je me gardai de le détromper.

— Oui, monsieur.

— J'en étais sûr. Enfin, vous voilà tirée d'affaire.

— Merci, monsieur.

Je lui racontai comment j'avais été volée dans l'autocar, et il se montra sincèrement navré pour moi.

Peu à peu, à mesure que nous progressions sur l'autoroute, mon cœur retrouva son rythme normal et je me détendis. Le ronron du moteur me berçait, je me renversai sur mon siège et fermai les yeux. Dans un demi-sommeil, j'entendais mon compagnon parler de sa famille, de ses deux enfants, des gens bizarres qu'on rencontrait sur les routes. Je dus m'endormir pour de bon car, sans avoir vu le temps passer, je sentis tout à coup le chauffeur me taper doucement sur l'épaule.

— Nous arrivons à Sewell, petite.

Je me redressai, bouleversée. Jamais je n'aurais cru que ces collines pourraient me paraître aussi belles.

Nous dépassâmes le cimetière et arrivâmes bientôt dans le centre-ville. Je faillis pleurer de joie en retrouvant les boutiques familières, le garage, les restaurants, et le salon de coiffure « Chez Francine » où maman avait travaillé. Mon émotion ne passa pas inaperçue du chauffeur.

— Ça fait un moment que vous êtes partie, on dirait ?

— Oui, monsieur. Mais je suis revenue.

— Bien, conclut-il en s'arrêtant à un carrefour, je vais vous laisser là. Et la prochaine fois que vous aurez envie de quitter la maison, jeune fille, réfléchissez bien. Tout n'est pas toujours facile, chez soi, mais c'est souvent plus dur ailleurs, surtout quand on est seul.

— Oui, monsieur, approuvai-je en descendant du camion. Merci beaucoup.

Il me salua de la tête et je le regardai partir. Puis je me retournai et contemplai le village, longuement, goulûment, comme si je voulais m'en rassasier la vue. Quelques visages familiers se retournèrent sur moi et je saluai de la main, même les gens que je ne connaissais pas. Certains me rendirent mon salut, d'autres me jetèrent des regards désapprobateurs et, brusquement, je compris pourquoi. C'était le milieu de la journée : j'aurais dû être à l'école.

Le cœur trépidant, je pris la direction du lotissement des caravanes. Je brûlais d'impatience de revoir Mama Arlène, et j'imaginais son sourire quand elle me verrait, elle aussi.

Quand je suivis la rue que prenait papa pour se rendre à la mine, une vague de chagrin occulta un instant mon allégresse. Partir au loin et revenir ne changeait rien à la triste réalité. J'escaladai la colline qu'il franchissait chaque soir, après le travail, et pensai à toutes les fois où je l'avais guetté, transportée de joie parce qu'il rentrait à la maison. Je crus même revoir la fillette qui courait au-devant de lui, attendant qu'il la soulève dans ses bras et la couvre de baisers. Comme elle avait aimé sa voix profonde, son rire chaleureux, et comme il lui manquait !

L'entrée de Mineral Âcres était toujours la même, mais en me dirigeant vers la caravane de Papa George et Mama Arlène, je vis que quelque chose avait changé. Il n'y avait pas de lumière. Le sol de la petite terrasse de devant était couvert de brindilles sèches et de mauvaises herbes, chose que Mama Arlène n'aurait jamais tolérée. Je courus vers la porte, et tendis l'oreille : pas un son ne me parvint de l'intérieur. Je frappai à la paroi et appelai :

— Mama Arlène ! Mama Arlène ! C'est moi, Melody !

Toujours le même silence. Je cognai plus fort, à coups de poing cette fois.

— Hé, vous ! cria une voix. Qu'est-ce que vous faites là ?

Je me retournai pour voir Mme Edwards, une des partenaires de Mama Arlène au rami. Elles avaient à peu près le même âge. Elle arrivait de sa propre caravane, à quelques pas de là.

— Qu'est-ce que... oh, Melody ! Je ne savais pas que c'était toi. C'est vrai que tu étais partie, dit-elle comme si elle venait juste de s'en souvenir. Eh bien, tu vois, Arlène aussi est partie.

— Partie ?

— Pour vivre chez sa sœur, à Raleigh. Elle est partie aussitôt après la mort de George.

Ma voix s'entendit à peine : j'avais la gorge nouée.

— Papa George... est mort ?

— Tu ne savais pas ? Je suis désolée. Mais c'est mieux pour lui, tu sais : il souffrait tant. Et où est ta mère, ma chérie ? Elle est revenue avec toi ?

Je fis signe que non, je n'aurais pas pu parler.

— Ah, enfin ! s'exclama Mme Edwards comme un camion tournait dans l'allée. Voilà le réparateur qui vient pour ma machine à laver, pas trop tôt. Faut que j'y aille, mignonne, ravie de t'avoir revue. Salue ta mère de ma part. Hé, je suis là ! hurla-t-elle en courant vers le camion. J'arrive !

Puis elle disparut derrière la caravane.

C'est impossible, me répétai-je. Ils ne peuvent pas être partis. Je m'approchai d'une fenêtre et coulai un regard à l'intérieur. Les meubles étaient recouverts de housses, l'ombre régnait partout. Ma déception fut telle que je me sentis défaillir. Je me retournai vers notre vieille caravane, et rencontrai le même spectacle affligeant : là aussi, tout parlait d'abandon.

Où aller, à présent ? Vers qui me tourner ? Trop lasse pour réfléchir à la question, je me dirigeai vers ce qui avait été ma maison. On avait accroché un écriteau « À louer » sur la porte avant, et naturellement, elle était fermée à clef. J'aurais dû m'y attendre, bien sûr. Mais après tout ce qui m'était arrivé en voyage, et les nouvelles que je venais d'apprendre, je fus prise d'une véritable rage. Je fouillai les alentours jusqu'à ce que je trouve une courte tige de métal et revins à la caravane. Là, je glissai la baguette entre la porte et son cadre, tirai, poussai, secouai, frappai. En désespoir de cause, je me jetai de tout mon poids contre le battant qui s'ouvrit d'un coup, me projetant à l'intérieur. D'une façon ou d'une autre, j'étais enfin rentrée chez moi.

On avait coupé l'électricité, le gaz, et même l'eau. Les placards étaient vides, le réfrigérateur ouvert, vide aussi. Quelqu'un, mandaté par la banque sans doute, avait fait enlever tout le reste.

Après avoir erré un peu partout, je me couchai sur la moquette élimée, là où s'était trouvé le canapé, me roulai en boule et pleurai toutes les larmes de mon corps. J'avais perdu la notion du temps et ne m'en souciais guère.

La pénombre régnait dans les recoins, je percevais des craquements et des murmures. Je m'endormis en sanglotant tout bas.

Réveillée par une voix prononçant mon nom, je m'assis et me frottai les yeux. Des nuages voilaient le soleil déclinant, il faisait presque noir dans la caravane. Je ne pus distinguer qu'une silhouette sur le pas de la porte.

— Melody ?

Le son de cette voix amie me réchauffa le cœur.

— Alice ! m'écriai-je en me levant d'un bond. Comment as-tu su que j'étais ici ?

— Ton cousin Cary m'a appelée hier soir, très tard. Il a trouvé mon numéro dans ton carnet de notes, et il s'est souvenu que tu m'avais mentionnée comme ta meilleure amie à Sewell.

— Cary ?

— Oui. Il m'a dit qu'il t'avait mise dans un car hier soir et qu'il se faisait un sang d'encre à ton sujet. Il se demande si tu es arrivée saine et sauve.

— De justesse, répliquai-je, et je me lançai dans le récit de ma désastreuse aventure. Alice était médusée.

— Houaoh ! s'exclama-t-elle quand j'eus terminé, tu as de la chance de t'en être tirée. Mais... (Elle regarda curieusement autour d'elle). Ta mère va venir te rejoindre, alors ?

— Non. Je ne sais pas où est ma mère, Alice.

Je m'assis à nouveau sur le sol et elle prit place à mes côtés, exactement comme nous le faisions autrefois sur le tapis de sa jolie chambre.

— Comment ça, tu ne sais pas où elle est ? Elle ne t'a pas appelée ? Vous n'avez pas rendez-vous ici ? Je n'y comprends plus rien.

Finalement, je lui racontai mon histoire.

Elle l'écouta bouche bée, captivée, buvant littéralement mes paroles. Quand je me tus, elle était encore sous le choc.

— Chester Logan n'était pas ton vrai père, alors ? Et tu ne sais même pas qui c'est ? (Je fis signe que non.) Qu'est-ce que tu comptes faire ?

— Je n'en sais rien. Je me suis sauvée pour venir vivre avec Mama Arlène. Je n'étais pas au courant pour Papa George.

— Ma pauvre Melody ! Tu dois mourir de faim, en plus. Viens manger quelque chose à la maison, ça te remontera.

— Je meurs de faim, mais je sais trop bien ce que diraient tes parents. Non, merci, Alice.

— Mais tu ne peux pas rester là, voyons ! Cet endroit ne t'appartient plus, la banque a repris ses droits.

— Je resterai jusqu'à ce qu'ils me jettent dehors, alors. En attendant, si tu pouvais m'avancer un peu d'argent, j'achèterais de quoi manger.

Alice réfléchit quelques instants avant d'annoncer, pleine d'enthousiasme :

— Je sais ce que je vais faire. Je vais rentrer à la maison et prendre de la nourriture pour nous deux. Je dirai à mes parents que je vais étudier ma chimie avec Beverly Murden, et je reviendrai ici. J'amènerai aussi quelques bougies, et ce sera comme au bon vieux temps, d'accord ?

Je souris malgré moi devant l'ironie du sort. Mon infortune offrait à mon amie les émotions les plus palpitantes qu'elle eût connues depuis des mois.

— D'accord, acquiesçai-je.

— Ton cousin m'a laissé un numéro pour que je le prévienne quand tu serais arrivée. Tu n'as rien d'autre à lui faire dire ?

— Dis-lui merci, c'est tout, mais ne lui parle surtout pas du reste. Je ne veux pas qu'il sache ce que j'ai enduré.

— Compte sur moi, et ne t'impatiente pas, surtout. Il va me falloir un peu de temps pour réunir le nécessaire et revenir.

— Pas de problème, Alice. J'ai l'intention d'aller au cimetière dire adieu à Papa George et m'arrêter sur la tombe de papa.

— De l'homme que tu prenais pour ton père, rectifia-t-elle.

— Oui.

— Bon, alors on se retrouve ici. J'amènerai mon poste à piles pour qu'on ait un peu de musique. J'ai tellement de trucs à te raconter sur le lycée ! Bobby Lockwood sort avec Mary Hartman, figure-toi.

Tout cela me paraissait terriblement insignifiant, à présent, mais je m'efforçai de paraître intéressée.

— Entendu, Alice.

— Je suis contente que tu sois là, même si ce n'est pas pour longtemps, dit-elle en me serrant la main. Alors, à dans une heure, quelque chose comme ça.

Elle sortit en hâte et je ne tardai pas non plus à m'en aller. Le ciel se couvrait de plus en plus, et le temps que j'arrive au cimetière tout était devenu gris, sombre et lugubre. Il ne me fallut pas longtemps pour découvrir la tombe de Papa George, encore toute fraîche. Sous son nom figuraient simplement deux dates, celles de sa naissance et de sa mort.

— Je regrette de n'avoir pas été là pour te voir une dernière fois, Papa George, murmurai-je. Tu étais mon vrai grand-père, et tu vivras toujours dans mon cœur.

J'embrassai le haut de sa pierre tombale et suivis le sentier qui menait à celle de papa. J'y restai longtemps, les yeux fixés sur son nom. Puis je laissai couler mes larmes.

Pourquoi, papa ? pensais-je, inconsolable. Pourquoi ne pas m'avoir dit la vérité ? J'aurais voulu ressentir de la colère envers lui, le haïr. Mais je ne pouvais qu'évoquer son sourire, ses yeux chaleureux, la joie qui l'inondait quand nous nous retrouvions.

Je suis toute seule, maintenant, papa. Vraiment seule.

Je m'agenouillai devant sa tombe et priai. Je demandai que papa et maman soient pardonnés pour tout ce qu'ils avaient pu faire, et j'implorai la clémence de Dieu. Je restai longtemps ainsi, recueillie, et quand je me relevai, une pensée saugrenue me traversa l'esprit et me fit sourire. Si Papa George est avec toi, papa, il est sûrement en train de te sonner les cloches ! Je crois l'entendre d'ici.

Je soupirai, puis repris le chemin de Mineral Âcres. Je n'eus pas longtemps à attendre. Alice arriva presque aussitôt après, apportant des sacs de nourriture et des nouvelles.

— J'ai eu ton cousin ! Il a attendu mon appel toute la journée. Il a l'air très sympa, je trouve.

— Il l'est. Tu ne lui as pas parlé de mes problèmes, au moins ?

— Bien sûr que non, rétorqua-t-elle, mais sa façon de baisser les yeux me fit soupçonner le contraire. Il espère que tu vas rentrer, Melody.

— Tu l'as mis au courant, pour Mama Arlène et Papa George ?

Alice eut l'air embarrassée.

— Il m'a posé la question le premier. Tu ne m'avais pas défendu de le dire, ça !

— Je suppose que c'est sans importance, soupirai-je.

Alice retrouva le sourire et déballa ses paquets. Elle avait apporté deux chandeliers et deux bougies, qu'il nous fallut allumer aussitôt. Les nuages occultaient si bien la lumière du soir qu'il faisait presque noir dans la caravane. Les victuailles d'Alice comprenaient un reste de poulet, des pâtes froides, des fruits, des galettes au beurre, du pain, du thon, un pot de miel et deux barres de chocolat. Leur vue me rappela que mon estomac criait famine. Alice, malgré tous ses kilos en trop, n'eut pas besoin de cette excuse pour s'empiffrer. La bouche pleine, elle me raconta par le menu tous les potins du lycée, y compris la dernière et passionnante aventure sentimentale de Bobby Lockwood. Finalement, exténuée, elle me supplia de lui parler des lycéens de Provincetown.

Je ne tenais pas trop à réveiller ces souvenirs-là, surtout les plus récents. Mais elle insista tant et tant, faisant valoir qu'il serait injuste de me taire après qu'elle m'en ait tant dit, que je cédai à ses prières. Fascinée, elle écouta de bout en bout mon récit des dernières semaines, sans en perdre une miette.

Les bougies se consumaient. L'obscurité s'infiltrait dans tous les coins, et le froid aussi.

— Tu devrais au moins venir dormir chez moi, offrit Alice. Tu pourras revenir ici demain matin, si tu y tiens.

Je m'accordai quelques instants de réflexion, et une idée me vint.

— Combien d'argent pourrais-tu me prêter, Alice ?

— Je peux me débrouiller pour trouver dans les... cent cinquante dollars, peut-être un peu plus. Je sais dans quel tiroir mon frère garde sa cagnotte. Ça ne lui manquera pas.

— Bon, j'aime mieux ça.

— Qu'as-tu l'intention de faire, Melody ?

— Je vais aller à Los Angeles retrouver maman.

— Houaoh ! rugit Alice, impressionnée. Mais... cent cinquante dollars ne te suffiront pas pour traverser tout le pays.

— Je suis bien arrivée jusqu'ici.

Cela aussi parut l'impressionner.

— Entendu, promit-elle. Je t'apporterai l'argent.

— Merci, Alice. Tu es ma seule véritable amie.

— Est-ce que tu viens dormir à la maison ?

Je balayai la pièce du regard. Même vidée de ses meubles, la caravane me donnait le sentiment d'être à nouveau chez moi. Mon imagination me montrait chaque chose à son ancienne place, et me restituait jusqu'au souvenir des moments heureux.

— Non, je vais rester ici. Tu aurais des problèmes si tes parents me trouvaient là-bas. J'ai déjà causé assez d'ennuis comme ça.

— Mais tu ne pourras jamais dormir ici !

— Bien sûr que si, affirmai-je avec assurance. La veste de Cary est très chaude.

— Bon, si tu le dis... Je t'apporterai l'argent demain matin avant d'aller au lycée. Je te laisse la radio.

— Merci, Alice. Je t'écrirai de Los Angeles. Tu pourras peut-être venir me rendre visite, pourquoi pas ?

L'idée parut la réconforter.

— Ce serait super, Melody. Bon, eh bien... bonne nuit ?

— Bonne nuit, Alice.

Peu après son départ, les bougies s'éteignirent et l'obscurité se peupla de souvenirs. J'entendais les voix et les rires anciens, bouleversants de douceur, et cela fit à nouveau jaillir mes larmes. Je pleurai jusqu'au moment où, brisée d'émotion et de fatigue, je me pelotonnai sur la moquette et m'endormis.

Je me réveillai en pleine nuit, croyant avoir entendu des pas, et scrutai les ténèbres de Mineral Âcres. Et si c'était maman ? me demandai-je, le cœur battant d'un fol espoir. Un grattement sous le plancher me fit comprendre mon erreur. Les reliefs de notre pique-nique avaient dû attirer un écureuil, ou même... un rat. Cette idée me mit mal à l'aise pour le reste de la nuit. Mon sommeil fut entrecoupé de sursauts d'angoisse, et cela dura jusqu'au matin. Au petit jour, j'étais aussi lasse que la veille quand je m'étais couchée pour dormir. Je me levai, pourtant, et j'utilisai la salle de bains, même si la chasse d'eau ne fonctionnait pas. Je n'avais pas le choix. Puis il y eut des bruits de voix, des allées et venues de gens partant pour la ville ou leur lieu de travail. Je restai prudemment cachée en attendant Alice.

Elle vint me voir en partant pour le lycée, comme promis, et remarqua tout de suite mon visage défait.

— Tu n'as pas l'air d'avoir bien dormi, Melody. Tu aurais dû venir avec moi. Je me suis fait du souci toute la nuit. Voici ton argent, soupira-t-elle en me tendant une enveloppe gonflée de billets. Ne te le fais pas voler, cette fois !

— Merci, Alice. J'ai appris ma leçon, rassure-toi. Et ne dis à personne que tu m'as vue avant que je sois loin, surtout.

— C'est promis. Et maintenant, il faut que j'y aille.

Nous échangeâmes une accolade, aussi émues l'une que l'autre, et Alice me quitta précipitamment.

— Tu m'écris, d'accord ? me rappela-t-elle en sortant.

— Promis, juré.

Restée seule, je m'assis à même le sol, le dos à la paroi, et m'efforçai de rassembler mon énergie. J'en aurais besoin pour ce long et périlleux voyage vers la Californie ! Je n'avais pas la moindre idée de l'itinéraire à suivre, ni du moyen de transport le plus économique, et encore moins de la façon de m'y prendre pour retrouver maman.

Finalement, je me levai, quittai la caravane et, en sortant de Mineral Âcres, je me retournai pour lui jeter un dernier coup d'œil. Puis je partis d'un bon pas pour la ville. En route, je m'arrêtai près d'un ruisseau et y trempai mon visage pour chasser les dernières traces de sommeil, ce qui n'était pas superflu. Quelque chose me disait qu'après toutes ces fatigues, je ne devais pas être très belle à voir.

Le café-restaurant « chez la Mère Jones », où s'arrêtaient les cars, faisait office de dépôt de billets. Au comptoir, où je commandai un petit pain et du café, la serveuse s'étonna que je ne sois pas en classe à pareille heure, et j'improvisai une excuse. Je n'habitais plus ici, expliquai-je, j'étais seulement de passage. Malgré tout, j'attirais l'attention, ce qui n'était pas rassurant. J'avais peur de me présenter au guichet pour m'informer des itinéraires pour la Californie. Finalement, je décidai de retourner à Richmond, estimant qu'il serait bien plus facile d'organiser mon voyage à partir d'une ville importante. Et heureusement pour moi, je n'eus pas à attendre longtemps l'autocar.

Cette fois, je m'assis à l'avant, près du chauffeur. Il n'y avait pas beaucoup de monde et ce chauffeur était bavard, il entama la conversation. Je prétendis aller à Richmond passer quelques jours chez mes grands-parents. Je n'avais jamais aimé mentir, mais je m'apercevais que cela m'était de plus en plus facile, maintenant que j'avais commencé. Et surtout, surtout... que c'était bien plus facile à dire que la vérité.

À la gare de Richmond, le guichetier me fournit un plan des différents itinéraires possibles. Repérer le plus rapide et le moins cher demandait réflexion, et j'allai m'asseoir sur un banc pour étudier la carte et les tarifs. J'étais si absorbée dans mes calculs que je ne m'aperçus même pas que quelqu'un s'était arrêté près de moi.

— C'est ce qui s'appelle avoir de la chance, fit soudain une voix familière.

— Cary !

J'éprouvai un choc, mais aussi une joie immense en voyant devant moi son visage ouvert et souriant.

— Je descendais du bus, expliqua-t-il, et en allant prendre mon billet pour Sewell, voilà que je t'aperçois sur ce banc.

— Mais qu'est-ce que tu fais ici ? Comment...

— Grandma Olivia était furieuse en apprenant ce que nous avions fait. Elle m'a donné l'argent nécessaire pour aller jusqu'à Sewell, et pour nos deux billets de retour.

— Je ne rentre pas, Cary, affirmai-je avec force. Je vais à Los Angeles retrouver maman, et l'obliger à me dire la vérité.

— Tu n'as pas besoin d'aller à Los Angeles, Melody. Nous avons parlé longuement, Grandma et moi. J'ai exigé toute la vérité. Tout ce qu'elle savait.

— Et je crois savoir qui est ton père.

18

Plus jamais seule

— JE t'avais dit qu'elle aboie plus fort qu'elle ne mord, me rappela Cary en m'escortant jusqu'à l'autocar de Boston. Quand elle a su ce que tu avais fait, elle m'a passé un de ces savons ! Crois-moi, j'en ai pris pour mon grade. Comment avais-je pu être assez idiot pour te donner l'argent du voyage, et te laisser repartir en Virginie... À l'entendre, on aurait pu croire que je t'avais envoyée travailler dans les mines !

— Et qu'as-tu fait ? m'enquis-je avec curiosité.

— Je l'ai laissée fulminer jusqu'à ce qu'elle n'ait plus de souffle et soit rouge comme un homard, je me suis levé tranquillement et j'ai dit : « Grandma, tout est de ta faute. »

— Tu as fait ça ?

Nous montâmes dans le car et nous assîmes côte à côte.

— Parfaitement.

— Et elle, qu'a-t-elle fait ?

— Elle s'est affalée dans son fauteuil et a ouvert la bouche comme un poisson qui fait des bulles, mais pas un son n'est sorti. Alors c'est moi qui ai parlé.

« Comment as-tu osé lancer toutes ces horreurs à la tête de Melody, Grandma ? Qu'espérais-tu en la rabaissant jusqu'à terre, en lui ôtant d'un coup tout ce à quoi elle avait cru, en dénigrant la seule vie qu'elle ait connue ? Elle aimait l'oncle Chester comme un père, ai-je dit. Et tout ce qu'elle a trouvé à répondre, en bafouillant, c'est : "Elle voulait la vérité, elle l'a eue." Alors là, j'ai riposté. "Et toi, Grandma, comment aurais-tu réagi si on t'avait envoyé des vérités pareilles en pleine figure ?" Elle en est restée baba, tu peux me croire ! »

— Et ensuite, qu'est-ce qu'elle a dit ?

— Que c'était exactement ce qui lui était arrivé. D'abord avec sa sœur et, dix-neuf ans plus tard, avec ta mère, Hellie. J'ai répondu qu'elle aurait dû mieux savoir ce qu'on ressentait, ça l'a fait réfléchir un moment. Finalement, elle a dit, textuellement : « Tu as raison, Cary. Je commence à croire que c'est toi le plus sage et le plus intelligent de nous tous. » Tu te rends compte, Melody ? Après ça...

Les yeux verts de Cary pétillèrent.

— Après ça, elle a repris ses grands airs et sa voix de reine et elle m'a ordonné d'aller te chercher. Elle a voulu que je parte tout de suite, et m'a assuré qu'elle arrangerait tout avec papa, qu'il ne fallait pas m'inquiéter pour lui. Et me voilà, conclut-il en souriant, au moment où le car démarrait.

Sourcils froncés, je méditai un instant ces nouvelles.

— Mais je croyais... N'as-tu pas dit que tu savais qui était mon père ?

— J'allais y venir. Tu comprends bien que je n'allais pas bondir comme un toutou pour lui obéir, expliqua-t-il avec orgueil. Je suis resté un bon moment bouche cousue, à la laisser languir, jusqu'à ce qu'elle se décide à demander : « Tu vas aller la chercher, oui ou non ? »

Sa fierté d'avoir tenu tête à sa grand-mère me fit sourire. J'aurais vraiment voulu voir ça.

— Alors j'ai fait celui qui réfléchit, tu vois ? « Je ne peux pas ramener Melody sans en savoir plus, Grandma. Pourquoi voudrait-elle rentrer ? C'est la vérité qu'elle cherche. » Et c'est là qu'elle a craqué. Elle m'a tout dit.

Je redoublai d'attention.

— C'est mon père qui est venu la trouver, après le départ d'oncle Chester et de Hellie, enchaîna Cary. Malgré cette bataille sur la plage — qu'il avait provoquée, d'ailleurs —, il adorait Chester et il était bouleversé. Jusqu'à cette histoire, ils étaient inséparables, tous les trois. À la façon dont mon père en parlait, Grandma s'est doutée qu'il lui cachait quelque chose. Elle l'a cuisiné, et fini par savoir que le trio n'était plus si bien soudé que ça.

— Ah bon ? Et pourquoi ça ?

— À cause de Hellie. Chaque fois qu'elle prétendait aller étudier avec une amie, elle passait la soirée chez les Childs.

— Elle allait voir la famille du juge ?

— Oui. Et tout spécialement Kenneth. On l'a beaucoup vu à Provincetown, cette année-là. Il était étudiant à Boston et censé préparer une licence de droit, pour devenir avocat. Mais il était déjà passionné de sculpture, et le juge lui avait fait construire un atelier. Ta mère passait là-bas presque tous les week-ends où Kenneth était en ville.

J'avalai ma salive avec difficulté.

— Alors... Kenneth Childs serait mon véritable père ?

— C'est très probable, d'après Grandma. Je n'ai pas eu l'occasion d'en discuter avec mon père. J'ai pris l'argent et je suis venu te chercher, en la laissant s'expliquer avec lui.

— Mais pourquoi maman n'a-t-elle pas dit la vérité ? Pourquoi avoir accusé Grandpa Samuel ?

— Ça, ce sera à toi de le lui demander, Melody. Elle devait chercher à protéger Kenneth, ou alors...

— Ou alors ?

Cary haussa les épaules et je me renversai sur mon siège, le temps de réfléchir. Si Cary disait vrai, mon véritable père se trouvait à Truro, et j'étais sur la bonne voie. Mais il y avait tant de choses que j'aurais voulu savoir !

— As-tu déjà parlé à Kenneth Childs, Cary ?

— Juste un petit bonjour en passant, de temps en temps, mais ce n'est pas facile de le rencontrer. C'est un véritable ermite, comme dit le juge. Il ne vit que pour son travail.

— Il n'est pas marié, il n'a pas d'autres enfants ?

— Non. Tout le monde le trouve un peu bizarre, mais on l'accepte comme il est, je l'ai déjà dit. C'est un artiste.

— Un artiste vivant en ermite dans une maison isolée sur la Pointe, mon père ? murmurai-je, méditant une à une les stupéfiantes révélations de Cary.

— En tout cas, tu as une chance de découvrir la vérité, maintenant, commenta-t-il d'un ton encourageant.

Mais la désirais-je toujours, cette vérité ? Confrontée à la réalité, je n'en étais plus aussi sûre.

— Qu'est-ce que je vais faire, Cary ? Aller le voir et lui demander de but en blanc : « Êtes-vous mon vrai père ? »

— Tu pourrais demander conseil au mien, hasarda-t-il.

— Ton père ? (Pour un peu, j'aurais ri.) Tu le vois en train de discuter de ces choses avec moi ?

— Oui, répliqua-t-il, le regard farouche. Il le fera ou je le dirai à Grandma et elle lui tordra le cou !

Cette fois je ris de bon cœur, rien qu'à imaginer la scène. Mais presque aussitôt, ma tristesse reprit le dessus.

— Papa George est mort, Cary. Mama Arlène est partie, je n'ai trouvé personne à leur caravane. Et la nôtre était vide.

— Je sais, Alice me l'a dit. Je suis désolé.

— Et moi, je ne sais plus où j'en suis. Alice m'a beaucoup aidée, mais j'ai passé la nuit toute seule, allongée par terre. Je ne sais pas ce que sont devenues mes affaires. Je n'y ai même pas pensé. Je suis allée au cimetière et je me suis sentie toute bizarre, en colère et triste en même temps. Est-ce que maman a appelé, en mon absence ?

— Pas à ma connaissance, Melody. Mais comment as-tu pu croire que tu la retrouverais à Los Angeles ? C'est gigantesque, cette ville ! Même les habitants s'y perdent.

Je poussai un long soupir accablé.

— Je ne voyais pas quoi faire d'autre, Cary. J'étais si seule...

— Tu n'es plus seule, maintenant. Tu ne le seras plus jamais, affirma-t-il avec détermination. N'oublie pas ça.

— Merci, Cary.

Il eut un sourire chaleureux, émouvant et tendre, puis son expression changea. Il inspira une grande bouffée d'air.

— Il faut que je t'avoue quelque chose, Melody, commença-t-il d'un air penaud. Je n'en menais pas large quand j'ai tenu tête à Grandma. Je m'attendais à ce qu'elle me jette dehors, prévienne papa, et qu'on en reste là.

— Et toi qui disais qu'elle aboie plus fort qu'elle ne mord, le taquinai-je.

— C'est vrai, mais ça ne veut pas dire qu'elle ne mord pas !

Après cela, je n'éprouvai plus le besoin de parler, et apparemment Cary non plus. Le car dévorait les kilomètres, et je réfléchissais à tout ce qui venait de se passer. J'avais traversé une zone de turbulences, mais cela n'avait pas été inutile, apparemment. Je commençais à débrouiller tout cet écheveau de mensonges et, bientôt, bientôt j'atteindrais la vérité. Cette pensée aurait dû m'emplir de joie, mais ce n'était pas exactement le cas. En réalité j'avais si peur que, tout au fond de moi, je tremblais.

À cause de ma mauvaise nuit dans la caravane, sans doute, je somnolai de temps en temps, la tête sur l'épaule de Cary. À Boston, où il avait laissé la camionnette, nous prîmes le temps de nous restaurer, puis nous repartîmes pour Provincetown. L'aube était proche quand nous vîmes se profiler devant nous le Monument des Pèlerins.

Le disque du soleil effleurait à peine l'horizon, dans un ciel orange et violet qui semblait s'allumer peu à peu, irisé par les transparentes couleurs de l'arc-en-ciel. L'obscurité se retirait du miroir de la mer. Silhouetté contre le ciel orangé, un pétrolier glissait avec une lenteur fantomatique. C'était à vous couper le souffle.

Une telle beauté, la promesse de révélations à venir, mon retour après cette fuite désespérée, tout cela m'emplissait d'un incroyable mélange d'émotions. J'étais inquiète et ravie, enthousiaste et terrifiée, joyeuse et triste à la fois. Je ne savais pas moi-même si j'allais rire ou pleurer.

Comme nous entrions en ville, Cary me décocha un grand sourire heureux.

— Une chance que j'aie été suspendu, pas vrai ?

— Une chance ?

— Bien sûr. Je n'aurais pas pu partir à ta recherche, sans ça. Je l'aurais fait tout de même, remarque, et j'aurais été puni de la même façon.

— Il ne faut plus que cela se reproduise, Cary. Tu dois passer ton diplôme.

— Bien, mon capitaine ! pouffa-t-il en faisant le salut militaire.

Nous étions presque arrivés, à présent. La camionnette entamait déjà le dernier virage. Comment allais-je être accueillie ? Est-ce que tout le monde serait déjà levé ?

— Je ferais peut-être mieux d'aller dormir sur la plage, marmonnai-je à mi-voix.

Cary fronça les sourcils.

— Ne dis pas de sottises, tu as besoin de récupérer. Tu vas avoir beaucoup à faire pendant les semaines qui viennent. M'aider à passer mes examens, d'abord, et passer les tiens.

Comme il avait raison, pensai-je alors. Peut-être était-il le plus sage et le plus intelligent de nous tous, après tout.

Un silence de mort régnait dans la maison, mais on avait laissé une petite veilleuse à notre intention. Nous échangeâmes un regard et, sur la pointe des pieds, nous nous engageâmes prudemment dans l'escalier. Mais les marches émirent des craquements sonores, et nous étions à peine arrivés sur le palier que l'oncle Jacob s'encadrait sur le seuil de sa chambre, en longue chemise de nuit blanche. Il nous dévisagea l'un après l'autre, hocha la tête et grommela :

— Allez vous reposer. Nous parlerons demain.

Puis il se retira et referma doucement la porte.

— C'est sa façon de nous dire qu'il est heureux de nous revoir, commenta Cary.

— Pourquoi ne pas le dire, tout simplement ? Est-ce qu'il n'exprime jamais la moindre émotion, à part la colère ? Je ne l'ai jamais vu ni rire ni pleurer.

— Moi je l'ai vu pleurer, dit Cary. Quand nous avons perdu Laura, il a grimpé la colline et a éclaté en sanglots dans le champ d'airelles. Pendant le service des morts aussi, il a pleuré. Ce n'est pas un homme très démonstratif.

— Sauf quand il est en colère, insistai-je.

— C'est seulement parce que...

— Je sais, l'interrompis-je en souriant. Il aboie plus fort qu'il ne mord.

Il me rendit mon sourire.

Je dois avouer que la vue du matelas moelleux et de la couette me parut tout simplement délectable. Sans même prendre la peine de me déshabiller, je me laissai tomber sur le lit, étreignis l'oreiller, attirai à moi mon chat en peluche et sombrai dans le sommeil. Je ne me réveillai qu'en fin d'après-midi. J'eus vaguement conscience que tante Sarah entrait, s'arrêtait à mon chevet, me caressait les cheveux, mais ce fut pour moi comme un rêve. Je me retournai, grognai un peu, et finalement ma tante s'en alla.

Mes articulations craquèrent quand je me mis sur mon séant. Je me sentais crasseuse, et jamais douche bien chaude ne m'avait semblé si merveilleuse. Je me lavai les cheveux, me brossai les dents, m'étrillai de la tête aux pieds, puis je passai un jean et un chemisier tout propres. Une irrésistible odeur de café me fit saliver avant d'avoir atteint le bas de l'escalier.

— Te voilà debout ! m'accueillit ma tante avec un bon sourire. Comment te sens-tu, ma chérie ?

— Très bien, tante Sarah. Je te demande pardon pour tout.

— Il n'y a rien à pardonner, ma chérie, maintenant que te voilà rentrée saine et sauve. J'ai une bonne brandade au four. Tu dois être affamée, non ?

— J'ai une faim de loup, avouai-je, l'eau à la bouche.

— Assieds-toi, c'est moi qui vais te servir. Ce n'est pas l'heure du dîner, mais tu as besoin d'avaler quelque chose de chaud.

— Où est Cary ? demandai-je en prenant place à table. Il dort toujours ?

— Cary ? Bien sûr que non. Il était prêt pour accompagner May en classe et retourner au lycée.

— Mais il doit être mort de fatigue !

— Mais non, me rassura ma tante. Ce ne sera pas la première nuit qu'il passera sans dormir. C'est ça, la vie de pêcheur.

— Sais-tu pourquoi je suis partie comme ça, tante Sarah ?

— Non, ma chérie, répondit-elle précipitamment.

Elle s'éclipsa aussitôt, pour bien montrer qu'elle ne tenait pas non plus à le savoir.

Elle avait le don de se refermer comme une huître, chaque fois qu'il survenait un événement désagréable. Et j'aurais trouvé cruel de l'obliger à entendre ce qu'elle voulait ignorer, ou à voir ce qu'elle ne voulait pas voir. Je ne dis rien. Je mangeai et j'attendis le retour de May, de Cary et de Jacob. Mais avant qu'ils ne reviennent, nous eûmes la surprise de recevoir une visite. Comme je terminais ma soupe, ma tante accourut dans la salle à manger.

— La voilà, la voilà ! s'écria-t-elle. Seigneur, et la maison qui est toute sens dessus dessous.

— Mais qui est là, tante Sarah ?

— Olivia, proféra-t-elle d'un ton dramatique. Elle n'est pas venue ici depuis... depuis je ne me rappelle plus quand.

Et elle se mit à papillonner dans la pièce, en rangeant fébrilement tous les objets qui ne lui semblaient pas à leur place. Quelques instants plus tard, Grandma Olivia sonnait à la porte d'entrée.

Tante Sarah me cria d'aller l'accueillir et je me levai, pas plus rassurée que ça. À peine avais-je ouvert la porte que Grandma, passant en trombe devant moi, s'engouffrait dans la salle de séjour. Ma tante s'éclaircit la gorge.

— Bonjour, Olivia. Quelle agréable surprise.

— Je suis venue parler à Melody, jeta sèchement Grandma. Seule à seule.

— Mais certainement.

Sur ces mots, tante Sarah se retira, l'air béat.

Grandma ôta lentement ses gants de velours noir, alla s'asseoir dans le fauteuil d'oncle Jacob et désigna le canapé d'un coup d'œil sévère.

— Assieds-toi, ordonna-t-elle. (Ce que je fis.) Et maintenant, explique-toi. Que signifie ce geste dramatique ? Qu'est-ce qui t'a pris de te sauver comme ça ?

— Ce n'était pas un geste dramatique. Je voulais rentrer chez moi.

— Chez toi ! cracha-t-elle, comme si ces deux mots lui laissaient un mauvais goût dans la bouche. Sais-tu seulement où l'on est réellement chez soi ? Où se trouve notre véritable foyer ?

Un instant, son regard dériva au loin, puis elle pointa le doigt sur sa tempe.

— Ici. Et ici, ajouta-t-elle en désignant son cœur.

— Je voulais vivre avec des gens qui ne mentiraient pas.

— Tout le monde ment, déclara Grandma, catégorique. C'est une question de survie.

— Alors pourquoi avoir haï ma mère parce qu'elle mentait ?

Un instant désarçonnée, Grandma se reprit très vite.

— Je ne suis pas venue ici pour parler de ta mère, mais de toi. Tu es la petite-fille de ma sœur et, comme je te l'ai dit, j'ai fait une promesse à mon père.

— Je sais. Merci d'être aussi directe. Et de m'envoyer la vérité à la figure avec une telle délicatesse, ajoutai-je mentalement.

Puis j'entendis Grandma proférer cet aveu :

— Je ne t'ai pas encore tout dit.

Je m'adossai aux coussins et j'attendis la suite.

— Ce n'est pas à Samuel que nous devons ce que nous possédons, reprit Grandma, il n'a jamais rien compris aux affaires. Tout vient de mon père, qui nous a légué une fortune considérable, à ma sœur et à moi. Belinda est sous tutelle médicale, tu le sais. Les frais sont déduits de son héritage, mais même si elle vivait cent ans, cela n'entamerait qu'une faible portion de ses revenus. L'argent a été judicieusement placé, il rapporte de gros intérêts.

« Pour en venir au fait, l'argent de Belinda aurait dû revenir à ta mère, si je n'avais pas veillé au grain. Un compte en fidéicommis a été ouvert à ton nom et l'héritière, c'est toi.

— Moi ?

— Parfaitement. Il est spécifié que, jusqu'à l'âge de vingt-et-un ans, tu recevras une rente suffisante pour payer tes frais d'entretien et tes études. Après cela, tu pourras dilapider ta fortune à ta guise, mais jusqu'à ta majorité, c'est moi qui gère ce compte.

— Mais pourquoi ne pas me l'avoir dit plus tôt ?

Grandma ne put retenir une petite grimace dédaigneuse.

— Pourquoi ? Je ne tenais pas à te le dire avant que tu sois suffisamment rééduquée.

— Rééduquée ?

— Jusqu'à ce que tu aies vécu assez longtemps dans une famille honnête, et perdu les mauvaises habitudes que Hellie avait pu t'inculquer.

— Elle ne m'a inculqué aucune mauvaise habitude, protestai-je avec indignation.

— J'aimerais que ce soit vrai. Mais franchement, je ne vois pas comment tu aurais pu être élevée par elle sans en être marquée. En tout cas, je suis heureuse que Cary t'ai remis les idées en place et décidée à rentrer.

Cette fois, elle allait trop loin.

— Pourquoi ? me rebiffai-je. Vous détestiez ma mère, et de toute évidence vous ne pouvez même pas supporter ma vue.

— C'est faux. Je t'ai dit pourquoi j'éprouvais ce... ressentiment envers ta mère, mais je suis persuadée que tu as assez de... de ressources personnelles pour éliminer les traces de cette déplorable éducation. Tu sais maintenant que si tu te conduis bien, tu as tout à y gagner. Tu toucheras une véritable fortune, bien plus d'argent que la plupart des gens n'en gagneraient en deux vies de labeur acharné.

« Voilà, conclut-elle comme si elle venait de remplir une obligation morale, à présent je t'ai fourni des motivations et souhaité bon retour.

— Souhaité bon retour !

J'en aurais ri si j'avais eu le cœur à rire. Grandma protesta, offusquée :

— Je suis venue jusqu'ici, non ?

Je compris alors que, de sa part, cette attitude était le maximum qu'elle pût faire en matière d'excuses. Mais qu'elle y fût poussée par sa promesse, ou par le remords de s'être montrée si brutale, je ne le saurais jamais.

— Il me reste une chose à te demander, Melody.

— Laquelle ?

— Laisse dormir le passé. Ne pense qu'à ton avenir. Évoquer les mauvais jours et déterrer les mauvais souvenirs ne peut rien apporter de bon.

— Je ne sais pas si je peux faire ça, répondis-je avec franchise. Il y a encore des choses que j'ai besoin de savoir.

Elle se pencha en avant, les traits durcis.

— Je n'aimerais pas apprendre que tu te promènes dans tout Provincetown en posant des questions, et en répandant des ragots sur la famille Logan, Melody.

— Je ne ferais jamais une chose pareille.

— Je l'espère, grommela-t-elle en se levant. Passe me voir de temps en temps pour me donner de tes nouvelles. Et fais-toi conduire par Cary, ajouta-t-elle avant de quitter la pièce.

Tante Sarah se tenait en faction dans le hall.

— Aimeriez-vous dîner avec nous, Olivia ?

— Certainement pas, rétorqua Grandma.

Elle me dévisagea encore pendant plusieurs secondes, puis

tourna les talons ; j'eus l'impression qu'une bourrasque venait de traverser la maison et de claquer la porte.

— Quelle charmante surprise, non ? s'émerveilla tante Sarah, à croire qu'un membre de la famille royale venait de l'honorer d'une visite. Viens donc m'aider à mettre la table, ma chérie.

Je restai un instant plongée dans une stupeur sans bornes. Moi, héritière d'une grosse fortune ? Papa et maman l'avaient-ils su ? S'ils étaient au courant, ils ne pouvaient pas m'en parler sans me dire tout le reste, bien sûr. Plus j'en savais, plus je m'étonnais de tout ce qu'ils avaient sacrifié pour fuir ensemble.

Cary et May rentrèrent quelques minutes à peine avant l'oncle Jacob. Cary était fatigué, mais s'efforçait de le cacher. May, très excitée de me revoir, avait tant de choses à me dire qu'elle ne cessait pas d'agiter les mains. Tante Sarah s'étendit tant et plus sur la visite de Grandma, ce qui me valut des regards intrigués de mon cousin. Je lui chuchotai discrètement que je lui raconterais tout plus tard. Comme je venais de manger, je fis le service et ne m'assis qu'au dessert, pour goûter à la tarte aux myrtilles de ma tante.

La vaisselle finie, je montai tout de suite rejoindre Cary dans son grenier, pour lui répéter ce que je venais d'apprendre. Il n'avait jamais entendu parler de mon héritage.

— Je ne suis même pas certain que mon père soit au courant, Melody. Je m'en réjouis pour toi.

— Ce n'est pas ce qui m'intéresse le plus pour le moment, Cary. À mon avis, Grandma espérait que cela me ferait oublier tous ces mensonges. Une façon de m'acheter, si tu préfères.

Comme il réfléchissait à la question, je me risquai à demander :

— Pourrions-nous aller voir ton père maintenant ? Crois-tu qu'il voudrait nous parler ?

— On peut toujours essayer !

J'étais soulagée qu'il fût à mes côtés pour affronter Jacob. Je n'étais pas autrement rassurée. Comme chaque soir, mon oncle lisait son journal dans la salle de séjour tout en écoutant les nouvelles à la radio. Il parut tout surpris de nous voir.

— De quoi s'agit-il ?

— Melody a certaines choses à te demander, papa. Et Grandma pense que nous sommes assez grands pour les connaître.

L'oncle abaissa son journal et éteignit la radio.

— Tu es certaine de vouloir entendre parler de ta mère ? La vérité n'est pas toujours bonne à dire, Melody. Ni très jolie.

— Je la veux quand même, rétorquai-je. Horrible ou pas.

— Très bien. Asseyez-vous, tous les deux.

Nous prîmes place côte à côte sur le canapé, pendant que l'oncle allumait sa pipe. Il tira quelques bouffées en silence puis s'éclaircit la gorge.

— Hellie a toujours eu des problèmes avec les garçons, commença-t-il. Chester et moi devions constamment la tirer d'un mauvais pas, la protéger contre elle-même. Cela nous a valu bien des bagarres, à tous les deux, et bien des railleries. Cela faisait grand tort à la famille, mais Hellie s'en moquait. Elle ne s'occupait que d'elle-même. Ta mère... (L'oncle Jacob pointa vers moi le tuyau de sa pipe.) Ta mère nous a toujours causé des tas d'ennuis. On l'a surprise d'innombrables fois en train de fumer, de boire ou de se conduire encore plus mal. Si ma mère n'avait pas eu tant d'influence dans cette ville, Hellie aurait été renvoyée du lycée. En fait, elle a été arrêtée deux fois pour conduite indécente sur la plage. Tu es sûre de vouloir entendre la suite ?

Je déglutis avec peine et fis signe que oui.

— À quinze ou seize ans, on l'a surprise avec un chauffeur de camion dans les dunes. Un homme de vingt-huit ans. La police voulait l'arrêter pour agression sexuelle sur mineure, mais ma mère a eu peur du scandale et on a étouffé l'affaire. Mère a voulu faire soigner Hellie par le médecin qui traitait Belinda, mais cela n'a rien donné. Elle était incontrôlable. Elle n'obéissait qu'à son caprice et à ses instincts. Chester et moi faisions l'impossible pour la protéger.

L'oncle Jacob se renversa sur son siège et se tut longuement, le front creusé de rides. Ses traits s'étaient durcis, je crus qu'il ne dirait plus rien. Mais, après avoir inspiré profondément, il reprit la parole.

— L'année où elle aurait dû passer son bac, Kenneth Childs s'est mis à nous fréquenter plus assidûment que jamais. Nous aimions bien Kenneth, nos deux familles étaient très liées. Nous le considérions comme un frère, Chester et moi. Il était étudiant à Boston, à l'époque, et revenait de temps en temps pour le weekend. Il nous arrivait d'ignorer qu'il était en ville, mais Hellie le savait toujours et elle allait très souvent chez les Childs. Même quand il n'y avait que Kenneth. C'est cette année-là qu'elle est tombée enceinte. Et là...

L'oncle Jacob libéra un bref soupir.

— Elle a inventé cette histoire au sujet de mon père, et Chester l'a crue. Il était bien plus indulgent que moi envers elle, il lui trouvait toujours des excuses. Il a refusé de croire que Kenneth puisse être le père et ne pas reconnaître sa paternité. Il a gobé tous les mensonges de Hellie.

« J'ai essayé de le détromper. Je lui ai dit qu'elle mentait, que c'était une dévergondée, qu'elle avait essayé de me séduire. Il a pris son parti, s'est battu avec moi et ils se sont sauvés ensemble. Et voilà toute l'histoire, conclut mon oncle, comme un coup de tonnerre à la fin d'un orage.

Un lourd silence plana, et ce fut moi qui le rompis.

— Vous n'avez plus jamais parlé à Kenneth, depuis ?

— Juste un mot par-ci, par-là, mais surtout à cause du juge Childs. Je suis allé à l'enterrement de sa mère, bien sûr. Mais il m'est difficile de le regarder en face et de ne pas songer à tout ce qui s'est passé.

— Vous ne l'avez jamais interrogé carrément là-dessus ?

— Non, répliqua rudement Jacob, et je n'ai pas l'intention de le faire. Tu es la petite-nièce de ma mère. Sarah t'aime beaucoup et, d'après ce qu'on m'a dit, tu réussis bien en classe. Tu seras la bienvenue sous mon toit jusqu'à ce que ta mère se décide à être une mère, si elle s'y décide un jour. À ce moment-là, tu pourras partir si tu le désires. Mais jusque-là, je ne veux plus entendre parler de tout ça chez moi, et je ne veux pas de scandale. Vous êtes satisfaits, tous les deux ?

Cary chercha mon regard.

— As-tu autre chose à demander à mon père, Melody ?

— Non, proférai-je, la gorge nouée.

Si mes yeux restaient secs, mon cœur pleurait. Il me semblait que l'intérieur de ma poitrine brûlait de larmes.

L'oncle Jacob ralluma la radio, il se replongea dans son journal. Je quittai la pièce comme si je m'enfuyais, grimpai l'escalier en coup de vent et courus jusqu'à ma chambre. Là, je me jetai à plat ventre sur le lit, mon chat en peluche entre les bras. Ce fut à peine si j'entendis le coup discret frappé contre la porte. Cary passa la tête à l'intérieur.

— Tout va bien, Melody ?

— Non, mais je m'en remettrai. Je crois qu'au fond de moi, je savais déjà ce qu'a dit ton père. Mais l'entendre comme ça, c'est dur.

— Tout va s'arranger, je te le promets.

Je me redressai sur un coude et lui souris.

— J'en suis sûre, Cary.

— Bon, eh bien... Je remonte travailler. Il faut que je le décroche, ce bac !

— J'y compte bien, affirmai-je comme il s'apprêtait à refermer la porte. Oh, Cary...

— Oui ?

— Un de ces jours, tu pourrais m'emmener voir Kenneth Childs ?

— Entendu. Je ne sais pas comment il réagira, par exemple. Il n'aime pas qu'on trouble sa solitude. Il paraît que, quand il travaille, il ne se dérange même pas pour aller ouvrir.

— Ça ne fait rien, m'obstinai-je. J'ai quand même envie de le voir.

— Entendu, acquiesça-t-il. Tu ne lâches pas facilement le morceau, toi !

Là-dessus, il me laissa seule.

Je demeurai longtemps rêveuse, à ressasser mes souvenirs de maman. Je pensais à certaines choses qu'elle faisait souvent, à ses plaintes et à ses larmes, à la façon dont papa devait toujours l'apaiser. Puis je pensais à Archie Marlin, et cela me fit peur.

Les parents transmettaient tellement de choses à leurs enfants ! Ressemblerais-je à maman, un jour ? Il fallait que je connaisse mon véritable père. Que je découvre ce que je tenais de lui. Que je sache si cette part de moi-même serait assez forte pour dominer celle que j'avais héritée de maman. Être sans passé, méditai-je, c'était être sans avenir.

Je voulais faire la lumière sur mon passé. Ni fortune tentatrice ni menaces, rien n'entraverait ma quête de la vérité.

Au lycée, personne n'était au courant de mon escapade. On ne me posa pas de questions sur mon absence. Certaines filles pensèrent même que j'avais manqué la classe par solidarité envers

Cary, injustement puni. Je ne confirmai pas cette version, je ne la démentis pas non plus, et d'ailleurs tout le monde avait autre chose en tête. La fin de l'année approchait, le lycée entrait en ébullition.

La semaine qui précéda les examens fut surtout consacrée aux révisions. À la fin de la suivante, après les épreuves, devait avoir lieu le spectacle de variétés qui couronnait l'année scolaire. Le directeur, M. Webster, n'avait pas oublié que je jouais du violon. Il me fit demander par le professeur de musique, Mme Topper, d'apporter ma contribution à la fête.

J'essayai de me récuser, en avançant un argument véridique : je n'avais pas travaillé mon instrument depuis des mois. Mais Mme Topper ne savait plus à quel saint se vouer.

— Je n'ai pas assez de musiciens pour remplir une demi-heure, et on me demande une heure ! J'ai besoin de vous, pour deux morceaux. Je vous en prie, c'est très amusant et c'est pour la bonne cause, implora-t-elle. Vous allez nous aider ?

Comment refuser ? Mais cette nouvelle tâche, ajoutée à la perspective de ma visite à Kenneth Childs et à l'approche des examens, me mit dans un état de nerfs indescriptible. Je ne mangeais plus, je ne dormais plus, et Cary était encore plus excité que moi à l'idée de ma prestation. Il insista pour être présent quand je travaillais mon violon. Tante Sarah trouvait mon jeu merveilleux, et l'oncle Jacob lui-même écoutait avec intérêt.

Je choisis l'un des airs favoris de Papa George, « Belle Rêveuse », et un des grands succès de Woody Guthrie, « Cette Terre est votre Terre ». L'oncle Jacob était tout interdit, tante Sarah souriait de plaisir et Cary rayonnait. J'étais désolée pour May qui semblait pourtant très contente, elle aussi. Sentir les vibrations de la musique et regarder lui suffisait. Je ne m'estimais pas prête pour jouer en public, mais l'oncle Jacob soutenait que je l'étais. Il laissa entendre qu'il assisterait à la représentation, ce que Cary déclara être une grande première.

— La seule fête à laquelle il ait jamais assisté, affirma-t-il, c'est la Bénédiction de la Flotte.

Et il suggéra que le mardi, après avoir déposé May à son école, nous nous rendions à la Pointe pour voir Kenneth Childs.

— Que vas-tu lui dire, Melody ?

Je réfléchis quelques instants à la question.

— Je me présenterai, et on verra bien ce qu'il dira.

— Et s'il ne dit rien du tout ? S'il se contente de faire un signe de tête et de passer son chemin ?

— Je trouverai un moyen de l'obliger à me parler, Cary.

À vrai dire, j'étais très excitée à la seule idée de le voir, de voir de mes yeux si je retrouvais en lui quelque chose de moi. Les rares photos de l'album ne m'avaient pas appris grand-chose.

— La dernière fois que je l'ai vu, il portait la barbe, m'apprit Cary. Laura et moi remontions souvent la plage jusqu'à la Pointe, mais je n'ai jamais vu sa maison ni son atelier. Quelle excuse donnerons-nous pour arriver chez lui en voiture ?

— Nous pourrions dire que ma mère nous a demandé de passer lui dire bonjour, par exemple.

Cary eut un sourire amusé.

— Tu as déjà tout prévu, pas vrai ?

— Je n'ai pensé qu'à ça tous ces derniers jours, avouai-je.

— Alors c'est d'accord. Mardi.

J'en tremblais d'appréhension.

La veille au soir, après avoir soigneusement emballé l'argent d'Alice dans du papier pour qu'on ne devine pas ce que c'était, je m'assis devant le bureau de Laura et commençai une lettre à mon amie.

Chère Alice,

Tu vas être étonnée d'apprendre que je ne suis pas allée à Los Angeles, finalement. Grandma Olivia a envoyé mon cousin Cary à ma recherche pour me ramener à Provincetown, et il m'a retrouvée à la gare routière de Richmond. J'ai accepté de rentrer avec lui quand il m'a dit qu'il croyait savoir qui était mon père. C'est un artiste qui vit à Provincetown. Demain, Cary m'emmène chez lui, là où il a son atelier. Pour la première fois de ma vie, je vais voir l'homme qui pourrait être mon père. J'ai vu des photos de lui quand il était plus jeune, mais ce n'est pas pareil. Me trouver devant lui en chair et en os sera tout autre chose.

Tu rirais si tu me voyais devant le miroir de ma chambre, en train de répéter notre entrevue. J'imagine que je suis devant lui, et je ne trouve que des choses idiotes à dire. Il pourrait me dévisager, secouer la tête et me claquer la porte au nez. Cette idée me fait frémir. Je ne sais pas ce que je deviendrais si ça arrivait. Il paraît que c'est un homme très solitaire, alors justement : ça pourrait très bien arriver. Je te raconterai tout ça plus tard.

À propos de répétitions, tu ne vas pas le croire mais je me suis laissé enrôler pour le spectacle annuel de variétés. Je dois jouer deux morceaux. Je m'entraîne et la famille trouve ça bon, mais je suis morte de peur.

Je te renvoie l'argent que tu m'as prêté. C'était très chic de ta part, et je sais maintenant que tu es vraiment ma meilleure amie. J'espère que nous resterons aussi proches malgré tous les kilomètres qui nous séparent.

Toujours pas de nouvelles de maman. Quand je lui ai demandé pourquoi elle avait menti, la dernière fois qu'elle a appelé, je crois que je l'ai froissée. Elle est devenue très distante et j'ai bien peur qu'elle ne téléphone plus. Nous pourrions avoir une discussion sérieuse, maintenant que je suis assez grande pour comprendre. J'ai appris des choses assez déplaisantes sur son passé, c'est plutôt triste et ça me rend malade, mais j'essaie de ne pas trop y penser.

Ma grand-mère m'a appris qu'un jour j'hériterai d'une assez grosse fortune. Tu imagines un peu ? Moi, une héritière ! Pour le moment, je t'avoue que c'est le cadet de mes soucis.

L'important, c'est que je suis sur le point d'apprendre la vérité sur moi et sur ma famille. Ça me fait peur, et pourtant je veux tout savoir.

Pendant que je t'écris, j'ai sous les yeux la montre que Papa George m'a donnée. À l'intérieur, j'ai glissé un brin d'herbe cueilli sur la tombe de papa. Même si je reviens de là-bas, j'ai l'impression d'en être infiniment loin, pas seulement dans l'espace mais dans le temps. C'est comme si j'allais devenir quelqu'un d'autre, comme si ma vie d'avant allait finir. Après tout, cette montre et les quelques affaires que j'ai pu emmener sont tout ce qui me reste de cette vie-là. J'ai des souvenirs, bien sûr, mais ils fondent comme des bougies qui se consument. J'ai peur de me retrouver dans le noir.

Dès que j'aurai fini cette lettre, je vais travailler mon violon, puis me fourrer dans mon lit et rêver à l'avenir. Un avenir sans mensonges, plein d'espoirs et de promesses.

Dis une prière pour moi. Et merci à toi, ma seule amie sincère en ce monde.

Avec toute mon affection,
Melody

Je glissai la lettre dans l'enveloppe, avec l'argent, puis je travaillai mon violon et me couchai. Et, comme je l'avais annoncé à Alice, je rêvai à un avenir meilleur.

Demain serait un nouveau jour.

19

Perdue et retrouvée

AUCUN panneau n'indiquait la petite route sablonneuse qui conduisait à Race Point, où vivait Kenneth Childs. Le chemin, si étroit qu'on pouvait facilement le manquer, s'insinuait entre deux dunes, et comme il n'était pas signalé — Kenneth l'avait voulu ainsi — les gens du pays avaient fini par l'appeler tout simplement « la route Childs ».

Tout cela, Cary me l'apprit tandis que la camionnette grimpait lentement la côte dans une douce lumière de fin d'après-midi, sous un ciel bleu où voguaient des nuages. De gros nuages couleur de vanille, aux formes bizarres et changeantes. Ce qui, selon Cary, signifiait qu'un vent violent soufflait dans la haute atmosphère.

Au bout d'un kilomètre et demi environ, nous arrivâmes au point culminant de la pente, là où la vue s'ouvrait sur l'océan. Il était d'un bleu métallique, tout moutonnant de crêtes blanches. Sur la plage, des mouettes en quête de nourriture arpentaient en tous sens le lit d'algues laissé par la mer.

— C'est un des meilleurs endroits pour ramasser du bois flotté, m'apprit Cary. Laura et moi y passions des heures à chercher des pièces aux formes bizarres et des coquillages curieux. Les artisans régionaux les achètent.

— Et où se trouve la maison de Kenneth ?

— Par là, indiqua-t-il du geste. Juste à droite.

Le tournant nous découvrit une maison en bois de cèdre, si délavé par les intempéries qu'il était d'un gris presque blanc. L'air marin, le soleil et la pluie avaient pâli les volets noirs, à présent couleur de cendre. Derrière la maison se dressait un bâtiment plus petit qui ressemblait à une grange.

— C'est son atelier, m'informa Cary.

Je ne vis personne. Des oyats, cette herbe drue et acérée des sables, poussaient par plaques devant la maison, mais le terrain était dépourvu d'arbres et de fleurs. Sur le côté de l'habitation, un canot rongé par le soleil reposait la quille en l'air, et sur l'aire de stationnement était garée une Jeep bleu sombre. Un labrador noir, étendu sur le siège arrière, leva la tête à notre approche. Cary semblait le connaître.

— C'est Ulysse, le chien de Kenneth. Il a au moins quinze ans et il est à moitié sourd et aveugle, d'après le juge. La Jeep est là, Kenneth doit être chez lui.

Depuis que nous avions quitté la maison, je tremblais d'angoisse et Cary ne l'ignorait pas. Toutes ses tentatives pour me faire la conversation tombaient à plat.

— Tu es sûre que c'est bien ce que tu veux faire ? s'enquit-il une dernière fois.

Je ne pus que hocher la tête et respirai un grand coup. Ulysse se leva péniblement, comme s'il pesait une tonne, mais une fois sur ses pattes il sauta de la Jeep en aboyant. Un aboiement pas du tout menaçant, et même plutôt amical, me sembla-t-il. J'ouvris la porte de la camionnette.

— Cette fois, j'y vais, décidai-je en mettant pied à terre.

C'est vers moi que le vieux chien se dirigea en premier, la queue frétillante. Je lui tapotai affectueusement le cou.

— Bonjour, Ulysse...

Le labrador me lécha la main et, tout heureux d'avoir de la compagnie, se mit à aller et venir entre nous deux en bondissant.

— Champion, comme chien de garde ! s'égaya Cary.

Nous étions presque arrivés à la porte d'entrée. Décolorée par le sel et le soleil, elle aussi, elle ne comportait ni marteau ni sonnette, pas la moindre plaque ou écriteau annonçant que le visiteur était le bienvenu chez Kenneth Childs.

— On ne dirait jamais qu'il est si riche, à voir la façon dont il vit, marmonna Cary. Sa Jeep a plus de dix ans, et ses meubles ont l'air d'avoir été achetés aux puces. Nous ne sommes jamais entrés chez lui, s'empressa-t-il de préciser, mais une fois, nous avons jeté un coup d'œil par les fenêtres. Il n'y a même pas de tableaux aux murs. Tout doit être dans son atelier, mais nous ne nous en sommes jamais approchés suffisamment pour voir l'intérieur. Kenneth a une façon de vous regarder... franchement, ça fait peur.

— Que veux-tu dire ?

— Tu verras bien. Je le crois même capable de ne pas ouvrir la porte.

Nous la fixions, cette porte, et Cary ne semblait pas décidé à frapper. Ulysse à mes côtés, je m'avançai lentement dans l'allée caillouteuse et heurtai le panneau de cèdre.

Le grondement de l'océan, le clapotis du ressac, le cri des mouettes et le chuchotis de la brise étaient les seuls bruits audibles. Je cognai à nouveau, plus fort cette fois.

— Qu'est-ce que vous voulez ?

La voix, derrière nous, faillit nous faire sauter de nos chaussures. Nous nous retournâmes pour voir Kenneth Childs à l'angle de la maison. Il portait un jean et un T-shirt d'un brun passé, et il était pieds nus. Ses cheveux, légèrement plus foncés que les miens, étaient noués en catogan ainsi que Cary me l'avait dit, et lui effleuraient la base du cou. Sa barbe était un peu plus sombre. Il avait le front haut, le nez droit, des lèvres fermes au pli désabusé. Je ne pouvais pas m'empêcher d'étudier chacun de ses traits pour y chercher un rappel des miens. Mais c'était difficile, à cause de cette barbe qui lui cachait presque entièrement les joues : elle me faisait l'effet d'un masque.

Au bout d'un long silence, qui ne fit qu'augmenter sa nervosité, Cary expliqua précipitamment :

— Elle a voulu venir vous voir, monsieur.

— Pourquoi ? s'informa Kenneth, les yeux fixés sur moi.

— Ma mère m'a dit de passer vous dire bonjour, monsieur.

L'expression de Kenneth Childs conserva sa froideur distante.

— Et qui est votre mère ?
— Hellie, monsieur. Hellie Logan.
Sans cesser de m'observer, Kenneth se rapprocha d'un pas.
— Vous êtes la fille de Hellie ?
— Oui.
— Et c'est elle qui vous envoie ? s'enquit-il, carrément sceptique. Pourquoi n'est-elle pas venue elle-même ?
— Elle n'est pas au Cap. Je vis ici, chez mon oncle et ma tante, expliquai-je, en essayant de raffermir ma voix.
Kenneth m'étudiait toujours, le regard dur. Je croyais comprendre ce qu'avait voulu dire Cary.
— Comment vous appelez-vous ?
— Melody.
Il eut un soupçon de sourire et nous dévisagea l'un après l'autre, Cary et moi. Pour surmonter la gêne d'un silence trop long, je crus devoir expliquer :
— Je vais au lycée de Provincetown, pour le moment.
— Mais où est votre mère, alors ?
— En Californie. Elle auditionne pour devenir actrice, ou mannequin.
Les traits de Kenneth se détendirent enfin.
— Très plausible, commenta-t-il simplement.
Et comme il semblait prêt à s'en aller, je me hâtai d'ajouter :
— J'ai rencontré votre père chez mes grands-parents, monsieur.
— Ah bon ? (Kenneth haussa les sourcils.) Et qu'a-t-il dit quand il a su qui vous étiez ?
— Il a été... très aimable, hasardai-je, pas très sûre d'avoir bien interprété sa question.
— Papa est l'homme le plus charmant du Cap, répondit-il, comme si le fait était de notoriété publique.
Puis il se tourna vers Cary pour demander :
— Vous êtes le fils de Jacob ?
— Oui, monsieur.
— Je suis navré pour votre sœur. Je ne suis pas très au courant des nouvelles, mais j'ai appris l'accident.
Cary se mordit la lèvre, regarda ailleurs, et Kenneth reporta son attention sur moi.
— Êtes-vous bonne élève ?
— Oui, monsieur.

Il reprit tout à coup son expression sévère.

— Et votre père ? Est-il ici, lui aussi ?

— Non, monsieur. Mon père est mort dans un accident il y a quelques mois. Dans les mines de charbon, précisai-je.

— Dans les mines ? Où habitiez-vous ?

— À Sewell, en Virginie-Occidentale.

— C'est vrai, acquiesça-t-il d'un air pensif, je savais qu'ils étaient partis dans le Sud.

Pendant quelques secondes, il observa un silence rêveur, puis il battit des paupières et se remit à m'étudier avec plus d'attention encore.

— Vous lui ressemblez beaucoup, vraiment. Elle est toujours aussi jolie, je présume ?

— Oui, monsieur. Elle l'est toujours.

— Eh bien, jeta négligemment Kenneth en esquissant un mouvement de retraite, merci d'être passés dire bonjour.

Il fallait à tout prix que je l'empêche de s'en aller, mais comment ? Je m'entendis demander :

— Pourrais-je voir quelques-unes de vos œuvres, monsieur ?

Cary ouvrit des yeux ronds et regarda Kenneth, qui avait déjà le dos tourné. Il pivota et s'arrêta, la mine soupçonneuse.

— Pourquoi voudriez-vous les voir ?

— Parce qu'on m'en a beaucoup parlé.

Ma réponse n'eut pas l'air de lui suffire.

— Vous vous y connaissez en art ?

— Un peu. Seulement à travers ce que j'ai appris en classe.

— L'œuvre d'un artiste reste sa propriété personnelle tant qu'il ne l'expose pas en galerie, vous savez.

— Je sais.

Cette fois, Kenneth Childs sourit.

— Vous savez ? Seriez-vous une artiste, vous aussi ?

— Je joue du violon et je chante, déclarai-je. Et je n'aime pas le faire devant les gens tant que je ne suis pas sûre d'être prête. Je suppose que c'est pareil pour un créateur. Il ne doit pas aimer montrer ses œuvres tant qu'il n'en est pas entièrement satisfait.

Une fois de plus, Kenneth Childs haussa les sourcils.

— Exact. Et peut-être ai-je besoin d'un regard neuf sur mon travail, après tout. Alors c'est oui, je vous montrerai quelque chose que j'ai presque terminé. Mais à une condition : que vous me donniez votre avis en toute sincérité.

— J'ai horreur de mentir sur ce que je ressens, répliquai-je, tout aussi résolue que lui.

— Je n'en doute pas une seconde. Suivez-moi, dit-il en repartant d'où il était venu. Vous pouvez venir aussi, jeune homme.

Nous passâmes devant un bouquet d'oyats, un banc de bois et une mare artificielle, dans laquelle de minuscules poissons entamèrent une sarabande frénétique quand notre ombre effleura l'eau. Parvenu à l'atelier, Kenneth ouvrit la porte et se retourna vers nous :

— Ne touchez à aucun de mes outils, surtout.

Cary et moi acquiesçâmes d'un signe de la tête, intimidés.

L'atelier consistait en une vaste pièce, dont un four et plusieurs tables chargées d'outils occupaient tout un côté. Juste à notre gauche, un vieux canapé de tweed était poussé contre le mur, devant une table en bois flotté où était posé un grand bol de café, à côté d'un macaron entamé. La statue à laquelle travaillait Kenneth se trouvait sur notre droite.

Haute d'un mètre cinquante environ, c'était une silhouette de femme dont les bras se changeaient en ailes à partir du coude. L'expression de son visage était remarquable : le regard tourné vers le haut, elle entrouvrait les lèvres comme si elle exhalait un profond soupir.

Voyant que je l'observais, Kenneth interrogea :

— Eh bien ? Voyez-vous ce que j'essaie de représenter ?

— Quelqu'un qui se transforme en ange, répondis-je sans hésiter.

Il me sourit avec chaleur.

— Exactement. J'ai appelé cette statue « Ange en devenir ». Elle est d'ailleurs loin d'être achevée.

— Je trouve son expression fascinante. On dirait que... qu'elle voit le ciel pour la première fois.

— Bien vu ! C'est tout à fait cela.

— Vous ne sculptez que l'argile ? me risquai-je à demander.

— Bien sûr que non ! J'ai travaillé la pierre, le métal et le bois. Mais ici, je cherche à saisir une expression fugitive, un peu comme un croquis sur le vif pour un peintre. Quand je serai satisfait du modelage, j'en tirerai un moulage en bronze. Mais pourquoi cet intérêt ? s'enquit-il, à nouveau sur ses gardes. Vous vous y connaissez en sculpture ?

— Non, hélas ! J'ai quelques notions sur l'art grec, juste ce qu'on apprend au lycée. Je ne suis jamais allée dans un musée, avouai-je. Et les seules galeries d'art que je connaisse sont celles que j'ai vues ici, en passant dans les rues, mais sans y entrer.

— Il faudra l'emmener chez Gordon, rue du Commerce, conseilla Kenneth à Cary. Vous voyez où c'est ? (Cary hocha brièvement la tête.) J'ai quelques pièces exposées chez eux.

— J'aimerais beaucoup les voir, monsieur.

— Vous rehaussez mon opinion de l'enseignement public, sourit Kenneth. Vous-même, avez-vous tenté de pratiquer un art comme la peinture ou le dessin, par exemple ?

— Non.

— Vous devriez sans doute essayer.

Cherchait-il à me dire que j'avais peut-être hérité de son talent ? Je louchai du côté de Cary, qui semblait toujours aussi intimidé. Il regardait autour de lui comme s'il cherchait une porte de sortie, et Kenneth parut s'en apercevoir. Il se tourna vers lui.

— Alors, jeune homme, qu'aimeriez-vous faire plus tard ?

— Ce que je fais déjà : pêcher le homard et récolter des airelles, répliqua brièvement Cary.

— Et vous, Melody ?

— Je crois que j'aimerais être professeur, monsieur.

— Professeur, répéta Kenneth, tout songeur. Pas mannequin ou actrice, comme votre mère ?

— Non, répondis-je sans hésiter, ce qui parut lui plaire. Vous étiez très lié avec ma mère, autrefois, il me semble ?

— Oui. Comme avec votre père et celui de Cary, d'ailleurs. Nous avons grandi ensemble.

Mon regard croisa celui de Cary, et je perçus sa tension soudaine. Allais-je demander de but en blanc à Kenneth s'il se pouvait qu'il fût mon père ?

— Bon, il est temps que je me remette au travail, annonça-t-il en se rapprochant de la porte.

Le message était clair et je suivis notre hôte, Cary dans mon sillage. Ulysse attendait sur le seuil.

— J'aime beaucoup votre chien, fis-je observer.

— Il est vieux, mais fidèle. Il ne prend pas assez d'exercice, malheureusement.

— Je pourrais le promener pour vous, si vous voulez ? J'aimerais beaucoup ramasser des coquillages sur cette plage.

— Pourquoi pas ? sourit Kenneth, que l'idée parut séduire. Que comptez-vous faire cet été ?

— Je n'en sais rien. J'attends que ma mère vienne me chercher, ou qu'elle me téléphone.

— Eh bien, dit-il en reculant d'un pas, la main sur la poignée quand elle appellera, dites-lui bonjour de ma part.

Là-dessus, il referma la porte, me laissant nez à nez avec Cary.

— Je ne savais pas comment m'y prendre pour le faire parler, expliquai-je piteusement.

— Aucune importance, allons-nous-en. Je ne crois pas qu'il aurait accepté de reconnaître quoi que ce soit, de toute façon.

— Mais j'aurais pu insister davantage, me lamentai-je tandis que nous revenions à la camionnette, Ulysse sur nos talons. J'aurais dû lui poser des questions précises.

Nous réintégrâmes nos places et Cary mit le contact, puis redescendit l'allée en marche arrière.

— Ce sera pour la prochaine fois, dit-il en mettant le cap sur l'autoroute. Est-ce que tu as ressenti quelque chose de spécial, en sa présence ?

— Je crois, murmurai-je, évasive. C'est si difficile, et si injuste, Cary. Maman doit me dire la vérité. Il le faut !

La camionnette cahotait sur le sol inégal. Quand je regardai derrière nous, je vis Ulysse qui s'en retournait en trottinant vers la Jeep, la queue basse. Il avait l'air déçu.

La première chose que nous vîmes, en débouchant du tournant, fut la voiture de police. Elle était garée juste derrière celle de l'oncle Jacob.

— Que se passe-t-il ? s'interrogea Cary à voix haute.

Il s'arrêta près de la voiture de patrouille et, comme nous descendions de la camionnette, un détail nous frappa tous les deux en même temps : la porte de la maison était restée ouverte. Nous échangeâmes un bref coup d'œil et nous élançâmes à l'intérieur.

Dans le hall, deux policiers parlaient à mi-voix avec l'oncle

Jacob, et tous trois se retournèrent à notre arrivée. L'oncle Jacob arborait une mine lugubre, et un bruit de sanglots étouffés provenait du séjour. En nous approchant, nous vîmes tante Sarah effondrée sur le divan, en larmes, aux côtés de May qui lui caressait doucement le bras.

Cary se retourna vers son père.

— Que s'est-il passé, Pa ?

— Il y a eu... un accident.

— Qui ? demanda simplement Cary.

Le regard de l'oncle Jacob se posa un instant sur les deux officiers de police, puis se fixa sur moi. Je crus que mon cœur s'arrêtait de battre.

— Maman ? articulai-je. (Il inclina tristement la tête.) Qu'est-il arrivé ?

— L'officier de police Barker est venu nous avertir qu'ils venaient de recevoir un appel de... comment déjà ?

— Pomona, monsieur, dit le plus grand des deux policiers. C'est près de Los Angeles.

J'avalai péniblement ma salive.

— Et maman... va bien ?

— Dites-lui ce que vous savez, conseilla mon oncle au policier qui avait parlé.

Celui-ci se retourna vers moi.

— Il y a eu un accident sur l'autoroute, commença-t-il d'un ton neutre. Un seul véhicule impliqué, il s'est retourné dans un dérapage et a pris feu. Le conducteur a été éjecté, mais...

— Ma mère ?

— Il semblerait qu'elle soit restée coincée dans la voiture. L'homme, un dénommé... (le policier consulta son carnet)... Richard Marlin, a survécu et a été hospitalisé. Il a déclaré que sa passagère était Hellie Anne Logan et demandé qu'on appelle à votre domicile. La voiture a explosé, nous n'avons pas pu faire grand-chose, conclut-il gauchement.

— Maman... est morte ?

Le policier regarda l'oncle Jacob. Les sanglots de tante Sarah redoublèrent. Cary voulut prendre ma main, mais je la lui retirai brusquement.

— Dites-le-moi ! m'écriai-je, la voix stridente.

Il fallait que j'entende prononcer les mots terribles.

— C'est ce que ces messieurs viennent de nous apprendre, déclara l'oncle Jacob.

Et, du même ton apparemment indifférent, l'officier lui demanda :

— Les autorités voudraient savoir si vous souhaitez que le corps soit ramené ici, monsieur.

— Appelez Olivia ! larmoya tante Sarah.

Mais l'oncle répliquait déjà, la voix ferme :

— Oui, nous le souhaitons.

Je plaquai brutalement les mains sur mes oreilles.

— Taisez-vous ! hurlai-je en secouant la tête. Ce ne sont que des mensonges, un tas de mensonges ! Vous mentez tous !

— Allons, voyons, reprends-toi...

L'oncle Jacob tendit la main vers moi, mais je me tournai vers Cary.

— Melody, murmura-t-il avec douceur.

— Ce n'est pas vrai !

Je l'implorai du regard, comme si lui au moins pouvait empêcher que ce fût vrai. Puis je m'enfuis de la pièce et de la maison.

Je trébuchai en dévalant les marches du perron, mais je parvins à rétablir mon équilibre et m'élançai sur le chemin. Je courais aussi vite que j'en étais capable. J'avais besoin de fuir ces gens, cet endroit, ces policiers : de m'évader de toute cette histoire. Quand j'atteignis le chemin de la colline, je glissai dans le sable et tombai, mais je me relevai aussitôt et n'en courus que plus vite, les joues sillonnées de larmes. Mes poumons brûlaient quand j'atteignis la crête. Je tombai à nouveau mais cette fois je restai là, effondrée, secouée de sanglots.

Maman n'allait pas m'appeler. Elle ne viendrait pas me chercher, ne me demanderait jamais de la rejoindre. Je pleurai jusqu'à ce que mes larmes s'épuisent et restai là, figée devant le champ d'airelles, les côtes douloureuses et les yeux vides. Je n'entendis pas s'approcher Cary mais, soudain, il fut près de moi. Il se baissa et s'assit sur ses talons.

— Maman s'inquiète beaucoup pour toi, dit-il en mordillant un brin d'herbe qu'il venait de cueillir. La police a dit qu'ils roulaient très vite et qu'ils ont percuté un poteau. La voiture s'est retournée, l'ami de ta mère a été projeté sur la route, mais elle...

Je regardais fixement devant moi, comme si je ne voyais, n'entendais, ne ressentais rien, et peut-être voulais-je le croire. Pourtant, Cary parlait toujours.

— Sa portière ne s'est pas ouverte. La voiture a fait plusieurs tonneaux et a pris feu. Personne n'a menti.

Je détournai la tête. Maman s'était montrée vraiment égoïste en me laissant ici et en gardant tous ces secrets, mais je ne pouvais pas m'endurcir le cœur contre elle au point de cesser de l'aimer. Il me restait tant de doux souvenirs d'elle ! Quelquefois, je la surprenais en train de sourire, et je savais qu'elle était heureuse d'être avec moi. Elle se reposait tellement sur moi, les derniers temps. Si seulement j'avais été avec eux dans cette voiture ! Je les aurais obligés à ralentir, et rien ne serait arrivé.

— On va la ramener à Provincetown, annonça doucement Cary. Elle sera enterrée dans la concession de la famille Logan.

Je pivotai vers lui, le regard fulminant.

— De son vivant, ils ne supportaient pas de l'approcher, mais maintenant qu'elle est morte ils la veulent à leurs côtés ?

Cary baissa la tête sans mot dire.

— C'est à Sewell qu'on aurait dû l'enterrer. À côté de mon père, c'est là qu'est sa vraie place.

— Parles-en à Grandma, si tu veux.

Je réfléchis quelques secondes à sa suggestion et ma décision fut prise.

— C'est ce que je vais faire. Emmène-moi là-bas.

— Maintenant ?

Nous nous relevâmes tous les deux en même temps.

— Maintenant, confirmai-je en entamant la descente.

Je marchais vite, aiguillonnée par le chagrin et la colère. Cary s'empressa de me rattraper.

— Il faut que je prévienne papa, dit-il quand nous arrivâmes devant la maison.

— Je t'en prie, Cary, partons tout de suite. Tu n'as pas besoin de permission pour chaque bouffée d'air que tu respires !

— Tu as raison, acquiesça-t-il après un bref silence. Allons-y.

Quelques secondes plus tard, la camionnette quittait l'allée en marche arrière. J'eus le temps de voir l'oncle Jacob apparaître sur le seuil, l'air effaré, mais Cary s'engageait déjà dans le chemin. À l'instant où il ralentit devant la maison de Grandpa Samuel, je sautai à terre. La camionnette n'était pas encore à l'arrêt que je courais déjà vers la grand-porte.

Cary claqua sa portière et m'emboîta le pas. J'appuyai sur la sonnette, attendis une seconde, appuyai encore et Grandpa Samuel vint ouvrir lui-même, le visage sombre.

— Melody ! s'exclama-t-il, la surprise l'emportant déjà sur sa tristesse.

— Où est Grandma ?

C'était elle qui prenait les décisions, dans cette famille. L'idée de parler à Grandpa Samuel ne m'effleura même pas, je passai rapidement devant lui et me dirigeai droit vers le salon. Grandma était debout sur le seuil.

— Que se passe-t-il, ici ? s'enquit-elle avec hauteur.

Je n'y allai pas par quatre chemins.

— Vous êtes au courant pour ma mère, votre nièce ?

— Jacob vient d'appeler.

— C'est vraiment affreux, murmura Grandpa en se rapprochant de moi.

— Je ne veux pas qu'on l'enterre ici, déclarai-je. Sa place est chez nous, à Sewell.

— Sewell ? (Grandma regarda tour à tour Grandpa Samuel et Cary.) C'est la fille de ma sœur. Sa place est ici.

— Où on n'a jamais voulu d'elle ? ripostai-je. Comment pouvez-vous être aussi hypocrite !

Le visage déjà si pâle de Grandma perdit toute couleur.

— Je ne suis pas hypocrite. Je n'ai pas coutume de dire une chose et d'en faire une autre. Je tiens toujours mes promesses. Ta mère était la fille de ma sœur, sa place est auprès de mes parents. Et certainement pas dans un coin perdu, à côté d'un homme qui l'a épousée pour de mauvaises raisons.

— Cet homme est votre fils, lui rappelai-je.

— Il était mon fils. Je ne donnerai pas un sou pour envoyer les restes de ma nièce là-bas. Elle restera ici, avec sa famille.

— Pourquoi n'éprouviez-vous pas ces sentiments quand elle était en vie ?

— Tu sais très bien pourquoi, renvoya Grandma Olivia, péremptoire. Tu es à bout, et cette tragédie nous a tous pris par surprise. Aucun de nous ne la souhaitait, mais elle s'est produite. Un drame commencé dans le passé vient de trouver une fin douloureuse. Le moins que nous puissions faire pour cette pauvre Hellie est de la ramener auprès des siens. Tu es trop bouleversée pour discuter de ces choses, conclut Grandma.

— Je la ferai exhumer ! Je ne sais pas quand mais je la ramènerai à Sewell. Je le jure.

— Quand je serai morte, tu feras ce que tu voudras, mais j'espère que d'ici là tu auras acquis un peu de bon sens, répliqua Grandma sans se troubler. Je suis désolée pour toi. Perdre une mère est une dure épreuve, quelle que soit la façon dont elle vous ait traité. Mais nous devons continuer à vivre, et à faire notre devoir. Cary, raccompagne ta cousine chez vous, ajouta-t-elle du même ton distant.

Et sur ces mots, rien moins que chaleureux, elle se retira.

Grandpa m'entoura tendrement les épaules de son bras.

— Elle a raison, ma chérie, elle a presque toujours raison. C'est une femme remarquable.

— C'est un monstre, oui ! La seule chose remarquable, c'est la façon dont vous vous laissez régenter par elle, ripostai-je avec humeur.

Et, me dégageant d'un geste sec, je m'éloignai rapidement et sortis, suivie de Cary. Nous remontâmes tristement dans la camionnette.

— Nous ne pouvons rien faire, déclara-t-il en démarrant. Nous n'avons pas d'argent, et nous sommes mineurs.

Je baissai la tête, accablée.

— Je sais. Rentrons, soupirai-je.

À notre retour, un silence de mort nous accueillit. Je montai directement dans ma chambre, m'étendis sur le lit et restai immobile, à réfléchir, jusqu'au moment où je fus à nouveau capable de pleurer. May entrouvrit la porte, et m'adressa des signes exprimant ses regrets. Je la remerciai, mais je ne voulais pas être consolée, pas même par elle. La colère et l'amertume ne m'avaient pas quittée.

Un peu plus tard, envoyée par tante Sarah, May revint avec un plateau. Je fus incapable d'avaler quoi que ce soit, mais j'acceptai la compagnie de May et j'essayai de lui expliquer qui avait été maman. Je dus plusieurs fois recourir au manuel, et cela m'occupa l'esprit. Mon chagrin s'adoucit un peu. Exténuée, je m'endormis de bonne heure, roulée en boule sur ma couette et encore toute habillée. Tante Sarah, en montant se coucher, vint déposer une couverture sur moi et ressortit sans bruit. Tard dans la nuit, j'entendis qu'on poussait très doucement ma porte et j'entrouvris un œil ensommeillé. Comme à travers une brume, je vis Cary s'approcher à pas feutrés, s'arrêter au pied de mon lit et rester là sans bouger, à me regarder. Puis il s'agenouilla et m'embrassa sur la joue. Je fis semblant d'être profondément endormie.

La lumière du jour m'apporta un moment d'espoir. Peut-être tout cela n'avait-il été qu'un affreux cauchemar, après tout ? Mais j'avais dormi dans mes vêtements, et leur vue me rendit mes esprits. On ne pouvait pas tricher avec la réalité. Je me déshabillai, pris une douche et me changeai.

La maison était étrangement calme quand je descendis. Cary et May étaient partis, tante Sarah elle-même était sortie. Je me fis du café, quelques toasts et, mon petit déjeuner fini, j'allai m'asseoir sur le porche. Environ une demi-heure plus tard, je vis tante Sarah remonter la rue. Ses premières paroles furent pour s'inquiéter de moi.

— Bonjour, ma chérie. Tu as mangé quelque chose, au moins ?

— Oui, tante Sarah.

— Je suis allée à l'église prier pour Hellie.

— Merci, tante Sarah, murmurai-je, un peu honteuse de m'être levée si tard. J'aurais dû t'accompagner.

— Tu pourras venir demain, si tu veux. C'est une tragédie, mais tu as trouvé un foyer pour toujours, ma chérie, je voulais que tu le saches. Nous t'aimons tous.

— Merci, tante Sarah.

Elle poussa un soupir à fendre l'âme.

— En revenant, je me suis arrêtée sur la tombe de Laura, pour lui apprendre la triste nouvelle. Ma Laura était toujours un tel soutien pour moi quand les choses allaient mal ! Elle avait le don de me rendre l'espoir. Tu devrais aller prier sur sa tombe, Melody. Tu y trouverais du réconfort.

— J'irai peut-être, concédai-je, ce qui lui causa un plaisir évident.

— Si tu as besoin de parler ou de me voir, viens quand tu veux. Je serai toujours là pour toi.

J'acceptai, d'un signe de tête, et elle rentra dans la maison en arborant son éternel sourire.

J'avais repris ma place sur le porche quand Cary et May revinrent après la classe. Du plus loin qu'elle m'aperçut, May se mit à courir. Elle se jeta dans mes bras, brandissant un bulletin tout parsemé d'étoiles, symboles de ses succès.

Quand elle rentra pour se changer, Cary s'assit sur les marches pour me parler du lycée, où tout le monde avait appris la nouvelle.

— Tous les professeurs t'expriment leur sympathie, et te font dire de ne pas t'inquiéter pour les examens. Ils s'arrangeront pour que tu rattrapes le temps perdu.

— Je ne veux pas leur donner du travail supplémentaire, Cary. Je me débrouillerai.

— Tu es sûre ?

— Absolument.

Il me dévisagea longuement et me sourit.

— J'ai été surpris par le nombre d'élèves qui sont venus me demander de tes nouvelles, tu sais ? Tu es beaucoup plus populaire que tu ne crois. Je suis sûre qu'ils t'auraient volontiers choisie comme déléguée de classe, au lieu de cette grosse pouffiasse de Betty Hargate.

— Tout ça ne me paraît plus très important, à présent.

— Oui, je sais. (Il hésita, comme s'il cherchait ses mots.) Mon père m'a dit que l'enterrement aurait lieu samedi. Le... ta mère sera revenue, d'ici là.

Je me levai, sans répondre, et m'éloignai de la maison.

— Où vas-tu ? appela Cary, la voix inquiète.

— Me promener un peu sur la plage, c'est tout.

— Tu veux de la compagnie ?

— Non, pas pour le moment. Mais je te remercie, lançai-je en souriant par-dessus mon épaule.

Et je pris le chemin de la mer.

On aurait dit que les mouettes me suivaient, tournoyant au-dessus de moi. L'océan se calmait, je ne l'avais jamais vu aussi tranquille. À l'horizon, un cargo glissait lentement vers le sud. Je marchai jusqu'à ce que les vagues mouillent mes pieds nus, et la fraîcheur de l'eau me parut merveilleuse, apaisante comme un baume miraculeux.

Toute vie vient de la mer, nous apprend-on à l'école, et c'est pourquoi elle nous paraît si fascinante. Le bruit du ressac, l'écume qui me fouettait les joues, l'odeur salée des embruns et la fraîcheur de l'air marin dans mes poumons, tout cela me procurait une sorte de réconfort. Ni les marques de sympathie, ni les paroles d'un prêtre, ni la musique des orgues, rien n'aurait pu m'apporter plus de consolation que l'appel des mouettes ou la vue de toute cette eau bleue, apparemment sans limites. C'était cela qui me soutenait, me rendait vie et courage, et c'est ce qui me donnait la force de combattre mon chagrin.

Les funérailles eurent lieu deux jours plus tard. Le service religieux fut très protocolaire, le prêtre ne prononça même pas le nom de maman. Comme elle appartenait à la famille Logan, il y eut foule, bien sûr. Certaines personnes durent même rester debout au fond de l'église. Grandma Olivia, dans toute sa majesté, dirigea la cérémonie par quelques inclinations de la tête, battements de cils ou gestes discrets de la main. Sur un signe d'elle, les voitures se rangèrent en bon ordre et le cortège s'ébranla en direction du cimetière. Ce fut là, près des parents de Grandma Olivia, que furent déposés les restes de ma mère. Le prêtre prononça son éloge funèbre et me serra les mains, mais ce fut à peine si j'en eus conscience. Je flottais dans une sorte de brouillard.

Pourtant, quand nous quittâmes le lieu de l'inhumation, j'aperçus Kenneth Childs de l'autre côté de l'allée, un peu à l'écart. En veste sport bleu marine et pantalon sombre, il me parut très beau. Son père, le juge, s'était tenu aux côtés de Grandma Olivia pendant toute la cérémonie.

Cary fut aussi surpris que moi de voir Kenneth assister aux funérailles, même s'il ne s'était pas mêlé au cortège. Il partit avant que j'eusse l'occasion de lui adresser la parole.

Le lundi suivant, je retournai au lycée pour les examens de fin d'année. Les professeurs se montrèrent pleins de sympathie et de compréhension envers moi, mais je n'acceptai aucun traitement de faveur. L'effort me distrayait de ma tristesse. Cary aussi travailla dur pour préparer son bac. Le jour qui suivit la fin des épreuves, Cary, tante Sarah et May me firent une surprise au petit déjeuner. L'oncle Jacob lui-même y participa.

C'était mon anniversaire. J'y avais vaguement pensé, mais avec ces événements tragiques, les révisions et les examens, j'avais oublié jusqu'à l'idée de réjouissances. Eux, pourtant, s'étaient souvenus, et ce matin-là des présents m'attendaient sur la table. J'ouvris d'abord celui de May : un lecteur de cassettes. Elle m'expliqua qu'elle l'avait choisi elle-même et payé avec son argent de poche. Pour que je puisse m'enregistrer quand je répétais mon violon et mon chant, précisa-t-elle. Un tel désintéressement me parut incroyable chez une enfant si jeune, et je la serrai dans mes bras, émue aux larmes. Cette fillette était un vrai petit ange.

Oncle Jacob et tante Sarah m'avaient acheté deux cadeaux. Une montre en or, et une ravissante robe d'été en coton blanc, brodée de motifs aux tons pastel. L'ourlet était à dix bons centimètres au-dessus du genou, et je m'en montrai surprise. Mais tante Sarah m'expliqua qu'elle avait demandé quelque chose de très à la mode, puis convaincu l'oncle Jacob que c'était tout à fait correct, et que Laura aurait adoré cela.

Cary, lui, me chuchota qu'il m'offrirait mon cadeau à bord de son voilier.

— Cette sortie en mer est mon premier cadeau, déclara-t-il.

Tout était prêt, nous partîmes juste après le petit déjeuner, poussés par une bonne brise d'ouest. En quelques minutes, nous étions au large, offrant notre visage aux embruns, et riant de plaisir à chaque fois qu'un poisson bondissait hors de l'eau. Quand une accalmie s'établit, Cary en profita pour me présenter sa surprise. C'était une petite boîte enveloppée dans un papier cadeau, que je m'empressai d'ouvrir. J'y trouvai une chaînette de poignet avec sa plaque d'identité, sur laquelle deux notes de musique encadraient mon prénom.

— Regarde derrière, me souffla Cary.

Je retournai la plaque, pour y lire cette inscription gravée : « Que toujours bon vent te pousse. Affection, Cary. »

— C'est magnifique ! m'écriai-je avec ravissement. Merci, Cary.

Je me penchai vers lui pour l'embrasser sur la joue, mais il tourna brusquement la tête, reçut mon baiser sur les lèvres et me sourit.

— Bon anniversaire, Melody.

Je me redressai, éberluée, fixai la chaînette à mon poignet, et Cary profita d'une risée pour repartir à bonne allure.

L'après-midi était déjà bien avancé quand nous rentrâmes enfin, ivres de soleil et de vent. Comme nous remontions de la plage, Cary plissa les yeux et je l'entendis marmonner :

— Ça, par exemple ! Je veux bien être pendu...

— Qu'y a-t-il, Cary ?

— La Jeep de Kenneth Childs est devant la maison.

Nous échangeâmes un regard et, d'un commun accord, nous nous élançâmes au pas de course dans le chemin. Nous trouvâmes Kenneth dans la salle de séjour, en compagnie de l'oncle Jacob et de tante Sarah. Nonchalamment assis dans un fauteuil, Kenneth portait un pantalon de treillis kaki, une saharienne couleur de terre cuite et des chaussures de sport, sans chaussettes.

— Alors ? s'enquit précipitamment Jacob. Et cette promenade ?

— Superbe, Pa.

— Parfait. Je suppose qu'il est inutile de faire les présentations ? Vous avez déjà rendu visite à Kenneth Childs, si j'ai bien compris.

Nous jetâmes tous deux un regard à Kenneth.

— Oui, laissa tomber Cary.

— Bonjour, murmurai-je, le cœur battant.

Kenneth ne m'avait pas quittée des yeux.

— J'ignorais que c'était votre anniversaire, dit-il en souriant. Bon anniversaire.

— Merci.

— Kenneth a une proposition à te faire, annonça mon oncle. D'après ce que tu lui as dit, tu n'as pas grand-chose en vue pour les vacances et...

— J'avais des projets, mais ils ont changé.

L'expression de Kenneth Childs s'assombrit.

— J'ai décidé que j'avais besoin d'une assistante, déclara-t-il. Pour faire le travail de routine, s'occuper un peu de la maison, de l'atelier... et promener le chien, ajouta-t-il, retrouvant le sourire. Naturellement, il me faut quelqu'un qui apprécie l'art et soit à même de comprendre mes besoins.

— Je vois.

— Cela représente un long trajet, je sais, reprit Kenneth. Mais je fais mes courses très tôt le matin, pour éviter les touristes. Je pourrais passer vous prendre. Et je vous raccompagnerais, cela va de soi.

L'oncle Jacob rayonnait de satisfaction, à croire que cet arrangement était pour lui un succès personnel. Cary, lui, semblait aussi stupéfait que moi.

— Eh bien, Melody ? s'enquit mon oncle.

— Ma foi... Oui, je crois que ça me plairait.

— Alors c'est décidé ! trancha Kenneth. Jacob et moi nous sommes entendus sur un salaire qui nous paraît équitable.

— C'est plutôt moi que cette question regarde, vous ne croyez pas ?

La mine de l'oncle Jacob s'allongea, mais Kenneth sourit.

— Absolument. J'envisageais une rétribution de cent dollars par semaine. Et vous seriez nourrie, bien sûr. Cela vous semble-t-il honnête ?

— Oui.

En fait, je n'avais pas la moindre idée sur la question, mais j'étais bien contente d'avoir repris ma vie en main.

— Alors, marché conclu. Tu commences le premier jour des vacances. Vous permettez que je vous tutoie, tous les deux, en souvenir du bon vieux temps ? Oh, j'oubliais ! ajouta Kenneth en se levant, sans attendre notre réponse. Tu peux amener ton violon. Ulysse adore la musique.

Il sortit là-dessus, suivi de Jacob, et j'échangeai un long regard avec Cary. Nous étions aussi abasourdis l'un que l'autre. Tante Sarah, elle, me dévisageait d'air troublé, un peu perdu, comme si elle venait juste de s'apercevoir que je n'étais pas celle pour qui elle m'avait prise. J'en eus froid dans le dos. Je m'efforçai de lui sourire et elle me sourit en retour, puis je lui offris mon aide pour le dîner. Mais comme c'était mon anniversaire, elle refusa. Elle tenait à préparer ce repas-là toute seule.

Ce fut un régal. Nous eûmes du homard et des crevettes, de délicieuses pommes sautées, une jardinière de légumes et, comme dessert, un gâteau d'anniversaire au chocolat. May souffla les bougies avec moi et chanta avec les autres. L'oncle Jacob lui-même semblait détendu, comme apaisé. Je les remerciai tous. Je me sentais plus sereine, moi aussi, et en même temps assez désemparée. Ma vie, ma maison, ma famille... plus rien n'était comme avant.

Cary insista pour que je joue quelques airs et, finalement, je me laissai convaincre. J'allai chercher mon violon, jouai un moment pour la famille et chantai. Puis, un peu plus tard, Cary et moi sortîmes pour nous promener sur la plage. Le ciel fourmillait d'étoiles. C'était un spectacle si majestueux que, sans y penser, je baissai la voix comme dans une église.

— À ton avis, Cary, pourquoi Kenneth a-t-il fait ça ?

— C'est sans doute le moyen le plus simple qu'il a trouvé de te connaître, et peut-être aussi de te dire un jour la vérité. Je passerai voir de temps en temps si tout va bien, ne t'en fais pas.

— Tu n'as pas besoin de t'inquiéter pour moi, Cary.

— Mais bien sûr que si ! protesta-t-il, et un sourire s'alluma dans ses yeux. Je vois que tu as mis le foulard de Laura, c'est très gentil.

— C'est drôle, mais avec tout ce qui est arrivé, je me sens plus proche d'elle que jamais, avouai-je.

Souriant toujours, il saisit ma main et me fit pivoter vers l'océan. Nous restâmes longtemps ainsi, prêtant l'oreille au chuchotement du ressac, où chacun de nous percevait des voix. Des voix différentes, bien sûr. Lui et moi n'entendions pas les mêmes.

Puis, dans l'étincelant poudroiement des étoiles, nous nous en retournâmes lentement vers la maison.

Épilogue

Qui je suis

L'AUDITORIUM était comble. Mme Topper affirmait qu'il n'y avait jamais eu autant de monde, et je savais que beaucoup de gens n'étaient là que pour moi. M. Webster, le directeur, l'avait reconnu en venant nous souhaiter bonne chance.

— J'étais sûr qu'un violon nous attirerait des spectateurs, avait-il déclaré, mais il n'y a pas que cela. Beaucoup de ces gens sont curieux de voir et d'entendre la nouvelle petite-fille d'Olivia Logan.

Toute la famille était présente, même l'oncle Jacob. Aucun élève ne m'avait entendue jouer, à part ceux qui assistaient aux répétitions, et je savais que certaines filles comptaient s'amuser à mes dépens. Les trois sorcières, en tout cas, étaient venues pour ça : elles s'étaient procuré des places au premier rang. Derrière elles siégeaient Adam Jackson et sa cour, tout ce petit monde gloussant d'avance à l'idée que j'allais me couvrir de ridicule.

Les participants étaient essentiellement des guitaristes et des chanteurs. Un élève interpréta « Le Carnaval de Venise » à la trompette, et la salle applaudit à faire trembler les murs. Deux filles donnèrent une scène de « La Mégère apprivoisée », puis un garçon jongla avec des œufs. L'assistance rugit et trépigna quand l'un d'eux s'écrasa à ses pieds, mais il poursuivit bravement son numéro, jusqu'à ce que les acclamations éclatent.

Après de telles réussites, je me sentis encore plus nerveuse qu'avant. Quand ce fut mon tour, j'attendis dans les coulisses pendant que Mme Topper me présentait comme la toute nouvelle recrue du lycée. Il y eut quelque bravos polis quand je m'avançai sur la scène. Je sentais tous les regards fixés sur moi. Je portais ma nouvelle robe, la plaque d'identité offerte par Cary, et le bracelet qui avait été le porte-bonheur de Laura. J'avais un trac fou.

Après tout ce qui venait d'arriver, j'aurais pu facilement me faire excuser. Mais j'avais le sentiment que Papa George, plus que n'importe qui d'autre, aurait été fier de me voir sur scène. Pourtant, mes doigts tremblaient tellement que lorsque je commençai, je fis une fausse note. Ceux qui guettaient mon échec exultèrent. Je m'arrêtai, respirai profondément et dirigeai le regard droit devant moi, mais sans voir l'assistance. Je regardais à travers le temps. Et je vis Papa George, assis devant sa caravane, sur sa petite terrasse, la pipe à la bouche. Je vis Mama Arlène, étendue dans son transat, et j'entendis papa crier : « Attendez-moi ! »

Je pivotai légèrement de côté, comme s'il sortait en courant de la caravane pour nous rejoindre. Et quand il s'assit, je levai mon archet.

La salle se tut soudain. J'attaquai « Belle Rêveuse », fermai les yeux pour chanter, et à l'instant où je commençai, papa me sourit. Cher papa, il m'avait tant aimée ! Peut-être avait-il menti parce qu'il avait fini par croire que j'étais vraiment sa fille ? Ou peut-être avait-il eu peur que je l'aime moins ? Cela, c'était impossible. Mon amour pour lui ne faiblirait jamais.

Je jouais, je chantais toujours. Papa George souriait, Mama Arlène était radieuse. Quelque part derrière moi, maman grommelait à mi-voix, nous reprochant de ne pas l'avoir attendue, comme d'habitude. Papa lui dit de cesser de se plaindre et de se dépêcher, que j'allais commencer une autre chanson. Elle le rejoignit, et pendant un moment nous fûmes à nouveau une famille unie, ignorant le mensonge et la tromperie, la jalousie et la peur. La joie éclatait dans nos sourires, l'amour brillait dans nos yeux, et mon seul vœu était que cela durât toujours.

Je jouai plus ardemment encore pour qu'il en fût ainsi.

Je chantai, aussi, et ma voix n'avait jamais été aussi vibrante, aussi remplie d'espoir. J'étais tellement concentrée que j'avais presque fini quand je m'aperçus que, depuis un moment déjà, toute l'assistance m'accompagnait, même ceux qui étaient venus pour se moquer de moi.

Cary rayonnait. Tante Sarah était aux anges. L'oncle Jacob branlait du chef comme s'il avait vu quelque chose d'incroyable. Même la petite May, qui n'avait pas pu partager grand-chose, battait des mains en criant mon nom. Grandma Olivia semblait songeuse et Grandpa Samuel secouait la tête en riant.

Tout au fond, je crus apercevoir Kenneth Childs. Pourtant, avant que l'étourdissante ovation ne s'apaise, il avait disparu.

Mais il avait promis d'être là le lendemain, et il serait fidèle à sa promesse. J'en étais certaine.

Je l'attendis sur le porche. Le soleil n'était pas encore très haut et n'avait pas dissipé la fraîcheur matinale. Il faisait presque froid. L'oncle Jacob et Cary étaient déjà partis aux docks. May dormait encore, et tante Sarah débarrassait la table du petit déjeuner en chantonnant.

La Jeep de Kenneth déboucha du tournant. Maman aussi avait dû souvent la guetter, de cette même place, avant que les mensonges ne commencent et ne prennent le contrôle de nos vies. Mais cette époque-là était révolue.

Une autre commençait, l'ère de la vérité. Les mensonges qui m'avaient amenée ici avaient fait leur temps, et Kenneth Childs, lui aussi, le savait. Il venait me chercher parce que, dans son cœur comme dans le mien, la même voix s'était fait entendre.

« Dis-lui, chuchotait-elle. Dis-lui la vérité. Elle a le droit de savoir enfin qui elle est. »

Photo Credit : *Daily Mirror* (London)

Impossible d'indiquer avec précision la date de naissance de V.C. Andrews, car elle s'est toujours efforcée de la cacher. Certaines sources la situent en 1923, d'autres en 1924. Il est vrai que l'on sait peu de choses de cet auteur, qui semble s'être entourée de mystère. Dans les rares interviews qu'elle a accordées V.C. Andrews a déclaré que, contrairement aux personnages qu'elle mettait en scène, elle a eu une enfance heureuse et sans histoire. La seule chose dont elle ait souffert était peut-être d'avoir connu une enfance trop paisible, alors qu'elle l'aurait voulue aventureuse. Très tôt, elle a été une passionnée de lecture. Elle affirmait qu'à l'âge de douze ans, elle avait déjà lu tous les classiques, mais disait apprécier particulièrement les romans faisant la part belle au suspense et au fantastique. De là à s'inventer des histoires terrifiantes, il n'y avait qu'un pas, mais qu'elle mettrait de très longues années avant de franchir.

Car la jeune Virginia avait un autre talent, qui tenait même du prodige : celui de manier les pinceaux et les couleurs. Elle avait à peine sept ans lorsqu'elle fut inscrite à un cours de peinture, où les autres élèves étaient considérablement plus âgés. Dessiner, disait-elle, était quelque chose qu'elle faisait naturellement. Elle illustrait ainsi tous les livres qu'elle lisait, y compris ceux qu'elle empruntait à la bibliothèque. Aussi, lorsque, à l'âge de quinze ans, elle fit une mauvaise chute dans l'escalier de son école et que, à la suite de complications opératoires, elle fut condamnée à passer l'essentiel de sa vie dans un fauteuil roulant, c'est vers une carrière artistique qu'elle fut orientée. Après avoir obtenu son diplôme en suivant des cours par correspondance entre deux interventions chirurgicales, V.C. Andrews devint peintre et illustratrice. Bien qu'exceptionnellement douée, l'art n'était pas sa réelle vocation, mais elle s'était soumise à la pression de ses professeurs et surtout de sa mère, soucieuse de la tenir le plus possible à l'abri du monde extérieur. V.C. Andrews, elle, rêvait d'une carrière de comédienne. La lecture et l'écriture lui permettaient d'échapper à sa propre vie pour vivre celle de personnages de fiction.

En 1972, lassée de lire des romans dont elle jugeait les intrigues répétitives et les personnages peu fidèles à la réalité humaine, elle s'est enfin décidée à se consacrer à l'écriture. Ce n'est qu'en 1979, cependant, que son premier roman allait être publié, ouvrant la série de « Pétales au Vent », qui allait connaître un succès phénoménal dans le monde entier. Lorsque les épreuves de ce premier ouvrage lui furent portées, elle eut la surprise de voir sur la couverture ses prénoms réduits à des initiales. Son éditeur lui expliqua qu'il s'agissait d'une erreur de l'imprimeur, erreur impossible à corriger, sauf à un coût exorbitant. Plus tard, elle apprit que c'était en réalité parti pris de l'éditeur pour assurer à l'auteur un lectorat masculin, généralement réticent à acheter des livres écrits par des femmes. À ce jour, et malgré son extraordinaire renommée, beaucoup de ses lecteurs ignorent que V.C. Andrews était une femme.

Sa carrière allait être brève : atteinte d'un cancer du sein, V.C. Andrews est morte en décembre 1986, laissant un nombre considérable de synopsis et de projets de romans. Ses livres connaissent un succès qui ne s'est jamais démenti. Aujourd'hui, c'est sous son nom qu'écrivent différents auteurs totalement imprégnés de son style et de son esprit, de telle sorte que son œuvre a pu être poursuivie à titre posthume, pour le plus grand bonheur de millions de lecteurs à travers le globe.

Composition réalisée
par S.C.C.M. (groupe Berger-Levrault)
Paris XIVe

Cet ouvrage a été imprimé
sur du papier bouffant Alize sans acide et sans bois
des papeteries de Vizille
par Aubin Imprimeur (Ligugé)
et relié par la Nouvelle Reliure Industrielle (Auxerre)

Achevé d'imprimer en mars 1999
pour le compte de France Loisirs
123, bd de Grenelle, 75015 Paris
N° d'édition 27668 / N° d'impression L 57889
Dépôt légal, mars 1999
Imprimé en France